W9-CPD-748

Dello stesso autore

LE PAGINE DELLA NOSTRA VITA
IL BAMBINO CHE IMPARÒ A COLORARE IL BUIO
(*con Billy Mills*)
I PASSI DELL'AMORE
UN CUORE IN SILENZIO
UN SEGRETO NEL CUORE
COME UN URAGANO
QUANDO HO APERTO GLI OCCHI
COME LA PRIMA VOLTA
IL POSTO CHE CERCAVO
TRE SETTIMANE, UN MONDO (*con Micah Sparks*)
OGNI GIORNO DELLA MIA VITA
RICORDATI DI GUARDARE LA LUNA
LA SCELTA
HO CERCATO IL TUO NOME
L'ULTIMA CANZONE

NICHOLAS SPARKS

Le parole che non ti ho detto

SPERLING PAPERBACK

Traduzione di Alessandra Petrelli
Message in a Bottle

This edition published by arrangement with
Warner Books, Inc., New York, New York, USA

I edizione Sperling Paperback settembre 2004

ISBN 978-88-6061-579-4
86-I-10

XVI EDIZIONE

Questo romanzo è un'opera di fantasia. Nomi, personaggi, luoghi e avvenimenti sono il prodotto dell'immaginazione dell'autore o sono usati in modo fittizio, e qualsiasi riferimento a persone esistenti o esistite, fatti o luoghi è puramente casuale.

Per Miles e Ryan

Ringraziamenti

Questo libro non avrebbe visto la luce senza l'aiuto di molte persone. Vorrei ringraziare soprattutto mia moglie Catherine, che mi sostiene con la giusta misura di pazienza e di amore.

Vorrei ringraziare anche il mio agente, Theresa Park della Sanford Greenburger Associates, e il mio editor alla Warner Books, Jamie Raab. Questo romanzo non sarebbe stato scritto senza di loro. Sono i miei maestri, i miei colleghi, i miei amici.

Per concludere, ci sono altre persone che meritano la mia più sentita gratitudine. Larry Kirshbaum, Maureen Egen, Dan Mandel, John Aherne, Scott Schwimer, Howie Sanders, Richard Green e Denise DiNovi: tutti voi sapete quale parte avete avuto nella nascita di questo libro, e vi ringrazio di cuore.

Prologo

La bottiglia venne lanciata in acqua in una calda serata estiva, poche ore prima che incominciasse a piovere. Naturalmente si sarebbe rotta se fosse stata gettata in terra, ma, sigillata con cura e affidata al mare, si trasformò in un natante dei più sicuri, in grado di attraversare uragani e burrasche tropicali, e di galleggiare sulle correnti più pericolose. Era l'involucro ideale per il messaggio che custodiva al suo interno, un messaggio spedito per esaudire una promessa.

Come tutte le bottiglie lasciate al capriccio degli oceani, aveva una rotta imprevedibile. Venti e correnti giocano una parte importante negli spostamenti di qualsiasi bottiglia, burrasche e residui galleggianti possono cambiarne la direzione. Di tanto in tanto una rete da pesca le trascina per miglia nella direzione opposta a quella in cui navigano. Il risultato è che due bottiglie lanciate contemporaneamente nell'oceano possono finire su due continenti agli antipodi. Non c'è modo di prevedere dove si arenerà una bottiglia, e questo fa parte del suo mistero.

È un mistero che affascina gli uomini da sempre, e c'è

chi ha tentato di saperne di più. Nel 1929 un gruppo di scienziati tedeschi decise di seguire il viaggio di una bottiglia. Fu lanciata nell'Oceano Indiano meridionale, con un messaggio che chiedeva a chi l'avesse trovata di segnalare il luogo del ritrovamento e di rimetterla in mare. Sette anni dopo, nel 1935, la bottiglia aveva fatto il giro del mondo, percorrendo circa 16.000 miglia, la distanza più lunga mai registrata ufficialmente.

I messaggi nelle bottiglie hanno una tradizione secolare, che vanta come protagonisti anche grandi personaggi storici. Benjamin Franklin, per esempio, usò bottiglie contenenti messaggi per studiare le correnti della costa orientale degli Stati Uniti intorno alla metà del Settecento; le informazioni che raccolse sono utili ancora oggi. Persino la Marina degli Stati Uniti usa bottiglie per raccogliere dati su maree e correnti; spesso questo metodo viene utilizzato anche per determinare la direzione delle chiazze di petrolio.

Il messaggio più famoso mai spedito risale al 1784 e ha come protagonista un giovane marinaio, Chunosuke Matsuyama, che aveva fatto naufragio su una barriera corallina senza cibo né acqua. Prima di morire, incise su un pezzo di legno un racconto di quanto gli era accaduto, poi sigillò il messaggio in una bottiglia. Nel 1935, centocinquant'anni dopo essere stata affidata al mare, la bottiglia si arenò nel piccolo villaggio costiero del Giappone dove Matsuyama era nato.

La nostra bottiglia, lanciata in mare in quella calda serata estiva, non conteneva la notizia di un naufragio, né era destinata allo studio delle correnti. Conteneva però un messaggio che avrebbe cambiato per sempre due persone, due persone che altrimenti non si sarebbero mai incontra-

te; per questo motivo potremmo considerarlo un messaggio del destino. La bottiglia navigò lentamente per sei giorni in direzione nordest, spinta dai venti di un'alta pressione stabilitasi sul Golfo del Messico. Il settimo giorno il vento calò e la bottiglia virò decisamente a levante, inserendosi infine nella Corrente del Golfo, dove acquistò velocità e si diresse verso nord percorrendo circa settanta miglia al giorno.

Due settimane e mezzo dopo essere stata gettata in mare, la bottiglia era ancora trascinata dalla Corrente del Golfo. Il diciassettesimo giorno, tuttavia, un'altra tempesta, questa volta sull'Atlantico centrale, provocò venti da est che strapparono la bottiglia alla corrente e la indirizzarono verso il New England. Senza la Corrente del Golfo a sospingerla, la bottiglia rallentò di nuovo e per cinque giorni vagabondò a zigzag lungo le coste del Massachusetts, finché rimase impigliata nella rete di John Hanes. Hanes trovò la bottiglia in mezzo a un migliaio di prede guizzanti e la buttò da una parte per esaminare la pesca. Fortuna volle che la bottiglia non si rompesse; tuttavia venne subito dimenticata e rimase a prua per il resto del pomeriggio, finché la barca tornò a Cape Cod Bay. Alle otto e mezzo di sera, quando la barca fu rientrata nella baia, Hanes si imbatté di nuovo nella bottiglia mentre fumava una sigaretta. La esaminò, ma, dato che il sole era basso all'orizzonte, non vide niente di insolito all'interno e la rigettò in mare senza pensarci due volte; in tal modo, la bottiglia finì sulla spiaggia di uno dei numerosi paesini affacciati sulla baia.

Ma non subito. Galleggiò avanti e indietro ancora qualche giorno, come per valutare quale rotta scegliere, e alla fine si arenò su una spiaggia nei pressi di Chatham.

E fu lì, dopo 26 giorni e 738 miglia, che terminò il suo viaggio.

1

Soffiava un freddo vento dicembrino, e Theresa Osborne incrociò le braccia mentre lasciava correre lo sguardo sull'acqua. Quando era arrivata sulla spiaggia c'era gente che passeggiava lungo la riva, ma le nubi l'avevano fatta allontanare già da un pezzo. Adesso era sola. Theresa si guardò intorno. L'oceano, che rifletteva il colore del cielo, pareva ferro liquido, le onde si frangevano regolari sulla battigia. Pesanti nubi scendevano lentamente, e la nebbia incominciava a infittirsi nascondendo l'orizzonte. In un altro luogo, in un altro tempo, avrebbe avvertito la grandezza dello spettacolo che la circondava, ma ora, mentre se ne stava lì sulla sabbia, si rese conto di non provare nulla. In un certo senso, era come se non si trovasse nemmeno lì, come se fosse tutto un sogno.

Era arrivata in auto quella mattina, anche se ricordava ben poco del viaggio. Quando aveva deciso di venire, pensava di trattenersi una notte. Aveva organizzato ogni cosa e persino pregustato la tranquillità di una serata lontano da Boston, ma guardando l'oceano ribollire e spumeggiare minaccioso si accorse di non avere voglia di rimanere.

Concluso quel che doveva fare, sarebbe tornata a casa, non importava a che ora.

Quando finalmente fu pronta, Theresa si avviò lentamente verso l'acqua. Sotto il braccio reggeva una borsa che aveva preparato con cura quella mattina, badando a non dimenticare nulla. Non aveva detto a nessuno che cosa portava con sé, né che cosa intendeva fare quel giorno. Aveva detto che sarebbe andata a fare compere per Natale. Era una scusa perfetta; pur essendo sicura che sarebbe stata capita se avesse detto la verità, quel viaggio era un'esperienza che non voleva spartire con nessuno. Lo aveva intrapreso sola, e sola voleva terminarlo.

Theresa sospirò e guardò l'orologio. Ben presto sarebbe arrivata l'alta marea, e quello era il momento in cui sarebbe stata finalmente pronta. Dopo avere trovato su una piccola duna un posticino che sembrava comodo, sedette sulla sabbia e aprì la borsa. Frugò all'interno fino a trovare la busta che cercava. L'aprì lentamente, con un profondo respiro.

Conteneva tre lettere, ripiegate con cura, lettere che aveva letto più volte di quante riuscisse a ricordare. Tenendole davanti a sé, rimase seduta sulla sabbia a guardarle.

La borsa conteneva altri oggetti, ma per quelli non era ancora pronta. Continuava invece a fissare le lettere. Lui aveva usato una stilografica, e in diversi punti, dove la penna aveva sbavato, c'erano delle macchie. La carta da lettere, con il disegno di una barca a vela nell'angolo in alto a destra, incominciava qua e là a scolorirsi, sbiadendo lentamente con il passare del tempo. Theresa sapeva che un giorno le parole sarebbero state illeggibili, ma sperava che, dopo ciò che si apprestava a fare, non avrebbe più provato il bisogno di guardarle così spesso.

Quando le ebbe lette, le infilò di nuovo nella busta con la stessa cura con cui le aveva tirate fuori. Poi, rimessa la busta nella borsa, tornò a contemplare la spiaggia. Dal punto in cui era seduta, poteva vedere il luogo dove tutto aveva avuto inizio.

Stava facendo jogging all'alba, ricordò, e rivide con chiarezza quella mattina estiva. Era l'inizio di una bella giornata. Theresa osservava il mondo intorno a sé, ascoltando il richiamo stridulo delle rondini di mare e lo sciacquio gentile delle onde che si rompevano sulla riva. Pur essendo in vacanza, si era alzata presto per correre senza dover badare a dove metteva i piedi. Nel giro di poche ore la spiaggia si sarebbe riempita di turisti stesi sugli asciugamani a crogiolarsi sotto il caldo sole del New England. Cape Cod era sempre affollato in quella stagione, ma gran parte dei turisti tendeva a dormire un po' più a lungo. A Theresa piaceva la sensazione di correre sulla sabbia compatta e levigata lasciata dal ritiro della marea. A differenza dei marciapiedi, la sabbia cedeva quel tanto che bastava per non indolenzire le ginocchia, come a volte le capitava dopo avere corso sul cemento.

Le era sempre piaciuto correre, un'abitudine mantenuta dai tempi della scuola superiore. Pur non facendo più gare e cronometrando raramente i tempi, correre era diventato uno dei pochi momenti in cui poteva rimanere sola con i suoi pensieri. Per lei era una specie di meditazione, e per questo preferiva la solitudine. Non era mai riuscita a capire perché alla gente piacesse correre in gruppo.

Per quanto amasse suo figlio, era lieta che Kevin non fosse con lei. Tutte le madri hanno bisogno di tanto in tanto di uno stacco, e Theresa aveva tutte le intenzioni di prendersela comoda mentre era in vacanza. Niente partite di calcio o gare di nuoto la sera, niente musica assordante di sottofondo, niente compiti da controllare, niente levatacce nel cuore della notte per consolarlo se faceva dei brutti sogni. Lo aveva accompagnato tre giorni prima all'aeroporto, dove Kevin aveva preso un aereo per andare dal padre in California. Solo dopo che lei glielo aveva fatto notare, il figlio si era accorto di non averle dato un bacio. «Scusa, mamma», aveva detto abbracciandola. «Ti voglio bene. Non morire di nostalgia, okay?» Poi si era girato, aveva consegnato il biglietto all'assistente di volo e si era imbarcato sull'aereo senza voltarsi indietro.

Non lo biasimava per questo. A dodici anni era in quella fase in cui pensava che abbracciare e baciare la mamma in pubblico fosse una cosa da femminucce. E poi aveva la mente altrove. Era da Natale che aspettava questo viaggio. Avrebbe visitato con suo padre il Grand Canyon, poi avrebbero passato una settimana in gommone sul fiume Colorado, infine sarebbero andati a Disneyland. Era il viaggio dei sogni di ogni ragazzo, e Theresa era felice per lui. Anche se Kevin sarebbe stato via per sei settimane, sapeva che passare un po' di tempo con il padre gli avrebbe fatto bene.

Lei e David erano rimasti in discreti rapporti da quando, tre anni prima, avevano divorziato. Pur non essendo gran che come marito, David era un buon padre. Non dimenticava mai di mandare un regalo per il compleanno di Kevin o per Natale, telefonava tutte le settimane e un paio di volte all'anno attraversava gli Stati Uniti per passare il fine settimana con il figlio. Poi, ovviamente, c'erano i periodi stabiliti dal tribunale, sei settimane d'estate, un Natale sì e uno no, infine le vacanze di Pasqua, in cui la scuola chiudeva una settimana. Annette, la nuova moglie di David, era molto occupata con il bambino piccolo, ma Kevin le voleva bene e non tornava mai a casa arrabbiato o con la sensazione di essere stato trascurato. Anzi, di solito non la smetteva più di raccontare e di dire quanto si fosse divertito. A volte Theresa provava una fitta di gelosia, ma faceva del suo meglio per nasconderla a Kevin.

Adesso correva sulla spiaggia a un'andatura moderata. Brian era sicuramente già uscito, e Deanna l'avrebbe aspettata per fare colazione. Theresa aveva voglia di passare un po' di tempo con lei. Erano una coppia anziana, entrambi sulla sessantina, ma Deanna era la sua migliore amica.

Era la direttrice del giornale dove lavorava Theresa, e veniva da parecchi anni a Cape Cod con il marito Brian. Alloggiavano sempre nello stesso posto, la Fisher House, e quando era venuta a sapere che Kevin sarebbe stato via con il padre per buona parte dell'estate Deanna aveva insistito perché Theresa si unisse a loro.

«Quando è qui, Brian va a giocare a golf tutti i giorni, e a me farebbe piacere un po' di compagnia», le aveva detto. «E poi, che cosa faresti altrimenti? Ogni tanto devi pur mettere il naso fuori casa.» Theresa sapeva che aveva ragione, e dopo qualche giorno di riflessione aveva accettato. «Sono davvero contenta», aveva detto Deanna con aria trionfante. «Ti piacerà.»

Theresa doveva riconoscere che il posto era bello. Fisher House era la casa di un capitano ristrutturata con gusto, su un promontorio roccioso che si affacciava su Cape Cod Bay. Scorgendola da lontano, rallentò. A differenza dei corridori più giovani, che accelerano alla fine della corsa, Theresa preferiva diminuire l'andatura e riprendere fiato. A trentasei anni incominciava a non avere più le stesse capacità di recupero di un tempo.

Mentre il respiro si faceva più regolare, pensò a come avrebbe trascorso il resto della giornata. Si era portata cinque libri che desiderava leggere da un anno, ma che non era mai riuscita ad aprire. Sembrava non ci fosse più il tempo per farlo, con Kevin e la sua inesauribile energia, le faccende di casa e tutto il lavoro che si ammucchiava in continuazione sulla scrivania. Come titolare di una rubrica settimanale sul *Boston Times* era sempre sotto pressione. La maggior parte dei suoi colleghi pensava che fosse facile: bastava buttare giù tre cartelle ed era fatta. Ma non era così. Riuscire a trovare continuamente qualcosa di originale sul tema dei rapporti fra genitori e figli non era per niente facile, soprattutto considerando che la sua rubrica «Genitori moderni» veniva ripresa su una sessantina di giornali in tutto il paese. Questa opportunità, molto ambita fra i giornalisti, le era stata offerta soltanto diciotto mesi prima, e dato che lei era ancora poco conosciuta da molti dei giornali consorziati, non poteva permettersi di «staccare» nemmeno un giorno ogni tanto.

Theresa si mise a camminare, poi si fermò a guardare una sterna che volteggiava sopra la sua testa. C'era molta umidità. Si deterse il sudore dal viso con l'avambraccio, fece un respiro profondo, lo trattenne qualche istante, poi espirò prima di volgere gli occhi verso l'acqua. Era così presto che il mare era ancora grigio opaco, ma i colori sarebbero cambiati appena il sole si fosse levato. L'acqua era invitante. Theresa si tolse scarpe e calze e prese a camminare sulla battigia, lasciando che le onde venissero a lambirle i piedi. Andò avanti e indietro per qualche minuto, godendosi la sensazione di fresco. Di colpo fu contenta di avere approfittato dei ritagli di tempo dei mesi precedenti per anticipare qualche pezzo, cosa che adesso le permetteva di scordarsi del lavoro per una settimana. Non rammentava più l'ultima volta che era stata lontana da un computer, senza riunioni, né scadenze da rispettare. Provava un senso di liberazione nello stare per un po' lontana dalla scrivania, e le sembrava quasi di riprendere il controllo del proprio destino, di poter ricominciare a vivere.

Sapeva di avere molte cose da fare a casa. Il bagno aveva bisogno di nuova carta da parati e di essere rimodernato, i muri erano da stuccare, e a tutto l'appartamento avrebbe fatto bene una rinfrescata. Un paio di mesi prima aveva comperato tappezzeria e vernice, maniglie e portasciugamani nuovi, uno specchio, oltre agli utensili necessari, ma non aveva nemmeno aperto le scatole. C'era sempre qualcosa da fare durante il fine settimana, che spesso finiva con l'essere pieno di impegni quanto i giorni lavorativi. I suoi acquisti erano ancora nelle confezioni in cui li aveva portati a casa, dietro l'aspirapolvere, e tutte le volte che apriva il ripostiglio parevano prendersi gioco delle sue buone intenzioni. Chissà, pensò tra sé, magari dopo questa vacanza...

Volgendo il capo vide un uomo fermo poco lontano, sulla spiaggia. Era più anziano di lei, forse sulla cinquantina, e aveva un viso molto abbronzato, come se vivesse lì tutto l'anno. Era immobile con i piedi nell'acqua, e lasciava che gli lambisse le gambe. Theresa notò che aveva gli occhi chiusi, come se godesse della bellezza del mondo senza bisogno di guardarlo. Portava jeans sbiaditi, arrotolati al ginocchio, e una maglietta che non si era curato di infilare nella cintura. Guardandolo, Theresa provò l'irresistibile desiderio di essere una persona diversa. Che cosa avrebbe provato camminando lungo la spiaggia senza un pensiero al

Come sarebbe stato venirsene tutti i giorni in un [illegible] tranquillo, lontano dal frastuono e dalla frenesia di Boston, solo per gustare ciò che la vita aveva da offrire?

Avanzò leggermente nell'acqua, imitando l'uomo, nella speranza di provare ciò che stava sperimentando lui. Ma quando chiuse gli occhi l'unica cosa cui riuscì a pensare fu Kevin. Dio solo sapeva se avrebbe voluto passare più tempo con lui, e avere più pazienza quando stavano insieme. Si sarebbe voluta sedere a parlare con lui, oppure giocare a Monopoli, o semplicemente guardare insieme la TV senza provare l'impulso di alzarsi per fare qualcosa di più urgente. A volte, quando sosteneva che Kevin veniva al primo posto, e che la famiglia è la cosa più importante che c'è, si sentiva una bugiarda.

Ma il problema era che c'era sempre qualcos'altro da fare. Piatti da lavare, bagni da pulire, la cassetta del gatto da vuotare; l'auto andava portata dal meccanico, la biancheria lavata e i conti pagati. Sebbene l'aiutasse moltissimo in casa, Kevin era impegnato quasi quanto lei con la scuola, gli amici e tutte le altre attività. Così le riviste finivano nella spazzatura senza essere lette, le lettere rimanevano da scrivere, e a volte, in momenti come quello, Theresa aveva paura che la vita le sfuggisse di mano.

Ma come cambiare tutto ciò? «Prendi la vita giorno per giorno», diceva sempre sua madre, ma lei non doveva lavorare fuori casa, né allevare un figlio senza l'aiuto di un padre. Non capiva le preoccupazioni che Theresa doveva affrontare ogni giorno. E neppure sua sorella minore, Janet, che aveva seguito le orme materne. Lei e il marito erano felicemente sposati da quasi undici anni, con tre magnifiche figlie a dimostrarlo. Edward non era un uomo brillante, ma era onesto, un gran lavoratore e guadagnava abbastanza per mantenere la famiglia senza che Janet dovesse lavorare. A volte Theresa pensava che le sarebbe piaciuta una vita come quella, anche se ciò avrebbe significato rinunciare alla carriera.

Ma non era possibile. Non lo era più da quando lei e David avevano divorziato. Erano passati tre anni, contando anche quello della separazione. Non odiava David per ciò che aveva fatto, ma il rispetto per lui era andato in frantumi. L'adulterio, che fosse l'avventura di una notte o una relazione prolungata, era una cosa che non poteva accettare. E non serviva neppure a farla stare meglio il sapere che David non aveva sposato la donna con la quale aveva avuto una relazione per due anni. La perdita di fiducia era irrimediabile.

David si era trasferito nel suo Stato di origine, la California, un anno dopo la separazione, e pochi mesi dopo aveva conosciuto Annette. La nuova moglie era molto religiosa, e a poco a poco aveva fatto sì che David si avvicinasse alla chiesa. David, agnostico dalla nascita, era sempre sembrato in cerca di un significato più profondo della vita. Adesso frequentava regolarmente la chiesa e faceva il consulente matrimoniale insieme con il pastore. Theresa si chiedeva spesso che tipo di consigli potesse dare e come potesse aiutare gli altri se non era stato capace di controllare se stesso. Non lo sapeva, ma in realtà non le importava: le bastava che nutrisse ancora un sincero interesse per il figlio.

Ovviamente, con il divorzio erano finite anche molte delle sue amicizie. Adesso che non faceva più parte di una coppia, sembrava fuori posto alle feste di Natale o alle grigliate in giardino. Le era rimasto tuttavia qualche amico, che le lasciava messaggi sulla segreteria telefonica propo-

pranzo o un invito a cena. Di tanto in tanto ac-
a, ma di solito trovava una scusa. Le sembrava che quelle amicizie non fossero più quelle di un tempo, e in effetti era così. Cambiavano le cose, cambiavano le persone, e il mondo continuava a girare appena fuori della finestra.

Dopo il divorzio era uscita poche volte con altri uomini. E non certo perché non fosse una donna attraente. Aveva capelli di un castano scuro, appena sopra le spalle, liscissimi. Gli occhi, la cosa per la quale riceveva più complimenti, erano nocciola con pagliuzze più chiare che li rendevano scintillanti. Era in ottima forma e dimostrava anche meno dei suoi trentasei anni. Negli ultimi tempi, però, aveva guardato con preoccupazione una nuova ruga all'angolo dell'occhio, un capello bianco spuntato in una notte.

Gli amici la giudicavano pazza. «Sei molto meglio adesso di qualche anno fa», insistevano; e quando faceva la spesa al supermercato Theresa si accorgeva di attirare ancora gli sguardi degli uomini. Ma non aveva, né avrebbe più avuto, ventidue anni. E spesso le capitava di pensare che non sarebbe tornata indietro neppure se avesse potuto, a meno di non poter portare con sé un po' della maturità acquisita. Altrimenti si sarebbe imbattuta in un altro David: un bell'uomo cui piacevano le belle cose della vita, con il tacito sottinteso di non essere obbligato a rispettare le regole. D'altronde le regole erano importanti, soprattutto quelle riguardanti il matrimonio! Erano le uniche che una persona non avrebbe mai dovuto infrangere. Suo padre e sua madre non l'avevano fatto, sua sorella e suo cognato neppure, Deanna e Brian nemmeno. Perché lui sì? E perché, si domandò mentre indugiava presso la risacca, la mente le tornava sempre a quel pensiero, anche dopo tanto tempo?

Supponeva che dipendesse dal fatto che all'arrivo dei documenti per il divorzio si era sentita come se una parte di lei fosse morta. La rabbia provata all'inizio si era trasformata in tristezza, poi era divenuta qualcos'altro ancora, una specie di apatia. Anche se era sempre in movimento, Theresa aveva l'impressione che non le accadesse più niente di speciale. Ogni giorno sembrava identico al precedente, e faticava a distinguerli l'uno dall'altro. Una volta, circa un anno prima, era rimasta un quarto d'ora seduta alla scrivania cercando di ricordare l'ultima cosa spontanea che aveva fatto. Non le era venuto in mente nulla.

I primi mesi erano stati duri. La collera ormai si era affievolita e non provava più l'impulso di scagliarsi su David per fargliela pagare. Tutto ciò che provava era autocommiserazione. Nemmeno l'avere Kevin intorno tutto il tempo bastava a non farla sentire completamente sola al mondo. Per un certo periodo non era riuscita a dormire più di qualche ora per notte, e di tanto in tanto, quando era al lavoro, lasciava la scrivania per rifugiarsi in macchina a piangere.

Adesso, dopo tre anni, non sapeva se avrebbe mai amato di nuovo qualcuno come David. Quando lui era comparso alla festa delle matricole durante il suo primo anno all'università, le era bastato uno sguardo per capire che voleva stare con lui. Allora il suo giovane amore sembrava così forte, così invincibile. Restava sveglia a pensare a lui, e quando attraversava il campus era così allegra che molti ricambiavano il suo sorriso ogni volta che la incontravano.

Ma un amore così non poteva durare: almeno era quanto aveva scoperto. Con il passare degli anni, era emerso un matrimonio diverso. Lei e David erano cresciuti e si erano allontanati. Era divenuto difficile ricordare le cose che in principio li avevano uniti. Guardando indietro, Theresa aveva l'impressione che David fosse diventato una persona completamente diversa, anche se non riusciva a individuare il momento esatto del cambiamento. Ma quando la fiamma dell'innamoramento si spegne può accadere di tutto, e a lui era successo. Un incontro casuale in un negozio di video, due chiacchiere che avevano portato a uno spuntino insieme e infine alle camere d'albergo di tutta la periferia di Boston.

Il brutto della situazione era che a volte sentiva ancora la sua mancanza, o meglio quella dei suoi lati positivi. Essere sposata con David era comodo, come un letto in cui si dorme per anni. Si era abituata ad avere in casa un'altra persona, anche solo per parlare o ascoltare. Si era abituata a svegliarsi la mattina con l'aroma del caffè, e le mancava la presenza nell'appartamento di un altro adulto. Aveva nostalgia di un mucchio di cose, ma soprattutto di quell'intimità creata dall'abbracciarsi e sussurrare dietro una porta chiusa.

Kevin non era ancora abbastanza grande da capirlo, e sebbene lei lo amasse moltissimo, in quel momento sentiva la mancanza di un altro tipo di sentimento. Quello per Kevin era un amore materno, probabilmente il genere d'amore più profondo e più sacro che esista. Ancora adesso le piaceva andare in camera sua dopo che si era addormentato e sedersi sul letto a guardarlo. Kevin appariva sempre così sereno, così bello... Ma l'amore per lui non poteva soddisfare completamente la sua voglia di essere amata.

Sognava ancora di innamorarsi, di avere qualcuno che la prendesse tra le braccia e la facesse sentire più importante di ogni altra cosa al mondo. Ma di questi tempi era difficile, se non impossibile, fare amicizia. Gran parte degli uomini sopra la trentina che conosceva erano già sposati, e quelli divorziati sembravano alla ricerca di donne più giovani da modellare a loro piacimento. Restavano così solo gli uomini di una certa età, ma, pur pensando di potersi innamorare di un uomo più vecchio di lei, Theresa doveva pensare a suo figlio. Voleva un uomo che trattasse Kevin nel modo giusto, non soltanto come un accessorio ingombrante della persona desiderata. Purtroppo i cinquantenni avevano di solito figli grandi; pochi erano pronti ad affrontare la fatica di crescere un adolescente. «Ho già fatto la mia parte», aveva tagliato corto un uomo con il quale usciva. Era stata la fine della relazione.

Riconosceva anche di avvertire la mancanza dell'intimità fisica derivante dall'amore, dalla fiducia, dallo stringere un'altra persona. Non era più stata con un uomo da quando lei e David avevano divorziato. Le occasioni non erano certo mancate: trovare qualcuno con cui andare a letto non era difficile per una donna attraente. Ma non era quello il suo stile. Theresa non era stata allevata in quel modo e non intendeva cambiare proprio ora. Il sesso era troppo importante, troppo speciale per essere sprecato con il primo venuto. In vita sua era stata solo con due uomini: David, ovviamente, e Chris, il suo primo ragazzo. Non intendeva allungare la lista unicamente per qualche minuto di piacere.

Perciò adesso, in vacanza a Cape Cod, sola al mondo e senza un uomo nell'immediato futuro, voleva riservare un po' di tempo a se stessa. Leggere un libro, poltrire sul divano, bere un bicchiere di vino senza il rumore della TV sullo sfondo. Scrivere ad amici di cui non aveva notizie da tempo. Dormire fino a tardi, mangiare cose sfiziose e andare a correre al mattino presto, prima che arrivasse la gente a rovinare l'incanto. Voleva provare di nuovo un attimo di libertà, per breve che fosse.

Quella settimana voleva anche andare a fare compere. Non nei grandi magazzini o in posti pieni di pubblicità della Nike e di magliette dei Chicago Bulls, ma in quei negozietti che Kevin trovava noiosi. Aveva voglia di provare qualche vestito nuovo e di comprare un paio di capi che mettessero in risalto la sua figura, solo per sentirsi ancora viva e desiderabile. Magari sarebbe anche andata dal parrucchiere: erano anni che non cambiava pettinatura, ed era stufa di avere sempre lo stesso aspetto. E se per caso quella settimana un uomo interessante le avesse chiesto di uscire, forse avrebbe accettato, solo per avere la scusa di indossare quello che aveva appena comperato.

Ritrovato un certo ottimismo, Theresa si girò a guardare l'uomo con i jeans arrotolati al ginocchio. Ma lo sconosciuto se n'era andato zitto zitto, così com'era arrivato. Anche lei era pronta a rimettersi in marcia. Le gambe le si erano intorpidite nell'acqua fredda, e sedersi per infilare le scarpe fu un po' più difficile di quanto si aspettasse. Non avendo un asciugamano, ebbe un momento di esitazione prima di infilarsi i calzini, poi decise di lasciare perdere. Era in vacanza. Non c'era bisogno né di calze né di scarpe.

Si avviò verso casa tenendole in mano. Camminando lungo la battigia, scorse una grossa pietra semiaffondata nella sabbia, a pochi centimetri dal punto dove la marea del mattino aveva raggiunto il suo punto più alto. Strano, pensò tra sé, sembrava fuori posto.

Avvicinandosi, notò qualcosa di insolito nel suo aspetto. Prima di tutto era liscia e lunga, e quando la raggiunse si rese conto che non era affatto un sasso ma una bottiglia, probabilmente gettata via da qualche turista trascurato o da uno di quei ragazzi che erano soliti frequentare la spiaggia di notte. Si voltò e vide un cestino per le immondizie fissato al trespolo del bagnino; decise di fare la sua buona azione quotidiana. Quando prese la bottiglia, tuttavia, rimase sorpresa nel notare che aveva il tappo. La sollevò per guardarla alla luce, e all'interno scorse un biglietto legato con uno spago.

Per un attimo il battito del suo cuore accelerò, mentre un altro ricordo le si affacciava alla mente. All'età di otto anni, mentre era in vacanza in Florida con i genitori, lei e un'altra bambina avevano spedito una lettera via mare, senza mai ricevere risposta. Era una lettera semplice, infantile, ma per settimane, dopo essere tornata a casa, Theresa era andata a guardare nella cassetta delle lettere, sperando che qualcuno l'avesse trovata e le avesse spedito una risposta dal luogo in cui la bottiglia si era arenata. Non avendo ricevuto niente, era rimasta delusa, e il ricordo era sbiadito fino a scomparire del tutto.

Ma adesso le era tornato vividissimo. Chi era con lei quel giorno? Una bambina più o meno della sua età... Tracy?... no... Stacey?... Sì, Stacey! Si chiamava Stacey! Capelli biondi... stava con i nonni per l'estate e... e... e il ricordo si fermava lì, per quanto si sforzasse di far emergere qualcos'altro.

Incominciò a tirare il sughero, quasi aspettandosi che fosse la sua bottiglia, pur sapendo che non era possibile. Probabilmente era di un altro bambino, e se avesse chiesto una risposta, lei l'avrebbe spedita. Magari insieme con un ricordino e una cartolina di Cape Cod.

Il tappo era saldo, e mentre cercava di toglierlo le scivolavano le dita. Non riusciva a stringerlo bene. Conficcò le corte unghie nella parte sporgente del sughero e ruotò lentamente la bottiglia. Niente. Cambiò mano e provò di nuovo. Stringendo più forte, si mise la bottiglia tra le gambe per fare più leva e, proprio quando stava per rinunciare, il tappo si mosse leggermente. Rinfrancata, Theresa prese di nuovo la bottiglia fra le mani... la torse... la ruotò lentamente... e d'un tratto il tappo si allentò e uscì facilmente.

Rovesciata la bottiglia, Theresa rimase sorpresa quando il biglietto scivolò immediatamente fuori, cadendole ai piedi. Si chinò a raccoglierlo e notò che era legato molto stretto.

Slegò lo spago con cautela, e la prima cosa che la colpì mentre srotolava il biglietto fu la carta. Non era carta da lettere da bambini. Era carta costosa, spessa e resistente, con la sagoma di una barca a vela in rilievo nell'angolo in alto a destra. Ed era sgualcita, vecchia, come se fosse in mare da cent'anni.

Trattenne il fiato. Forse era antica. Aveva udito di bottiglie buttate a riva dopo un secolo, quindi perché non questa? Forse aveva fra le mani un'autentica rarità. Ma esaminandola si accorse di essersi sbagliata. Nell'angolo in alto a sinistra c'era una data.

22 luglio 1997.

Poco più di tre settimane prima.

Guardò con più attenzione. Il testo era lungo, occupava tutte e due le facciate del foglio, e non sembrava richiedere risposte di sorta. Dando una rapida occhiata non le parve di vedere né un indirizzo né un numero telefonico, ma forse erano scritti all'interno della lettera.

Theresa avvertì un guizzo di curiosità, e fu allora, in una calda e soleggiata mattina del New England, che lesse per la prima volta la lettera che avrebbe cambiato per sempre la sua vita.

22 luglio 1997

Mia adorata Catherine,

mi manchi, amore, come sempre, ma oggi è più dura del solito, perché il mare ha cantato per me, e la canzone era quella della nostra vita insieme. Mi sembra di averti accanto, mentre scrivo questa lettera e sento il profumo dei fiori di campo che mi hanno sempre ricordato te. Ma ora queste cose mi lasciano indifferente. Le tue visite si sono diradate, e a volte ho la sensazione che la parte più importante di me stia scivolando lentamente via.

Eppure mi sforzo. Di notte, quando sono solo, ti chiamo, e tutte le volte che il mio dolore giunge al culmine, riesci ancora a trovare il modo per tornare da me. Ieri notte ti ho vista in sogno, sul molo vicino a Wrightsville Beach. Il vento ti soffiava tra i capelli e nei tuoi occhi c'era ancora il bagliore del sole al tramonto. Resto colpito vedendoti lì, appoggiata alla balaustra. Come sei bella, di una bellezza che non ho mai trovato in nessun'altra donna. Lentamente m'incammino verso di te e quando alla fine ti volti e guardi, mi accorgo che anche gli altri ti stanno osservando. «La conosci?» sussurrano invidiosi, e mentre mi sorridi, rispondo con la pura verità. «Più del mio cuore.»

Ti raggiungo e ti prendo fra le braccia. Anelo a questo momento più di qualsiasi altro. È ciò per cui vivo, e quando tu rispondi al mio abbraccio mi abbandono a questo momento, finalmente di nuovo in pace.

Sollevo la mano e ti sfioro la guancia, e tu pieghi la testa e chiudi gli occhi. Le mie mani sono ruvide sulla tua pelle morbida, e per un attimo mi chiedo se ti tirerai indietro, ma so che non sarà così. Non lo hai mai fatto, ed è in momenti come questi che capisco lo scopo della mia vita.

Io sono qui per amarti, per stringerti fra le braccia, per proteggerti. Sono qui per imparare da te e ricevere in cambio il tuo amore. Sono qui perché non c'è nessun altro luogo in cui vorrei essere.

Ma poi, come al solito, mentre siamo vicini incomincia a levarsi la nebbia. Dapprima è una bruma lontana, che sale dall'orizzonte, e io sono sempre più impaurito a mano a mano che si avvicina. Si insinua lentamente, avvolgendo il mondo intorno a noi, accerchiandoci come per impedirci di fuggire. Come una nube, inghiotte tutto, si fa più vicina, finché non resta null'altro all'infuori di noi due.

Sento un nodo alla gola e gli occhi mi si riempiono di lacrime, perché so che per te è venuto il momento di andare. Lo sguardo che mi lanci in quest'istante mi perseguita. Sento la tua tristezza e la mia solitudine, e il dolore nel mio cuore, che si è calmato solo per poco, si fa più forte quando mi lasci. Poi apri le braccia e indietreggi nella nebbia, perché quello è il tuo posto, non il mio. Vorrei seguirti, ma mi rispondi scuotendo la testa, perché sappiamo entrambi che è impossibile.

E con il cuore a pezzi rimango a guardarti mentre sparisci piano piano. Cerco disperatamente di ricordare ogni particolare di questo momento, ogni particolare di te. Ma presto, sempre troppo presto, la tua immagine svanisce e la nebbia ritorna da dove è venuta, e io resto solo sul molo e non m'importa di ciò che pensano gli altri mentre chino la testa e piango, piango, piango.

Garrett

2

«Hai pianto?» domandò Deanna, mentre Theresa saliva sulla veranda tenendo in mano la bottiglia e il messaggio. Nel suo turbamento si era dimenticata di gettare via la bottiglia.

Imbarazzata, Theresa si asciugò gli occhi, mentre Deanna posava il giornale e si alzava. Pur essendo sovrappeso (era così da quando Theresa la conosceva) girò svelta intorno al tavolo, un'espressione preoccupata in viso.

«Stai bene? Che cosa ti è successo? Ti sei fatta male?» Deanna urtò una sedia mentre allungava il braccio e le prendeva la mano.

Theresa scosse il capo. «No, no. È solo che ho trovato questa lettera e... non so, dopo averla letta mi è venuto da piangere.»

«Una lettera? Che lettera? Sei sicura di stare bene?» Con la mano libera Deanna gesticolava tutta agitata.

«Sto bene, davvero. La lettera era in una bottiglia. L'ho trovata arenata sulla spiaggia. Quando l'ho aperta e l'ho letta...» La voce le venne meno, mentre il viso di Deanna si illuminava un poco.

«Oh... capisco. Per un attimo ho creduto che fosse successo qualcosa di terribile, che fossi stata aggredita o che so io.»

Theresa si scostò una ciocca di capelli che le era ricaduta sul viso e sorrise della preoccupazione dell'amica. «No, è stata la lettera a colpirmi. È sciocco, lo so. Non dovrei essere tanto sensibile. Mi spiace di averti spaventata.»

«Bah!» disse Deanna con una scrollata di spalle. «Non preoccuparti. Sono contenta che sia tutto a posto.» Fece una pausa prima di proseguire. «Hai detto che la lettera ti ha fatto piangere? Perché? Che cosa diceva?»

Theresa si asciugò gli occhi, porse la lettera a Deanna e si diresse verso il tavolo di ferro battuto dov'era seduta l'amica. Sentendosi ancora ridicola per quelle lacrime, si sforzò di ricomporsi.

Deanna lesse la lettera lentamente, e quando finì alzò la testa verso Theresa. Anche i suoi occhi erano lucidi di lacrime. Non era solo lei ad avere il cuore tenero, allora.

«È... bellissima», disse infine Deanna. «È una delle cose più commoventi che abbia mai letto.»

«L'ho pensato anch'io.»

«E l'hai trovata sulla spiaggia? Mentre correvi?»

Theresa annuì. «Non so come ci sia finita. La baia è protetta dal mare aperto e non ho mai sentito nominare Wrightsville Beach. Dev'essere arrivata ieri notte, non so come. L'ho quasi calpestata prima di capire che cos'era.»

Deanna passò un dito sulla scrittura e rimase assorta per un momento. «Chissà chi sono. E perché la lettera è stata chiusa in una bottiglia?»

«Non so.»

«Non sei curiosa?»

Theresa era molto curiosa. Dopo avere letto il messaggio una prima volta, l'aveva riletto una seconda e una terza. Che effetto le avrebbe fatto, si era domandata, essere amata a quel modo?

«Un po'. Ma che cosa cambia? Non conosceremo mai la risposta.»

«Che cosa vuoi farne?»

«Credo che la terrò. Non ci ho ancora pensato.»

«Hm», commentò Deanna con un sorriso indecifrabile. E poi: «Com'è andato il tuo jogging?»

Theresa si era versata un bicchiere di succo di frutta e lo stava sorseggiando. «Bene. Il sorgere del sole è stato uno spettacolo. Tutto il paesaggio sembrava in fiamme.»

«Solo perché eri stordita dal debito di ossigeno. Correre ti fa quell'effetto.»

Theresa sorrise divertita. «Allora presumo che non verrai a correre con me la mattina.»

Deanna prese la sua tazza di caffè con aria perplessa. «Nemmeno per sogno. Il mio esercizio fisico si limita a passare l'aspirapolvere una volta la settimana. Mi vedi là fuori, a sbuffare e ansimare? Probabilmente mi verrebbe un infarto.»

«Quando hai fatto l'abitudine è rigenerante.»

«Può darsi, ma non sono giovane e agile come te. L'unica volta che ricordo di avere corso è da bambina, una volta che il cane dei vicini è scappato dal cortile. Correvo così forte che quasi me la sono fatta addosso.»

Theresa scoppiò a ridere. «Allora, quali sono i programmi per oggi?»

«Pensavo di fare un po' di shopping e di pranzare in città. Ti va l'idea?»

«Era proprio quello che speravo di sentirti dire.»

Le due donne si misero a discutere su dove andare. Poi

Deanna si alzò e rientrò in casa per riempirsi di nuovo la tazza di caffè. Theresa la guardò allontanarsi.

Deanna aveva cinquantotto anni e un viso tondo, con i capelli che si andavano lentamente tingendo di grigio. Li teneva corti, vestiva senza un briciolo di vanità e senza dubbio era la persona migliore che Theresa conoscesse. Si interessava di musica e di arte, e dal suo ufficio le note di Mozart o di Beethoven si riversavano sempre sul caos della redazione. Viveva in un mondo pieno di ottimismo e buon umore, e chiunque avesse che fare con lei l'adorava.

Deanna tornò al tavolo e guardò verso la baia. «Non è il luogo più bello che abbia mai visto?»

«Sì. Sono contenta che tu mi abbia invitata.»

«Ne avevi bisogno. Saresti stata troppo sola nel tuo appartamento.»

«Sembri mia madre.»

«Voglio prenderlo come un complimento.»

Deanna riprese in mano la lettera posata sul tavolo. Mentre la esaminava, le sopracciglia le si inarcarono, ma non disse niente. Theresa ebbe l'impressione che la lettera le avesse fatto scattare qualcosa nella mente.

«Che c'è?»

«Mi chiedevo...» rispose piano Deanna.

«Che cosa?»

«Ecco, mentre ero dentro, ho ripensato alla lettera. Mi chiedo se possiamo pubblicarla nella tua rubrica questa settimana.»

«Che cosa intendi dire?»

Deanna si sporse in avanti appoggiandosi al tavolo. «Quello che hai sentito. Penso che dovremmo pubblicare questa lettera nella tua rubrica. Sono sicura che piacerà anche ai lettori. È davvero insolita. Di tanto in tanto la gente ha bisogno di leggere cose del genere. È così commovente. Immagino già quante donne la ritaglieranno e la incolleranno sul frigorifero perché il marito la veda quando torna dal lavoro.»

«Ma non sappiamo nemmeno chi sono queste persone. Non credi che dovremmo chiedere il loro permesso?»

«Proprio questo è il punto. Non possiamo. Ne parlerò con l'avvocato, ma sono certa che non c'è niente di illegale. Non useremo i loro veri nomi, e se non ci attribuiamo il merito di averla scritta, né divulghiamo la sua possibile origine, non ci saranno problemi.»

«Lo so anch'io che probabilmente non è illegale, ma non sono sicura che sia giusto. Voglio dire, è una lettera strettamente personale. Non credo che vada pubblicata e data in pasto a tutti.»

«È una storia piena di umanità, Theresa. Alla gente piace questo genere di cose. E poi non contiene nulla che possa mettere in imbarazzo qualcuno. È una lettera bellissima. E tieni presente che questo Garrett l'ha affidata all'oceano in una bottiglia. Doveva sapere che si sarebbe arenata da qualche parte.»

Theresa scrollò il capo. «Davvero non so, Deanna...»

«Pensaci su. Dormici su, se preferisci. Io la trovo una splendida idea.»

Theresa rifletté sulla lettera mentre si svestiva per fare la doccia. Si ritrovò a fantasticare sull'uomo che l'aveva scritta, questo Garrett, sempre che si chiamasse davvero così. E Catherine, ammesso che esistesse, chi era? L'amante o la moglie, era ovvio, ma l'aveva lasciato. Era morta, si domandò Theresa, oppure era successo qualcos'altro che li aveva obbligati a separarsi? E perché la lettera era stata sigillata in una bottiglia e affidata alle onde? L'intera faccenda era molto strana. Poi il suo istinto di giornalista prese il sopravvento, e d'un tratto le venne da pensare che il messaggio non significasse nulla. Forse era di qualcuno che aveva voglia di scrivere una lettera d'amore ma non aveva nessuno cui mandarla. Oppure era stata spedita da qualcuno che provava un piacere indiretto nel far piangere le donne su spiagge lontane. Ma mentre le parole le scorrevano di nuovo nella mente, si rese conto che queste ipotesi erano improbabili. Era chiaro che la lettera sgorgava dal cuore. E pensare che l'aveva scritta un uomo! Mai, in tutta la vita, aveva ricevuto una lettera che assomigliasse anche solo vagamente a quella. Le parole romantiche rivolte a lei avevano sempre recato il marchio dei biglietti di auguri Hellmark. David non era mai stato un grande scrittore, né lo erano gli altri con cui era uscita. Chissà com'era un uomo simile? si domandò. Davvero tenero come pareva suggerire la sua lettera?

Mentre si lavava i capelli, quelle domande le scivolarono via dalla testa insieme con l'acqua che scorreva fresca su di lei. Si lavò il corpo con spugna e sapone emolliente, rimanendo sotto la doccia più del necessario.

Mentre si asciugava, si guardò nello specchio. Mica male per una trentaseienne con un figlio di dodici anni, pensò tra sé. Aveva sempre avuto un seno piccolo, e, anche se questo era stato il suo cruccio da giovane, adesso ne era contenta, perché non rischiava che avvizzisse e cascasse come quello di certe sue coetanee. Aveva il ventre piatto e gambe lunghe e affusolate, grazie all'esercizio fisico costante. Nemmeno le rughe attorno agli occhi si notavano molto. Tutto sommato quel mattino era soddisfatta del suo aspetto, e attribuì l'insolita benevolenza verso se stessa al fatto di essere in vacanza.

Dopo essersi truccata leggermente, indossò un paio di bermuda beige, una camicetta bianca senza maniche e sandali marroni. Tempo un'ora e l'aria si sarebbe fatta calda e umida, e lei voleva sentirsi a suo agio mentre passeggiava per le vie di Provincetown. Guardò fuori della finestra del bagno, vide che il sole era alto e si appuntò mentalmente di prendere una lozione abbronzante. Altrimenti si sarebbe scottata, e l'esperienza le aveva insegnato che le scottature erano uno dei sistemi più rapidi per rovinare una vacanza al mare.

Deanna aveva preparato colazione sulla veranda. C'erano melone, pompelmo e pane tostato. Dopo essersi seduta, Theresa spalmò un po' di formaggio magro su una fetta di pane (Deanna aveva cominciato una delle sue diete infinite), poi rimasero lì a chiacchierare per un pezzo. Brian era a giocare a golf, come avrebbe fatto per tutta la settimana. Doveva giocare di mattina presto, perché stava prendendo certe medicine che, diceva Deanna, «hanno effetti terribili sulla pelle se sta troppo tempo al sole».

Brian e Deanna erano insieme da trentasei anni. Fidanzati dai tempi del college, si erano sposati l'estate successiva alla laurea, subito dopo che Brian aveva accettato un lavoro in uno studio di contabilità di Boston. Otto anni dopo Brian ne era diventato socio, e avevano comperato una casa spaziosa a Brookline, dove abitavano da ventotto anni.

Avevano sempre desiderato dei bambini, ma dopo sei anni di matrimonio senza che Deanna rimanesse incinta si erano recati da un ginecologo, il quale aveva scoperto che Deanna non poteva avere figli. Per molti anni avevano cercato di adottarne uno, ma la lista d'attesa era interminabile e alla fine avevano abbandonato la speranza. Erano stati anni molto difficili, aveva confidato una volta Deanna a Theresa, un periodo in cui il loro matrimonio aveva vacillato. Ma il loro legame, sebbene scosso, aveva resistito e Deanna si era buttata nel lavoro per riempire il vuoto della sua vita. Aveva incominciato al *Boston Times* quando le donne erano pochissime, e un gradino alla volta aveva fatto carriera. Quando, dieci anni prima, era diventata direttrice, aveva incominciato a prendere sotto la sua protezione le donne giornaliste. Theresa era stata la sua prima allieva.

Deanna salì di sopra per farsi una doccia e Theresa diede una scorsa al giornale. Poi guardò l'ora: poteva telefonare a Kevin. In California era ancora molto presto, solo le sette, ma sapeva che tutta la famiglia di David sarebbe stata sveglia. Kevin si alzava sempre all'alba, e per una volta le fece piacere che anche qualcun altro conoscesse questa magnifica esperienza.

Il telefono squillò diverse volte prima che Annette rispondesse. In sottofondo Theresa udì la TV accesa e il pianto di un neonato.

«Ciao. Sono Theresa. C'è Kevin?»

«Oh, ciao. Sicuro. Te lo passo subito.»

Il ricevitore fu appoggiato sulla mensola, e Theresa udì la voce di Annette che diceva: «È per te, Kevin. C'è Theresa al telefono».

Il fatto che l'avesse chiamata «Theresa» e non «la mamma» le fece più male di quanto pensasse, ma non ebbe tempo di rifletterci su.

Kevin era trafelato quando prese il ricevitore.

«Ciao, mamma. Come stai? Come va la vacanza?»

Theresa provò una fitta di nostalgia al suono della sua

voce. Era ancora acuta, infantile, ma sapeva che presto sarebbe cambiata.

«Sto benissimo, ma sono arrivata solo ieri sera. Non ho fatto granché, oltre a correre stamattina.»

«C'era molta gente in spiaggia?»

«No, ma mentre rientravo ho visto diverse persone dirette al mare. E tu, quand'è che parti con papà?»

«Tra un paio di giorni. Le sue ferie iniziano solo lunedì. Adesso si sta preparando per andare in ufficio, così si porta avanti con il lavoro e sarà libero per quando partiremo. Vuoi parlare con lui?»

«No, non c'è bisogno. Ti ho telefonato solo per augurarti buon divertimento.»

«Sarà fantastico. Ho visto un dépliant sull'avventura in gommone. Ci sono delle rapide megagalattiche.»

«Sta' attento, mi raccomando.»

«Mamma, non sono più un bambino.»

«Lo so. Però tranquillizza la tua mamma all'antica.»

«Okay, promesso. Terrò sempre il giubbotto di salvataggio.» Kevin fece una pausa. «Sai, non ci sarà il telefono, quindi non potremo sentirci finché non ritorno.»

«Me lo immaginavo. Ti chiamerò poi. Chissà come ti divertirai.»

«Sarà tostissimo. Sarebbe stato bello che ci fossi anche tu. Ci saremmo divertiti un sacco.»

Theresa chiuse un istante gli occhi prima di rispondere, un trucco che le aveva insegnato il suo psicoterapista. Ogni volta che Kevin diceva qualcosa a proposito di loro tre insieme, si sforzava di non dire nulla di cui potesse pentirsi in seguito. La sua voce risuonò più ottimista che poteva.

«Tu e papà avete bisogno di stare un po' da soli. So che gli sei mancato molto. Dovete recuperare il tempo perduto, e anche lui non vedeva l'ora di fare questo viaggio con te.» *Ecco, non è stato così difficile.*

«Te lo ha detto lui?»

«Sì, diverse volte.»

Kevin rimase in silenzio.

«Mi manchi, mamma. Posso telefonarti appena torno per raccontarti del viaggio?»

«Ma certo. Chiama pure quando vuoi. Voglio che mi racconti tutto.» E poi: «Ti voglio bene, Kevin».

«Anch'io, mamma.»

Theresa riattaccò, felice e triste nello stesso tempo, come le accadeva quasi sempre quando Kevin era con suo padre e si parlavano al telefono.

«Chi era?» domandò alle sue spalle Deanna. Era ricomparsa con una maglietta tigrata gialla, calzoncini rossi, calzini bianchi e un paio di scarpe da ginnastica, un abbigliamento che gridava a tutti: «Sono una turista!» Theresa fece del suo meglio per rimanere seria.

«Kevin. L'ho chiamato io.»

«Sta bene?» Deanna aprì un armadio e afferrò una macchina fotografica per completare la tenuta.

«Sì. Partirà tra un paio di giorni.»

«Bene, bene.» Si appese al collo la macchina fotografica. «E adesso che anche questo è sistemato, possiamo uscire a fare compere. Dobbiamo trasformarti in una donna nuova.»

Fare compere con Deanna era un'esperienza.

Giunte a Provincetown, passarono la mattinata e il primo pomeriggio nei negozi più diversi. Theresa acquistò tre completi nuovi e un costume da bagno prima che Deanna la trascinasse in un posto chiamato *Nightingales*, che vendeva biancheria intima.

Qui Deanna si scatenò. Non per sé, si capisce, ma per Theresa. Sceglieva dagli espositori mutandine di pizzo trasparenti con reggiseno abbinato e glieli mostrava. «Molto vaporoso», diceva, oppure: «Non hai niente di questo colore, vero?» Naturalmente, quando tirava fuori quella roba aveva sempre vicino altra gente, e Theresa non poteva trattenersi dal ridere. La mancanza di inibizioni di Deanna era una delle cose che apprezzava di più in lei. Non le importava nulla di ciò che pensavano gli altri, e Theresa rimpiangeva spesso di non assomigliarle di più.

Dopo avere fatto un paio di acquisti seguendo i consigli di Deanna (dopo tutto erano in vacanza), le due donne si dedicarono al negozio di dischi. Deanna voleva l'ultimo CD di Harry Connick Jr. «È carino», fu la sua spiegazione; Theresa, invece, ne comperò uno con le prime registrazioni di John Coltrane. Quando tornarono a casa, trovarono Brian che leggeva il giornale in salotto.

«Ciao. Cominciavo a preoccuparmi per voi. Com'è andata la giornata?»

«Bene», rispose Deanna. «Abbiamo pranzato a Provincetown e fatto qualche compera. Com'è andata la tua partita, oggi?»

«Non male. Se non avessi mancato le ultime due buche, avrei fatto ottanta.»

«Be', vuol dire che dovrai allenarti di più finché non ci riuscirai.»

Brian rise. «Non ti dispiace?»

«Certo che no.»

Brian si mise a sfogliare il giornale, sorridendo soddisfatto all'idea che quella settimana avrebbe potuto trascorrere un sacco di tempo sul campo di golf. Vedendo che il marito voleva tornare a leggere, Deanna bisbigliò all'orecchio di Theresa: «Da' retta a me. Lascia giocare a golf un uomo, e non ti farà mai storie su niente».

Theresa li lasciò soli per il resto del pomeriggio. Dato che faceva ancora caldo, indossò il costume appena comperato, prese un telo da bagno, una sedia pieghevole e una copia di *People* e andò in spiaggia.

Sfogliò distrattamente la rivista, leggendo qualche articolo qua e là, senza vero interesse per ciò che accadeva alla gente ricca e famosa. Tutto intorno a lei si levavano le risate dei bambini che sguazzavano nell'acqua e riempivano i secchielli di sabbia. Poco lontano due ragazzini e un uomo, probabilmente il padre, stavano costruendo un castello in riva al mare. Lo sciabordio delle onde era rilassante. Theresa chiuse la rivista e gli occhi, volgendo il viso verso il sole.

Voleva un po' di colorito per quando sarebbe tornata al lavoro, se non altro per dare l'impressione di essersi presa una pausa in cui non aveva fatto assolutamente niente. Sul lavoro era considerata instancabile. Se non scriveva per la sua rubrica settimanale, lavorava per l'articolo della domenica, o faceva ricerche su Internet, o esaminava le riviste mediche sullo sviluppo infantile. Era abbonata a tutte le più importanti riviste per genitori e a quelle per l'infanzia, oltre che alle pubblicazioni dedicate alle donne che lavorano. Riceveva anche riviste scientifiche, che esaminava regolarmente in cerca di argomenti interessanti.

L'argomento della sua rubrica non era mai prevedibile, e forse proprio questo era uno dei motivi del suo successo. Certe volte rispondeva a domande, altre riportava le ultime novità sullo sviluppo infantile e le commentava. Moltissimi articoli erano dedicati alle gioie dell'allevare i figli, altri descrivevano gli insuccessi. Scriveva delle difficoltà delle madri sole, un argomento che sembrava destare il massimo interesse nelle donne di Boston. Inaspettatamente, la sua rubrica l'aveva trasformata in una specie di celebrità locale. Ma anche se all'inizio era divertente vedere la propria foto sul giornale, o ricevere inviti a feste private, aveva sempre così tante cose da fare che non le restava il tempo di rallegrarsene. Ora considerava la notorietà un'altra caratteristica del suo lavoro, positiva ma di scarsa importanza.

Dopo un'ora al sole, Theresa si rese conto di avere caldo e andò verso l'acqua. Si immerse sino ai fianchi, poi si tuffò in un'onda che stava arrivando. L'acqua fredda le tolse il fiato, e quando riaffiorò un uomo in piedi accanto a lei ridacchiò.

«Rinfrescante, vero?» disse, e Theresa rispose con un cenno d'assenso, stringendosi le braccia al corpo.

L'uomo era alto, con capelli scuri come i suoi, e per un secondo Theresa si chiese se volesse attaccare bottone. Ma i bambini lì vicino misero subito fine all'illusione gridando «papà!» Dopo qualche minuto in acqua, Theresa uscì e fece ritorno alla sdraio. La spiaggia si andava svuotando. Radunò anche lei le sue cose e si avviò verso casa.

Quando vi giunse, trovò Brian che guardava un torneo di golf in televisione e Deanna immersa nella lettura di un romanzo con la foto di un giovane e attraente avvocato in copertina. L'amica alzò gli occhi dal libro.

«Com'era la spiaggia?»

«Magnifica. Il sole era splendido, ma l'acqua fredda da togliere il respiro.»

«Sempre così. Non capisco come faccia certa gente a rimanerci più di qualche minuto.»

Theresa appese la spugna a un gancio accanto alla porta e domandò: «Com'è il libro?»

Deanna lo rigirò tra le mani e guardò la copertina. «Meraviglioso. Mi ricorda Brian qualche anno fa.»

«Eh?» grugnì Brian senza distogliere lo sguardo dallo schermo.

«Niente, tesoro. Ricordi.» Deanna rivolse nuovamente l'attenzione a Theresa. I suoi occhi brillavano. «Ti va una partita a ramino?»

Le piacevano tutti i giochi di carte. Era socia di due club di bridge, giocava a whist come una campionessa e si annotava ogni volta che le riusciva un solitario. Ma quando avevano tempo lei e Theresa giocavano sempre a ramino, perché era l'unico gioco in cui Theresa avesse qualche possibilità di vincere.

«Certamente.»

Soddisfatta, Deanna chiuse il libro e si alzò dalla poltrona. «Ci speravo. Le carte sono sul tavolo di fuori.»

Theresa si avvolse l'asciugamano sul costume e uscì sulla veranda dove avevano fatto colazione la mattina. Deanna la seguì con due lattine di Diet Coke e si accomodò di fronte a lei. Mescolò le carte e le distribuì. Poi alzò gli occhi.

«Hai preso un po' di colore sulle guance. Il sole doveva essere bello forte.»

Theresa ordinò le sue carte. «Mi sembrava di cuocere.»

«Qualche incontro interessante?»

«Direi di no. Ho letto e mi sono rilassata al sole e basta. Erano quasi tutti con la famiglia.»

«Peccato.»

«Perché dici così?»

«Ecco, speravo che questa settimana potessi fare qualche incontro speciale.»

«Tu sei speciale.»

«Lo sai che cosa voglio dire. Speravo che trovassi un uomo. Uno che ti lasciasse senza respiro.»

Theresa alzò lo sguardo sorpresa. «E questa da dove ti viene?»

«Il sole, l'oceano, la brezza. Non so. Forse l'eccesso di radiazioni mi si è infiltrato nel cervello.»

«A dire il vero non l'ho cercato, Deanna.»

«Mai?»

«Be', non molto, in ogni caso.»

«Ah-ha!»

«Non farne un affare di stato. Non è poi passato tanto tempo dal divorzio.»

Theresa buttò il sei di quadri e Deanna lo prese prima di scartare il tre di fiori. Usava lo stesso tono di sua madre quando parlavano dell'argomento.

«Sono quasi tre anni. Possibile che non ci sia nessuno che magari mi tieni nascosto?»

«No.»

«Proprio nessuno?» Deanna pescò una carta e scartò un quattro di cuori.

«Nessuno. Ma non dipende solo da me. Di questi tempi è molto difficile conoscere gente. E poi non ho tempo di uscire e coltivare le amicizie.»

«Lo so, lo so benissimo. È solo che avresti tanto da offrire. So che da qualche parte c'è qualcuno fatto per te.»

«Anch'io ne sono sicura. Solo che non l'ho ancora incontrato.»

«Ma lo stai cercando, almeno?»

«Quando posso. Ma il mio capo è davvero asfissiante,

sai. Non mi lascia un attimo di riposo.»

«Forse dovrei parlarle.»

«Magari», concordò Theresa, ed entrambe scoppiarono a ridere.

Deanna pescò dal mazzo e scartò un sette di picche. «Sei uscita con qualcuno, ultimamente?»

«No. Da quando quel Matt vattelappesca mi ha detto che non voleva una donna con prole.»

Deanna si accigliò per un istante. «A volte gli uomini sono dei veri idioti, e lui è un esempio perfetto. Il genere di individuo la cui testa andrebbe appesa al muro con sotto l'etichetta 'tipico maschio egocentrico'. Ma non tutti sono così. Ci sono un sacco di veri uomini in giro... uomini che potrebbero innamorarsi di te a prima vista.»

Theresa prese il sette e scartò un sei di quadri. «È per questo che mi piaci, Deanna. Sai dire cose dolcissime.»

Deanna pescò dal mazzo. «Ma è vero. Credimi. Sei carina, hai talento, sei intelligente. Potrei trovarti una dozzina di uomini che vorrebbero uscire con te.»

«Non ne dubito. Ma questo non significa che mi piacerebbero.»

«Ma non ci provi nemmeno.»

Theresa fece spallucce. «Forse è vero. Ma questo non significa che morirò sola, a tarda età, in un ospizio per zitelle. Credimi, mi piacerebbe innamorarmi di nuovo. Mi piacerebbe conoscere un uomo meraviglioso e vivere felice e contenta. Solo che adesso non ho spazio per queste cose. Kevin e il lavoro occupano già tutto il mio tempo.»

Deanna rimase per un attimo in silenzio, poi mise giù un due di picche.

«Credo che tu abbia paura.»

«Paura?»

«Senza dubbio. Non c'è niente di male.»

«Perché dici questo?»

«Perché so quanto ti ha ferita David, e so che, se fossi in te, avrei paura che potesse succedere di nuovo la stessa cosa. È nella natura umana. Chi si scotta una volta diventa cauto.»

«Può darsi. Ma sono sicura che, se arrivasse l'uomo giusto, me ne accorgerei. Sono fiduciosa.»

«Che genere di uomo stai cercando?»

«Non so...»

«Ma dài! Tutti, almeno un pochino, sanno ciò che vogliono.»

«Non tutti.»

«Tu di sicuro sì. Comincia dalle cose ovvie, oppure, se non ci riesci, comincia da quello che non vuoi: per esempio... ti piacerebbe se facesse parte di una banda di motociclisti?»

Theresa sorrise e pescò. Le sue carte si stavano sistemando. Ancora una e avrebbe chiuso. Scartò il fante di cuori.

«Perché ti interessa tanto?»

«Su, fa' contenta una vecchia amica!»

«D'accordo. Niente banda di motociclisti, questo è certo», disse Theresa scuotendo il capo. Rimase un istante a pensare. «Hm... credo che dovrebbe essere soprattutto un uomo capace di restare fedele a me, a *noi*, per tutta la durata della relazione. Ho già avuto un uomo infedele e non sarei in grado di vivere di nuovo un'esperienza simile. E penso anche che mi piacerebbe qualcuno della mia età o quasi, se possibile.» Tacque e corrugò la fronte.

«E poi?»

«Lasciami un secondo per pensare. Non è facile come

sembra. Immagino che poi seguirei i soliti cliché: mi piacerebbe bello, gentile, intelligente e affascinante... sai, tutte le cose che le donne desiderano in un uomo.»

Tacque di nuovo. Deanna prese il fante. La sua espressione tradiva il piacere che provava nel mettere a nudo Theresa.

«E poi?»

«Dovrebbe trattare Kevin come se fosse figlio suo. Per me questo è davvero importante. Ah, e dovrebbe anche essere romantico. Mi piacerebbe ricevere fiori di tanto in tanto. E atletico, naturalmente. Non rispetto un uomo che posso battere a braccio di ferro.»

«È tutto?»

«Sì.»

«Allora, ricapitoliamo. Vediamo se ho capito bene. Vuoi un trentacinquenne o giù di lì, fedele, affascinante, bello ma anche intelligente, romantico e atletico. E deve essere bravo con Kevin, giusto?»

«Esatto.»

Deanna fece un profondo respiro, scoprendo le sue carte.

«Be', se non altro non sei difficile. Chiudo.»

Dopo avere perso rovinosamente a ramino, Theresa entrò in casa per incominciare a leggere uno dei libri che si era portata dietro. Sedette accanto alla finestra sul retro, mentre Deanna tornava al suo libro. Brian aveva scovato un altro torneo di golf e passò il pomeriggio a seguirlo attentamente, facendo commenti ad alta voce ogni volta che qualcosa destava il suo interesse.

Alle sei, e soprattutto dopo che il torneo di golf fu terminato, Brian e Deanna uscirono a fare una passeggiata sulla spiaggia. Theresa rimase alla finestra e li guardò camminare in riva al mare mano nella mano. La loro era un'unione ideale, pensò mentre li osservava. Avevano interessi del tutto diversi, ma questo sembrava tenerli uniti, anziché dividerli.

Dopo il tramonto presero la macchina e tutti insieme andarono a Hyannis, dove cenarono in un ristorante famoso per i crostacei. Era affollato e dovettero aspettare un'ora per avere un tavolo, ma i granchi al vapore con burro fuso aromatizzato all'aglio li ripagarono dell'attesa. In due ore bevvero due birre a testa. Verso la fine della cena Brian chiese informazioni sulla lettera.

«L'ho letta quando sono tornato dal golf. Deanna l'ha attaccata al frigorifero.»

Deanna si strinse nelle spalle e rise, poi rivolse a Theresa uno sguardo che diceva: «Te l'avevo detto che qualcuno l'avrebbe fatto», ma rimase in silenzio.

«L'ho trovata stamattina sulla spiaggia, mentre correvo.»

Brian finì la birra e proseguì: «Che strana lettera. Sembrava così triste».

«Lo so. Anche a me ha messo addosso tanta tristezza quando l'ho letta.»

«Sai dove si trova Wrightsville Beach?»

«No. Mai sentita nominare.»

«È nel North Carolina», rispose Brian prendendo una sigaretta dalla tasca. «Una volta ci sono stato per un torneo di golf. Un campo splendido. Un po' piatto, ma ottimo per giocare.»

Deanna s'intromise annuendo: «Con Brian, tutto è in qualche modo legato al golf».

«Dove, esattamente, nel North Carolina?» domandò Theresa.

Brian si accese la sigaretta e inspirò. Poi soffiò fuori il fumo e disse: «Vicino a Wilmington... o forse ne fa addirittura parte. Non conosco i confini con precisione. In macchina è a un'ora e mezzo circa da Myrtle Beach. Conosci il film *Cape Fear, il promontorio della paura*?»

«Certo.»

«Il fiume Cape Fear è a Wilmington, e il film è ambientato lì. A dire il vero ce ne sono stati girati parecchi di film. Quasi tutte le maggiori case di produzione vi tengono una rappresentanza. Wrightsville Beach è un'isola appena al largo della costa. Ha avuto un enorme sviluppo. Adesso è quasi una località di villeggiatura. Ci stanno gli attori quando girano film sul posto.»

«Come mai non ne ho mai sentito parlare?»

«Non so. Credo che la sua fama sia oscurata da Myrtle Beach, ma giù al sud è molto conosciuta. Belle spiagge, sabbia bianca, acqua calda. Un magnifico posto per passare una settimana, se dovesse capitarti.»

Theresa non rispose, e Deanna, con una nota maliziosa nella voce, disse: «Sicché adesso sappiamo da dove proviene il nostro scrittore misterioso».

Theresa alzò le spalle. «Forse sì, ma non c'è ancora la certezza. Magari era lì in vacanza o di passaggio. Non significa che ci abiti.»

Deanna scrollò la testa. «Non credo. Il modo in cui è scritta la lettera... il suo sogno sembra troppo reale per evocare un luogo visitato solo una volta o due.»

«Hai continuato a rimuginarci su, vero?»

«Istinto. Sarei pronta a scommettere che questo Garrett è di Wrightsville Beach o di Wilmington.»

«E allora?»

Deanna allungò il braccio verso Brian, gli prese di mano

la sigaretta, inalò a fondo e continuò a fumarla lei. Erano anni che lo faceva. Dato che non accendeva lei la sigaretta, non si sentiva una vera fumatrice. Facendo finta di niente, Brian se ne accese un'altra. Deanna si sporse in avanti.

«Allora, hai riflettuto se pubblicare la lettera?»

«Veramente, no. Però continuo a credere che non sia una buona idea.»

«E se non usassimo i nomi, ma solo le iniziali? Potremmo addirittura cambiare la località, se vuoi.»

«Perché ti sta tanto a cuore?»

«Perché so riconoscere una bella storia. E poi penso che potrebbe essere importante per molte persone. Al giorno d'oggi la gente è così indaffarata che le storie d'amore sembrano in via d'estinzione. Questa lettera dimostra che sono ancora possibili.»

Theresa si prese distrattamente fra le dita una ciocca di capelli e incominciò ad attorcigliarla. Era un'abitudine che aveva dall'infanzia, e lo faceva ogni volta che rifletteva su qualcosa. Dopo una lunga pausa si decise a rispondere: «D'accordo».

«Lo farai?»

«Sì, ma, come hai detto, useremo solo le iniziali e ometteremo la parte su Wrightsville Beach. E scriverò due righe di presentazione.»

«Sono proprio contenta», esclamò Deanna con l'entusiasmo di una ragazzina. «Sapevo che l'avresti fatto. La manderemo domani in redazione via fax.»

Quella sera stessa Theresa scrisse l'attacco dell'articolo su un foglio di carta da lettere trovato in un cassetto del salotto. Quand'ebbe finito, andò in camera sua, posò i due fogli sul comodino e si infilò nel letto. Quella notte dormì profondamente.

***

Il giorno seguente, Theresa e Deanna si recarono a Chatham e si fecero battere a macchina la lettera in una copisteria. Dato che nessuna delle due aveva con sé il computer portatile, e che Theresa era decisa a omettere determinate informazioni, sembrò la cosa più logica da fare. Quando l'articolo fu pronto, lo inviarono per fax. Sarebbe uscito sull'edizione del giorno dopo.

Trascorsero il resto della mattinata e il pomeriggio come il giorno prima, facendo compere, riposandosi in spiaggia, chiacchierando amabilmente e cenando in un posto delizioso. Il mattino seguente, quando arrivò il giornale, Theresa fu la prima a impossessarsene. Si era svegliata presto e aveva fatto un po' di jogging prima che Deanna e Brian si alzassero. Tornata a casa, aprì il giornale e lesse l'articolo.

> Quattro giorni fa, mentre ero in vacanza, mi è capitato di ascoltare alla radio Sting che cantava *Message in a bottle.* Ispirata dalla sua voce roca, sono corsa in spiaggia a cercare una bottiglia tutta mia. Pochi minuti dopo ne ho trovata una, e pensate un po'... conteneva un messaggio. In realtà non ho sentito nessuna canzone: me la sono inventata per creare l'atmosfera. Però la bottiglia l'ho trovata davvero, e dentro c'era un messaggio molto commovente. Non sono più riuscita a togliermelo di mente. Anche se l'argomento è un po' insolito, lo pubblico sperando che anche voi, in tempi così poveri di amore e di impegno durevoli, lo troviate significativo.

Il resto dell'articolo era costituito dalla lettera. Quando Deanna raggiunse Theresa per colazione, lesse subito anche lei il giornale. «Meraviglioso», disse quando ebbe finito. «Stampata è ancora meglio. Riceverai un mucchio di lettere.»

«Lo pensi sul serio?»

«Ne sono assolutamente sicura.»

«Più del solito?»

«Molte di più. Me lo sento. Anzi, oggi voglio chiamare John. Gli farò mettere l'articolo un paio di volte fra i servizi d'agenzia, questa settimana. Potresti persino avere qualche spazio sui giornali della domenica.»

«Vedremo», disse Theresa mangiando una fetta di pane imburrato, dubbiosa ma allo stesso tempo curiosa di vedere come sarebbero andate le cose.

3

Il sabato successivo, otto giorni dopo la sua partenza, Theresa fece ritorno a Boston.

Quando aprì la porta dell'appartamento, Harvey le corse incontro dalla camera da letto e le si strofinò contro una gamba facendo le fusa. Theresa lo prese in braccio e lo portò in cucina, poi cercò un pezzo di formaggio nel frigorifero e lo diede al gatto accarezzandogli la testa e provando riconoscenza nei confronti di Ella, la vicina di casa che si era occupata di lui durante la sua assenza. Dopo avere mangiato tutto il formaggio, Harvey saltò a terra e si diresse verso la porta a vetri scorrevole che dava sul terrazzo. C'era odore di chiuso e Theresa aprì la vetrata per cambiare aria.

Dopo avere disfatto i bagagli e recuperato le chiavi e la posta da Ella, si versò un bicchiere di vino, accese lo stereo e infilò il CD di John Coltrane che aveva comperato a Provincetown. Mentre il jazz si diffondeva nella stanza, diede un'occhiata alla posta. Come al solito erano quasi tutte bollette, e le scartò per esaminarle in un altro momento.

Sulla segreteria telefonica c'erano otto messaggi. Due di

uomini con i quali era uscita in passato, che le chiedevano di richiamarli. Ci pensò un momento, poi decise di non farlo. Nessuno dei due l'attraeva, e non aveva voglia di uscire soltanto perché aveva qualche ora libera. C'era anche un messaggio di sua madre e uno di sua sorella, e si appuntò di richiamarle nel corso della settimana. Nessuna telefonata da Kevin. In quel momento doveva essere in campeggio o sul gommone con il padre da qualche parte dell'Arizona.

Senza Kevin la casa sembrava stranamente silenziosa, ma anche ordinata, e in un certo senso questo rendeva tutto più facile. Era bello tornare a casa e dover riordinare solo di tanto in tanto.

Pensò alle due settimane di ferie che ancora le rimanevano per quell'anno. Avrebbe passato qualche giorno al mare con Kevin perché glielo aveva promesso. Restava un'altra settimana. Avrebbe potuto usarla a Natale, ma quest'anno Kevin sarebbe stato dal padre, quindi andare via non aveva molto senso. Odiava passare Natale da sola (era sempre stata la sua vacanza preferita), ma non aveva scelta, e decise che era inutile rimuginarci su adesso. Sarebbe potuta andare alle Bermuda o in Giamaica, o in qualche altro posto dei Caraibi, ma in realtà non aveva voglia di viaggiare da sola e non conosceva nessun altro che potesse partire con lei. Forse Janet, ma ne dubitava. Le tre figlie la tenevano occupata, ed era assai improbabile che Edward avesse ferie in quel periodo. Magari avrebbe potuto sfruttare la settimana per sistemare la casa... ma le sembrava uno spreco. Chi mai trascorrerebbe le vacanze tinteggiando e tappezzando?

Alla fine rinunciò e decise che se non le fosse venuto in mente niente di allettante avrebbe serbato le ferie per l'anno successivo. Magari sarebbe andata un paio di settimane alle Hawaii con Kevin.

Si infilò sotto le coperte e prese uno dei romanzi che aveva cominciato a Cape Cod. Lesse velocemente e senza distrazioni quasi un centinaio di pagine prima che le venisse sonno. A mezzanotte spense la luce. E per la seconda volta in sei giorni, sognò di camminare su una spiaggia deserta, pur non sapendo perché.

Il lunedì mattina trovò una montagna di posta sulla scrivania. Al suo arrivo c'erano già circa duecento lettere e altre cinquanta giunsero nel corso della giornata. Appena mise piede in ufficio, Deanna indicò trionfante il mucchio di lettere. «Visto, che ti avevo detto?»

Theresa chiese che non le passassero telefonate e cominciò ad aprire la posta. Tutte le lettere, dalla prima all'ultima, riguardavano il messaggio pubblicato nella sua rubrica. La maggior parte era scritta da donne, ma c'era anche qualche uomo, e Theresa rimase sorpresa dall'uniformità delle opinioni. Tutti erano stati immensamente colpiti da quel messaggio anonimo. Molte donne chiedevano il nome dell'autore, e qualcuna si diceva disposta, nel caso fosse stato scapolo, a sposarlo.

Scoprì che quasi tutte le edizioni domenicali del paese avevano pubblicato l'articolo, e le lettere provenivano persino da Los Angeles. Sei uomini dichiaravano di essere gli autori della lettera, e quattro pretendevano i diritti: uno minacciava persino di adire a vie legali. Ma osservando la loro calligrafia Theresa si rese conto che nessuna assomigliava neanche lontanamente a quella della lettera.

A mezzogiorno pranzò nel suo ristorante giapponese

preferito, e un paio di avventori degli altri tavoli la informarono di avere letto l'articolo. «Mia moglie l'ha appeso al frigorifero», disse uno, facendo scoppiare a ridere Theresa.

Alla fine della giornata aveva evaso quasi tutta la posta ed era esausta. Non aveva ancora messo mano al prossimo articolo e sentiva una pressione in aumento sulla nuca, come le accadeva sempre quando si avvicinava una scadenza. Alle cinque e mezzo cominciò un articolo sulla lontananza di Kevin e su quanto ciò significasse per lei. Andò avanti più spedita del previsto e l'aveva quasi terminato quando squillò il telefono.

Era la centralinista del giornale.

«Ciao Theresa, lo so che mi hai chiesto di non passarti nessuna chiamata, e l'ho fatto», le disse. «Però non è stato facile. Oggi hai ricevuto una sessantina di chiamate. Il telefono continuava a suonare.»

«E allora che c'è?»

«C'è una donna che continua a chiamare. È la quinta volta, oggi, e ha già chiamato due volte la settimana scorsa. Non vuole dirmi il suo nome, ma ormai riconosco la voce. Dice che deve parlarti.»

«Non puoi farti lasciare un messaggio?»

«Ci ho provato, ma insiste. Mi chiede di metterla in attesa finché non hai un momento libero. Dice che chiama da lontano e che deve parlarti.»

Theresa rimase un attimo a pensare fissando lo schermo davanti a sé. L'articolo era quasi concluso, mancavano solo un paio di paragrafi.

«Non puoi chiederle un numero di telefono dove possa richiamarla?»

«No, non vuole darmelo. È molto evasiva.»

«Sai che cosa vuole?»

«Non ne ho idea. Ma mi sembra seria, a differenza di molte delle persone che hanno telefonato oggi. Un tizio mi ha addirittura chiesto di sposarlo.»

Theresa rise. «Okay, dille di restare in linea. La prendo tra un paio di minuti.»

«D'accordo.»

«Su che linea è?»

«La cinque.»

«Grazie.»

Theresa concluse rapidamente l'articolo. L'avrebbe riletto dopo la telefonata. Alzò il ricevitore e schiacciò il tasto della linea cinque.

«Pronto.»

La linea rimase muta per un istante. Poi, con una voce morbida e melodiosa, una donna domandò: «Parlo con Theresa Osborne?»

«Sì, sono io.» Theresa si appoggiò allo schienale della sedia e incominciò ad attorcigliarsi i capelli.

«È lei che ha scritto l'articolo sul messaggio nella bottiglia?»

«Sì. In che cosa posso esserle utile?»

Di nuovo silenzio. Theresa sentiva il respiro dell'altra, come se stesse pensando a che cosa dire. Dopo un attimo la donna chiese: «Mi può dire quali nomi c'erano nella lettera?»

Theresa chiuse gli occhi e smise di attorcigliarsi i capelli. Soltanto un'altra curiosa, pensò. I suoi occhi tornarono allo schermo e cominciarono a rileggere l'articolo.

«No, mi spiace, non posso. Non voglio rendere pubblica questa informazione.»

La donna rimase nuovamente in silenzio e Theresa incominciò a spazientirsi. Si mise a scorrere il primo paragrafo sullo schermo. Poi l'interlocutrice la sorprese.

«La prego», disse. «Devo saperlo.»

Theresa distolse lo sguardo dal computer. La voce della donna era di una gravità straordinaria. E c'era anche qualcos'altro, sebbene Theresa non sapesse dire esattamente che cosa.

«Mi spiace», tornò a ripetere. «Ma non posso proprio.»

«Allora può rispondere a una domanda?»

«Forse.»

«La lettera era indirizzata a Catherine e firmata Garrett?»

L'interlocutrice ottenne la piena attenzione di Theresa, che si raddrizzò sulla sedia.

«Chi parla?» domandò con impeto subitaneo, e mentre parlava si rese conto che la donna avrebbe intuito la verità.

«È così, vero?»

«Chi parla?» domandò di nuovo Theresa, questa volta più gentilmente. Udì un profondo sospiro all'altro capo del filo prima di ottenere la risposta.

«Mi chiamo Michelle Turner, sono di Norfolk, Virginia.»

«Come fa a sapere della lettera?»

«Mio marito è in Marina e la sua base è qui. Tre anni fa, camminando lungo la spiaggia, ho trovato una lettera identica a quella che ha trovato lei in vacanza. Quando ho letto il suo articolo ho capito che si trattava della stessa persona. Le iniziali erano le stesse.»

Theresa rimase per un attimo in silenzio. Non era possibile, pensò. Tre anni prima?

«Com'era il foglio su cui era scritta?»

«Carta da lettere beige con il disegno di una barca a vela nell'angolo in alto a destra.»

Theresa sentì il cuore accelerare i battiti. Stentava ancora a crederci.

«Anche la sua lettera ha lo stesso disegno, vero?»

«Sì, infatti», mormorò Theresa.

«Lo sapevo. Ne sono stata sicura dall'istante in cui ho letto il suo articolo.» Sembrava che Michelle si fosse liberata di un grande peso.

«Ha ancora una copia della lettera?» domandò Theresa.

«Sì. Mio marito non l'ha mai vista, ma di tanto in tanto la tiro fuori per rileggerla. È un po' diversa da quella pubblicata nel suo articolo, ma i sentimenti sono identici.»

«Può mandarmela per fax?»

«Certo. È incredibile, vero? Voglio dire, prima la lettera che ho trovato io tanto tempo fa, e adesso la sua.»

«Sì», mormorò Theresa. «Proprio incredibile.»

Dopo averle dato il numero di fax, Theresa non riuscì più a concentrarsi sulla rilettura del suo articolo. Michelle doveva andare in una copisteria per spedirle la lettera, e Theresa incominciò a fare la spola tra la sua scrivania e il fax. Quarantasei minuti più tardi udì il ronzio dell'apparecchio. La prima pagina era una copertina indirizzata a Theresa Osborne presso il *Boston Times*.

La guardò scivolare nell'apposito vassoio mentre udiva il rumore del fax che riga dopo riga copiava la lettera. Ci mise poco, solo dieci secondi per riprodurre una pagina, ma persino quell'attesa così breve le parve eterna. Poi iniziò la stampa di una terza pagina, e Theresa capì che anche questa lettera, come quella da lei trovata, occupava due facciate.

Recuperò i fogli mentre la macchina segnalava la fine della trasmissione con un *bip*. Li portò alla scrivania senza leggerli e li lasciò a faccia in giù per un paio di minuti, cercando di calmarsi. È soltanto una lettera, si disse.

Con un profondo respiro, sollevò il primo foglio. Il disegno di una barca a vela le dimostrò che si trattava dello stesso autore. Mise la pagina sotto la luce e cominciò a leggere.

6 marzo 1994

Mia amata Catherine,

dove sei? E perché, mi chiedo mentre siedo in una casa buia, ci hanno costretto a separarci?

Non conosco la risposta a queste domande, per quanto mi sforzi di comprendere. La ragione è semplice, ma la mia mente mi obbliga a scartarla, e l'angoscia tormenta ogni ora della mia veglia. Senza di te sono perduto. Non ho anima, sono un vagabondo senza casa, un uccello solitario che vola senza meta. Sono tutte queste cose e non sono nulla. Questa è la mia vita senza di te, tesoro mio. Vorrei con tutto il cuore che mi insegnassi come ricominciare a vivere.

Cerco di ricordare come eravamo un tempo, sul ponte spazzato dal vento della Happenstance. *Ricordi come ci lavoravamo insieme? Mentre la ricostruivamo, siamo diventati parte dell'oceano, perché sapevamo che era stato l'oceano a farci incontrare. In momenti come quelli capivo il significato della vera felicità. Di notte navigavamo sul mare oscuro, e guardavo il chiaro di luna riflettere la tua bellezza. Ti guardavo ammaliato, e in cuor mio sapevo che saremmo rimasti insieme per l'eternità. È sempre così, mi chiedo, quando due persone si amano? Non lo so, ma se la mia vita da quando mi sei stata portata via può servire da indizio, credo di conoscere la risposta. D'ora in poi, so che sarò solo.*

Penso a te, ti sogno, ti evoco quando ho più bisogno di te. È tutto ciò che posso fare, ma non mi basta. Non sarà mai abbastanza, lo so, ma che altro mi resta? Se fossi qui, me lo diresti tu, ma anche questo mi è stato sottratto. Tu avevi sempre le parole adatte per alleviare il mio dolore. Sapevi sempre come farmi sentire bene.

È possibile che tu sappia come mi sento senza di te? In sogno mi fa piacere pensare di sì. Prima di incontrarci, vagavo per la vita senza una direzione, senza una ragione. So che, per qualche motivo, ogni passo che ho fatto da quando ho imparato a camminare era un passo verso di te. Eravamo destinati a incontrarci.

Ma ora, solo in questa casa, sono giunto alla convinzione che il destino può ferire una persona con la stessa forza con cui può benedirla, e mi ritrovo a domandarmi perché, fra tutte le persone al mondo che avrei potuto amare, dovevo innamorarmi di una donna che mi sarebbe stata portata via.

Garrett

Dopo avere letto la lettera, Theresa si appoggiò allo schienale portandosi le dita alle labbra. I rumori della redazione sembravano molto distanti. Prese la borsa, tirò fuori la sua lettera e la posò sulla scrivania accanto all'altra. Rilesse prima l'una poi l'altra, poi di nuovo in ordine inverso, quasi con l'impressione di macchiarsi di voyeurismo, di spiare un momento di intimità pieno di segreti.

Si alzò dalla scrivania sentendosi stranamente serena. Al distributore di bevande prese una lattina di succo di mela, cercando di decifrare le sensazioni che l'animavano. Ma quando tornò alla scrivania le gambe le cedettero di colpo, e si abbandonò di peso sulla sedia. Se si fosse trovata poco più in là, probabilmente sarebbe caduta per terra.

Nella speranza di schiarirsi le idee, si mise a riordinare

distrattamente lo scrittoio. Ripose le penne nel cassetto, archiviò gli articoli usati per le ricerche, ricaricò la cucitrice e fece la punta alle matite, infilandole in un bicchiere sulla scrivania. Quand'ebbe finito, l'ordine era perfetto, tranne le due lettere, che non aveva toccato.

Era passata poco più di una settimana da quando aveva trovato la prima, e le parole le avevano lasciato una profonda impressione, per quanto il suo lato pragmatico la inducesse a cercare di dimenticarle. Ma adesso, dopo avere trovato una seconda lettera, scritta dalla stessa persona, le sembrava assolutamente impossibile. Si chiese se ce ne fossero altre. Che genere di uomo poteva affidarle a una bottiglia? Era quasi un miracolo che un'altra persona, tre anni prima, si fosse imbattuta in una lettera e ne fosse stata così commossa da conservarla nascosta nel cassetto. Eppure era successo. Che significato aveva tutto ciò?

Sapeva che la cosa non la riguardava, ma d'improvviso era diventata importante. Si passò una mano tra i capelli e si guardò intorno. La stanza era piena di gente indaffarata. Aprì la lattina di succo di mela e ne bevve un sorso, cercando di capire che cosa le stesse passando per la testa. Ancora non ne era del tutto sicura, e il suo unico desiderio era che nessuno si avvicinasse alla scrivania per qualche minuto ancora, finché non si fosse ripresa. Infilò nella borsa le due lettere, mentre la riga iniziale della seconda le frullava in testa.

Dove sei?

Uscì dal programma con cui scriveva gli articoli e, seppur titubante, si collegò a Internet.

Dopo una brevissima esitazione digitò le parole WRIGHTSVILLE BEACH nel programma di ricerca e schiacciò il tasto d'invio. Era quasi sicura di trovare qualcosa, e in meno di cinque secondi si trovò davanti un certo numero di argomenti diversi fra i quali scegliere.

Trovati 3 siti con Wrightsville Beach. Elenco 1-3
Ubicazione: USA: North Carolina: Città: Wrightsville Beach
Ubicazione: USA: North Carolina: Città: Wilmington: Immobiliare: Ticar Real Estate Company, uffici anche a Wrightsville Beach e Carolina Beach
Ubicazione: USA: North Carolina: Città: Wrightsville Beach: sistemazione alberghiera: Cascade Beach Resort

Mentre fissava lo schermo, Theresa si sentì d'un tratto ridicola. Anche ammesso che Deanna avesse ragione e Garrett vivesse da qualche parte nella zona di Wrightsville Beach, sarebbe stato quasi impossibile localizzarlo. Allora perché ci stava provando?

Naturalmente conosceva la risposta. Le lettere erano scritte da un uomo che aveva amato profondamente una donna, un uomo che adesso era solo. Da ragazza Theresa aveva finito con il credere nell'uomo ideale, nel principe azzurro delle fiabe. Sapeva però che nella realtà uomini del genere non esistono. La gente reale ha impegni reali, esigenze reali, aspettative reali su come debbano comportarsi gli altri. Certo, ci sono anche le brave persone, gli uomini che amano con tutto il cuore e affrontano impassibili ogni genere d'ostacolo, e questo era il tipo d'uomo che le sarebbe piaciuto incontrare da quando aveva divorziato. Ma come trovarne uno?

In quel momento sapeva che un uomo simile esisteva, un uomo rimasto solo, e quella consapevolezza aveva fatto scattare qualcosa dentro di lei. Chiunque fosse, Catherine probabilmente era morta, o quanto meno scomparsa senza spiegazione. Ma Garrett l'amava ancora, tanto da mandarle lettere d'amore per almeno tre anni. Se non altro, si era dimostrato capace di amare intensamente una donna, e, cosa ancora più importante, di restarle assolutamente fedele anche molto tempo dopo la sua scomparsa.

Dove sei?

La frase continuava a risuonarle nella testa, come una canzone sentita la mattina presto alla radio che ti ritorna senza sosta per l'intero pomeriggio.

Dove sei?

Non lo sapeva esattamente, ma questo Garrett esisteva, e una delle prime cose che Theresa aveva imparato era che, se scopri qualcosa che ti scombussola, ti conviene andare sino in fondo. Se fai finta di niente, non saprai mai che cosa sarebbe potuto succedere, e per molti versi questo è peggio che scoprire di esserti sbagliata sin dall'inizio. Perché dopo uno sbaglio puoi continuare a vivere, ma se non altro non hai il rimpianto di non sapere come sarebbe potuta andare.

Ma dove l'avrebbe condotta tutto ciò? E che significato aveva? La scoperta della lettera era stata in qualche modo guidata dal destino, oppure era una semplice coincidenza? Magari, pensò Theresa, era soltanto un monito a pensare a ciò che stava perdendo della vita. Giocherellò distrattamente con i capelli mentre rifletteva su quest'ultima ipotesi. D'accordo, concluse. Prendiamola per buona.

Ma l'identità del misterioso scrittore l'incuriosiva, e non c'era motivo di negarlo, almeno non a se stessa. E dato che nessun altro avrebbe capito (come potevano, dal momento che nemmeno lei si capiva), decise d'un tratto di non parlare con nessuno dei suoi sentimenti.

Dove sei?

In fondo al cuore sapeva che le ricerche al computer e l'interesse per Garrett non l'avrebbero portata da nessuna parte. La vicenda si sarebbe pian piano trasformata in una storia insolita che avrebbe raccontato più e più volte. Avrebbe continuato a vivere scrivendo articoli, passando il tempo con Kevin, facendo tutto quello che deve fare una mamma sola.

E non aveva tutti i torti. La sua vita sarebbe andata avanti esattamente così, se tre giorni dopo non fosse accaduto qualcosa che la catapultò nell'ignoto armata di una semplice valigia e di un fascicoletto di fogli che forse non significavano nulla.

Scoprì una terza lettera di Garrett.

4

Ovviamente, il giorno in cui trovò la terza lettera Theresa non si aspettava nulla di particolare. Era una classica giornata estiva di Boston, calda, afosa, con le solite notizie che abitualmente accompagnano quel genere di clima: qualche aggressione causata dalla tensione in aumento, e nel primo pomeriggio due omicidi commessi da persone con i nervi a pezzi.

Theresa era in archivio, alla ricerca di materiale sui bambini autistici. Il *Boston Times* aveva un ottimo archivio di articoli pubblicati negli anni precedenti sulle testate più diverse. Servendosi del computer, Theresa poteva accedere anche alle biblioteche delle università di Harvard o di Boston, e le centinaia di migliaia di articoli di cui queste disponevano rendeva la ricerca assai più facile e svelta di qualche anno prima.

In un paio d'ore era riuscita a trovare quasi trenta articoli pubblicati negli ultimi tre anni su periodici di cui non aveva mai sentito parlare, e sei titoli suonavano abbastanza interessanti. Dato che sarebbe passata da Harvard rientrando a casa, decise di andarli a prendere di persona.

Stava per spegnere il computer, quando un pensiero le balenò d'un tratto nella mente, e si arrestò. *Perché no?* si chiese. *È un azzardo, ma che ci perdo?* Sedette alla scrivania, entrò nuovamente nella banca dati di Harvard e digitò le parole: MESSAGGIO IN BOTTIGLIA.

Dato che era possibile ricercare gli articoli non solo per argomento ma anche per titolo, preferì quest'ultimo sistema per accelerare la ricerca. Dopo avere premuto il tasto di invio si appoggiò allo schienale e aspettò che il computer elaborasse le informazioni richieste.

Il risultato la sorprese: negli ultimi anni erano stati scritti una dozzina di articoli diversi sull'argomento. La maggior parte erano apparsi su riviste scientifiche, e i loro titoli suggerivano che le bottiglie fossero state usate in esperimenti per studiare l'andamento delle correnti oceaniche.

Tre articoli, però, sembravano interessanti, e Theresa si annotò i titoli per fare una copia anche di questi.

Il traffico era intenso e lento e le occorse più tempo del previsto per arrivare alla biblioteca. Quando arrivò a casa era tardi, e, dopo avere ordinato la cena al ristorante cinese del quartiere, sedette sul divano con i tre articoli riguardanti i messaggi nelle bottiglie.

Incominciò da quello pubblicato dalla rivista *Yankee* nel marzo dell'anno precedente. Faceva un po' di storia e riferiva casi di bottiglie arenatesi nel New England negli ultimi anni. Alcuni dei messaggi ritrovati erano davvero memorabili. La divertì particolarmente leggere di Paolina e Ake Viking.

Il padre di Paolina aveva trovato in una bottiglia un messaggio spedito da un certo Ake, un giovane marinaio svedese. Annoiato durante uno dei suoi frequenti viaggi per mare, Ake chiedeva a qualunque ragazza carina avesse trovato il suo biglietto di scrivergli. Il padre lo aveva dato alla figlia, che aveva incominciato una corrispondenza con Ake. Quando infine il marinaio si era recato in Sicilia per incontrarla di persona, i due avevano scoperto di essersi innamorati e poco dopo si erano sposati.

Verso la fine dell'articolo, Theresa si imbatté in due paragrafi che si riferivano a un altro messaggio, rinvenuto sulle spiagge di Long Island:

> La maggior parte dei messaggi inviati per mezzo di bottiglie chiedono a chi li trova di rispondere almeno una volta, senza illudersi che sia possibile instaurare una corrispondenza duratura. A volte, tuttavia, i mittenti non desiderano una risposta. Una lettera del genere, un commovente tributo a un amore perduto, è stata scoperta l'anno scorso su una spiaggia di Long Island. Ecco parte del contenuto:
>
> *«Senza te fra le braccia, sento il vuoto nella mia anima. Mi ritrovo a cercare il tuo viso nella folla: so che è impossibile, ma non posso farne a meno. La mia ricerca è un'impresa interminabile, destinata al fallimento. Tu e io avevamo parlato di ciò che sarebbe accaduto se le circostanze ci avessero separati, ma non posso mantenere la promessa che ti ho fatto quella notte. Mi spiace, amore mio, ma non ci sarà mai nessun'altra a sostituirti. Le parole che ti ho sussurrato erano follia, e me ne sarei dovuto accorgere allora. Tu, e tu soltanto, sei l'unica cosa che abbia mai agognato, e adesso che te ne sei andata non desidero trovare nessun'altra. Finché morte non ci separi, abbiamo mormorato all'altare, e sono giunto a credere che quelle parole saranno vere fino al giorno in cui anch'io me ne andrò da questo mondo».*

Theresa smise di mangiare e lasciò cadere la forchetta.

Non è possibile! Si ritrovò a fissare le parole. *Non è possibile...*

Eppure...

Eppure... chi altri potrebbe essere?

Si passò una mano sulla fronte, d'un tratto consapevole che le tremavano le mani. *Un'altra lettera?* Tornò all'inizio dell'articolo e guardò il nome dell'autore. Era stato scritto da Arthur Shendakin, professore di storia al Boston College, il che stava a significare...

Deve abitare in questa zona.

Balzò in piedi e afferrò l'elenco telefonico sullo scaffale accanto al tavolo del soggiorno. Lo sfogliò in cerca del nome. C'erano meno di una dozzina di Shendakin, ma soltanto due sembravano corrispondere. Entrambi avevano una «A» come iniziale; Theresa controllò l'ora e fece il primo numero. Le nove e mezzo. Tardi, ma non troppo. Rispose una donna che le disse che aveva sbagliato, e quando riattaccò Theresa si accorse di avere la gola secca. Andò in cucina e si versò un bicchiere d'acqua. Dopo averne bevuta una lunga sorsata, fece un profondo respiro e tornò al telefono.

Si assicurò di avere composto il numero esatto e attese, mentre il telefono cominciava a squillare.

Una volta.

Due.

Tre.

Al quarto squillo stava per perdere la speranza, ma al quinto udì lo scatto del ricevitore che veniva alzato all'altro capo del filo.

«Pronto», disse un uomo. Dalla voce Theresa giudicò che fosse sulla sessantina.

Si schiarì la gola.

«Buona sera, sono Theresa Osborne del *Boston Times.* Parlo con Arthur Shendakin?»

«Sì», rispose l'altro, sorpreso.

Rimani calma, si disse Theresa.

«Oh, salve. Le telefono per sapere se è lo stesso Arthur Shendakin che l'anno scorso ha pubblicato sulla rivista *Yankee* un articolo sui messaggi nelle bottiglie.»

«Sì, sono io. In che cosa posso aiutarla?»

Le sue mani erano sudate intorno al ricevitore. «Mi ha incuriosito uno dei messaggi, quello ritrovato a Long Island. Se lo ricorda?»

«Posso chiederle perché le interessa?»

«Ecco», rispose lei, «il mio giornale ha intenzione di pubblicare un articolo sullo stesso argomento, e ci interesserebbe avere una copia di quella lettera.»

Fece una smorfia di disgusto per la bugia, ma la verità le sembrava ancora peggio. *Oh, sa, sono innamorata di un uomo misterioso che manda messaggi in bottiglia e mi chiedevo se anche la lettera di cui parla nel suo articolo fosse stata scritta dalla stessa persona...*

Lui rispose dubbioso: «Ecco, non saprei. È stata proprio questa lettera che mi ha ispirato l'articolo... dovrei pensarci su».

Theresa si sentì un nodo alla gola. «Allora la lettera ce l'ha lei?»

«Sì, l'ho trovata un paio d'anni fa.»

«Signor Shendakin, so che è un'offerta insolita, ma posso assicurarle che se ci lascia usare la lettera saremo lieti di pagarle una piccola somma. Non ci serve l'originale. Ci basta una copia, perciò non deve privarsi di niente.»

Theresa intuì che la richiesta l'aveva sorpreso.

«Di che cifra stiamo parlando?»

Non so, mi sto inventando tutto. Lei quanto vuole?

«Siamo pronti a offrire trecento dollari e, beninteso, lei sarà correttamente citato come il ritrovatore.»

Lui esitò un istante, valutando la proposta. Theresa tornò alla carica prima che potesse formulare un rifiuto.

«Signor Shendakin, sono sicura che una parte di lei è preoccupata per la somiglianza tra il suo articolo e ciò che il mio giornale intende pubblicare. Le assicuro che saranno due cose diverse. Il nostro articolo riguarda soprattutto la direzione in cui viaggiano le bottiglie... sa, correnti oceaniche e via dicendo. Ci serve solo qualche lettera autentica per suscitare un interesse umano nei nostri lettori.»

Questa da dove l'aveva tirata fuori?

«Ecco...»

«La prego, signor Shendakin. Per me sarebbe davvero importante.»

Lui rimase un attimo in silenzio.

«Solo una copia?»

Sì!

«Certo. Posso darle un numero di fax, oppure me la può mandare per posta. Devo intestare a lei il pagamento?»

Shendakin esitò di nuovo prima di rispondere. «Sì... direi di sì.» Dava l'impressione di essere stato chiuso in un angolo e di non sapere più come uscirne.

«Grazie, signor Shendakin.» Prima che potesse cambiare idea, Theresa gli diede il numero di fax, annotò il suo indirizzo e segnò sull'agenda di fargli un bonifico il giorno seguente. Sarebbe stato sospetto se gli avesse inviato uno dei suoi assegni personali.

***

L'indomani, dopo avere lasciato un messaggio nell'ufficio del professore al Boston College per confermargli l'avvenuto pagamento, Theresa si mise al lavoro con la testa fra le nuvole. La possibile esistenza di una terza lettera le rendeva quasi impossibile pensare ad altro. Certo, non aveva ancora nessuna garanzia che la lettera fosse della stessa persona, ma se così fosse stato, che cosa avrebbe fatto? Aveva pensato a Garrett quasi tutta la notte, cercando di immaginarsi il suo aspetto, di indovinare le cose che gli piacevano. Non capiva bene i propri sentimenti, ma alla fine concluse che sarebbe stata la lettera a decidere per lei. Se non era di Garrett, la faccenda si sarebbe chiusa lì. Non avrebbe usato il computer per trovarlo, non avrebbe cercato prove dell'esistenza di altre lettere. E se quella smania le fosse rimasta, avrebbe buttato via le altre due lettere. La curiosità è una bella cosa finché non ti prende la mano, e lei non avrebbe permesso che succedesse.

D'altro canto, se la lettera era di Garrett... Non sapeva ancora che cosa avrebbe fatto in quel caso. Una parte di lei sperava che non lo fosse, in modo da non dover prendere una decisione.

Quando arrivò alla scrivania, attese di proposito prima di avvicinarsi al fax. Accese il computer, telefonò a due medici con cui desiderava parlare dell'articolo che stava scrivendo, e buttò giù qualche appunto su altri possibili argomenti. Sbrigate queste incombenze, si era quasi convinta che la lettera non sarebbe stata di Garrett. Nell'oceano galleggiano come minimo migliaia di lettere, si disse. Probabilmente l'ha scritta qualcun altro.

Alla fine, quando non riuscì più a scacciare il pensiero dalla mente, andò al fax e incominciò a sfogliare il plico di messaggi. Non era stato ancora suddiviso e c'erano diverse dozzine di pagine indirizzate ad altri. In mezzo trovò una pagina con il suo nome, seguita da altre due. Guardandole meglio, la prima cosa che le saltò all'occhio, come nel caso delle lettere precedenti, fu la barca a vela disegnata nell'angolo in alto a destra. Questo messaggio era più breve dei precedenti, e Theresa lo lesse prima ancora di tornare alla scrivania. L'ultimo paragrafo era quello riportato dall'articolo di Arthur Shendakin.

25 settembre 1995

Cara Catherine,

è passato un mese da quando ti ho scritto, ma sembra molto di più. Adesso la vita scorre come il paesaggio fuori del finestrino di una macchina. Respiro, mangio e dormo come sempre, ma nella mia esistenza non c'è un vero scopo che richieda una partecipazione attiva da parte mia. Continuo a galleggiare sulla corrente, come i messaggi che ti scrivo. Non so dove sto andando, né quando ci arriverò.

Nemmeno il lavoro riesce a scacciare il dolore. Vado sott'acqua per mio piacere personale, oppure insegno ad altri come farlo, ma quando torno al negozio mi sembra vuoto senza di te. Sbrigo il mio lavoro come ho sempre fatto, ma ancora adesso a volte mi volto e ti chiamo senza pensarci. Mentre ti scrivo queste righe, mi chiedo se e quando queste cose cesseranno.

Senza te fra le braccia, sento il vuoto nella mia anima. Mi ritrovo a cercare il tuo viso nella folla: so che è impossibile, ma non posso farne a meno. La mia ricerca è un'impresa interminabile, destinata al fallimento. Tu e io avevamo parlato di ciò che sarebbe accaduto se le circostanze ci avessero separati, ma non posso man-

tenere la promessa che ti ho fatto quella notte. Mi spiace, amore mio, ma non ci sarà mai nessun'altra a sostituirti. Le parole che ti ho sussurrato erano follia, e me ne sarei dovuto accorgere allora. Tu, e tu soltanto, sei l'unica cosa che abbia mai agognato, e adesso che te ne sei andata non desidero trovare nessun'altra. Finché morte non ci separi, abbiamo mormorato all'altare, e sono giunto a credere che quelle parole saranno vere fino al giorno in cui anch'io me ne andrò da questo mondo.

Garrett

«Deanna, hai un minuto? Ho bisogno di parlarti.»

Deanna alzò gli occhi dal computer e si tolse gli occhiali da lettura. «Ma certo. Che cosa succede?»

Senza parlare, Theresa posò le tre lettere sulla scrivania. Deanna le prese a una a una, sgranando gli occhi per la sorpresa.

«Dove hai trovato le altre due?»

Theresa si sedette davanti a lei e glielo spiegò. Quand'ebbe terminato il racconto, Deanna lesse le lettere in silenzio.

«Bene», disse posando l'ultima, «hai saputo mantenere il segreto, vedo.»

Theresa alzò le spalle, e Deanna proseguì: «Ma c'è qualcosa di più del semplice ritrovamento, giusto?»

«Che cosa vuoi dire?»

«Voglio dire», replicò Deanna con un sorriso astuto, «che non sei venuta da me perché hai trovato le lettere. Sei venuta perché ti interessa questo Garrett.»

Theresa spalancò la bocca e Deanna scoppiò a ridere.

«Non meravigliarti, Theresa. Non sono del tutto idiota.

Sapevo che qualcosa bolliva in pentola in questi ultimi giorni. Sei così distratta... come se fossi a mille chilometri di distanza. Stavo per chiedertelo, poi mi sono detta che me ne avresti parlato tu quando ti fossi sentita pronta.»

«Credevo di avere la situazione sotto controllo.»

«Forse per gli altri. Ma io ti conosco abbastanza da capire quando covi qualcosa.» Deanna sorrise di nuovo. «Allora dimmi, che cosa succede?»

Theresa ci pensò su un istante.

«È davvero strano. Voglio dire, non riesco a smettere di pensare a lui, e non so perché. Mi sembra di essere tornata al liceo e di essermi presa una cotta per uno che non conosco neppure. Solo che adesso è peggio; non solo non ci siamo mai parlati, ma non l'ho mai nemmeno visto. Per quanto ne so, potrebbe avere settant'anni.»

Deanna si appoggiò allo schienale e annuì assorta. «È vero... ma tu non lo pensi affatto, giusto?»

Theresa scosse lentamente il capo. «No.»

«Nemmeno io», replicò Deanna mentre riprendeva in mano le lettere. «Dice che si sono innamorati da ragazzi, non accenna a figli, è istruttore di sub, e scrive di Catherine come se fossero stati sposati solo pochi anni. Dubito che possa essere vecchio.»

«È quello che pensavo anch'io.»

«Vuoi sapere la mia opinione?»

«Sono qui per questo.»

Deanna misurò con cura le parole. «Secondo me dovresti andare a Wilmington a cercare questo Garrett.»

«Ma sembra una cosa così... così ridicola, persino a me...»

«Perché?»

«Perché non so niente di lui.»

«Theresa, su Garrett tu sai molte più cose di quante ne

sapessi io su Brian prima di incontrarlo. E poi, non ti ho mica detto che devi sposarlo, solo cercarlo. Potresti scoprire che non ti piace affatto, ma almeno lo saprai, non ti pare? Voglio dire, che male c'è?»

«E se...» Theresa si interruppe e Deanna finì la frase al posto suo.

«Se non è come te lo immagini? Theresa, non lo sarà, te lo garantisco io. Nessuno è mai come te lo immagini. Ma questo non deve condizionare la tua decisione. Se hai voglia di saperne di più, va' e basta. Il peggio che ti può capitare è scoprire che Garrett non è il genere di uomo che stai cercando. E allora? Tornerai a Boston, ma almeno avrai una risposta. Sarebbe così terribile? Probabilmente meno di ciò che stai passando adesso.»

«Non credi che sia tutta una pazzia?»

Deanna scosse il capo pensierosa. «Theresa, è da tempo che volevo che iniziassi a cercarti un uomo. Come ti ho detto mentre eravamo in vacanza, meriti di trovare un'altra persona con cui vivere. Non so se questa storia con Garrett potrà funzionare. Se dovessi scommettere, direi che probabilmente non porterà a nulla. Ma ciò non significa che tu non debba fare un tentativo. Se tutti quelli che pensano di fallire non provassero neppure, dove saremmo oggi?»

Theresa rimase per un istante in silenzio. «Ragioni con troppa logica.»

Deanna liquidò l'obiezione con un'alzata di spalle. «Sono più vecchia di te e ne ho passate tante. Una delle cose che ho imparato è che a volte bisogna correre dei rischi. E, secondo me, questo non è poi così grande. Insomma, non stai lasciando il marito e la famiglia per andare in cerca di questa persona, non stai abbandonando il lavoro per trasferirti all'altro capo del paese. Sei in una situazione fantastica. Non hai niente da perdere se decidi di andare, quindi non ingigantire le cose. Se senti di doverlo fare, vai. Altrimenti non andare. Tutto qui. Tra l'altro Kevin non c'è, e tu hai ancora un sacco di giorni di ferie quest'anno.»

Theresa incominciò a tormentarsi fra le dita una ciocca di capelli.

«E la mia rubrica?»

«Non preoccuparti. Abbiamo ancora l'articolo che è stato sostituito all'ultimo momento dalla lettera. Dopo possiamo riprendere un paio di pezzi degli anni scorsi. All'epoca molti giornali non pubblicavano la tua rubrica, perciò non si accorgeranno della differenza.»

«Per te è tutto facile.»

«Sì che lo è. Il difficile è riuscire a trovare Garrett. Ma credo che le lettere contengano parecchie informazioni utili. Che ne dici di fare qualche telefonata e di andare un po' a caccia con il computer?»

Per un momento rimasero entrambe silenziose.

«D'accordo», disse infine Theresa. «Ma spero di non pentirmene.»

«Allora», domandò Theresa, «da dove s'incomincia?»

Fece girare la sedia intorno alla scrivania, mettendosi accanto a Deanna.

«In primo luogo», decretò quest'ultima, «partiamo dagli indizi di cui siamo sicure. Ritengo che il suo nome sia davvero Garrett. Ha firmato così tutte le lettere, e non credo che si sia scomodato a inventarne un altro. Magari l'avrebbe fatto per una lettera occasionale, ma in questo caso sono quasi certa che Garrett sia il suo nome di battesimo, o comunque il nome con cui si fa chiamare.»

«Probabilmente abita a Wilmington o a Wrightsville Beach», aggiunse Theresa, «o in qualche altra località della zona.»

Deanna annuì. «Tutte le lettere parlano dell'oceano, e ovviamente è lì che getta le sue bottiglie. Dal tono delle lettere sembra che le scriva quando si sente solo o quando pensa a Catherine.»

«Sono d'accordo. Non nomina mai occasioni particolari. Parla della sua vita di ogni giorno, e dei suoi sentimenti.»

«Perfetto», annuì Deanna. A mano a mano che procedevano la sua eccitazione aumentava. «Parlava anche di una barca di nome...»

«*Happenstance*», disse Theresa. «La lettera dice che l'hanno restaurata e che ci navigavano insieme. Probabilmente è una barca a vela.»

«Scrivitelo», disse Deanna. «Potremmo scoprire altre cose con un paio di telefonate. Forse esiste un registro delle barche. Magari chiamo il giornale di laggiù per farmelo dire. C'era altro nella seconda lettera?»

«No, che mi ricordi. Ma nella terza c'è qualche informazione in più. Dalle sue parole emergono due cose...»

«Una», s'intromise Deanna, «è che Catherine è effettivamente defunta.»

«L'altra che lui ha un negozio di articoli per subacquei, che gestiva con Catherine.»

«Ecco un'altra cosa da appuntarsi. Credo che riusciremo a saperne di più senza bisogno di muoverci di qui. Altro?»

«Non mi pare.»

«È un buon inizio. Forse sarà più facile di quanto pensiamo. Incominciamo con qualche telefonata.»

Innanzi tutto, Deanna chiamò il *Wilmington Journal*, il

quotidiano locale. Si presentò e chiese di parlare con qualcuno che si intendesse di barche. Dopo che le furono passate un paio di persone si trovò a parlare con un certo Zack Norton, che si occupava di pesca sportiva e altri sport acquatici. Gli spiegò quello che cercava e gli chiese se esistesse una specie di registro delle imbarcazioni, ma le fu risposto di no.

«Le barche vengono registrate con un numero, un po' come le targhe automobilistiche», spiegò Zack con una parlata strascicata, «ma con il nome della persona si potrebbe risalire a quello della barca, se è in elenco. Non è un dato obbligatorio, ma molta gente lo mette lo stesso.» Deanna scarabocchiò «Le barche non sono registrate per nome» sul blocco che aveva davanti e lo mostrò a Theresa.

«Vicolo cieco», bisbigliò Theresa.

Deanna mise una mano sulla cornetta e mormorò: «Forse no. Non rassegnarti tanto facilmente».

Dopo avere ringraziato Zack Norton e avere riattaccato, Deanna ripassò l'elenco degli indizi. Rifletté un attimo, poi decise di chiamare il servizio informazioni per avere i numeri telefonici dei negozi per sub nell'area di Wilmington. Theresa la osservò scrivere i nomi e i numeri degli undici negozi in elenco. «Posso fare altro per lei?» chiese la centralinista.

«No, grazie, mi è stata di grande aiuto.»

Riattaccò e Theresa la guardò incuriosita. «Che cosa chiederai quando telefoni?»

«Di parlare con Garrett.»

Il cuore di Theresa perse un colpo. «Così e basta?»

«Così e basta», rispose Deanna sorridendo, mentre componeva il primo numero. Fece segno a Theresa di prendere l'altro telefono, «nel caso sia lui», ed entrambe attesero in silenzio mentre il telefono dell'*Atlantic Adventures*, il primo negozio della lista, squillava.

Quando finalmente qualcuno rispose, Deanna trasse un profondo respiro e chiese educatamente se Garrett fosse disposto a dare lezioni. «Mi spiace, deve avere sbagliato numero», tagliò corto la voce. Deanna si scusò e riattaccò.

Le successive cinque chiamate diedero lo stesso risultato. Senza perdersi d'animo, Deanna compose il numero seguente dell'elenco. Attendendosi la medesima risposta, rimase sorpresa quando la persona in linea ebbe un attimo di esitazione.

«Intende dire Garrett Blake?»

Garrett.

Nell'udire il suo nome Theresa per poco non cadde dalla sedia. Deanna rispose di sì e l'uomo al telefono proseguì: «Lavora con *Island Diving.* È sicura che non possiamo servirla noi? Tra poco inizieremo un corso qui».

Deanna si affrettò a inventare una scusa. «No, mi spiace. Ho proprio bisogno di Garrett. Gli ho promesso che sarei andata da lui.» Quando riattaccò aveva un sorriso che le andava da un orecchio all'altro.

«Ci stiamo avvicinando.»

«Non riesco a credere che sia così facile...»

«Se ci pensi bene non lo è stato, Theresa. Non avremmo potuto fare niente se non avessimo avuto più di una lettera.»

«Credi che sia il Garrett giusto?»

Deanna piegò la testa di lato, alzando un sopracciglio. «Tu no?»

«Non so ancora. Forse.»

Deanna lasciò correre la risposta con un'alzata di spalle. «Lo scopriremo quanto prima. Questa faccenda sta diventando divertente.»

Deanna telefonò nuovamente al servizio informazioni e si fece dare il numero del registro navale di Wilmington. Dopo avere chiamato, si presentò e chiese di parlare con qualcuno per verificare certe informazioni. «Mio marito e io eravamo in vacanza da quelle parti», spiegò alla donna che le aveva risposto, «quando la nostra imbarcazione ha avuto un guasto. Un signore gentilissimo ci ha trovati e ci ha aiutati a tornare a riva. Si chiama Garrett Blake e mi pare che il nome della sua barca fosse *Happenstance*, ma voglio esserne sicura prima di scrivere l'articolo.»

Continuò a parlare, impedendo alla donna di replicare. Le raccontò dello spavento che si erano presi, e del sollievo quando Garrett li aveva tratti in salvo. Poi conquistò la donna dicendole quanto fosse carina la gente del Sud, e di Wilmington in particolare, e di volere scrivere un articolo sull'ospitalità meridionale e la cordialità verso i forestieri; a quel punto l'impiegata era più che disponibile ad aiutarla. «Dato che vuole solo verificare un'informazione che è già in suo possesso, non ci sono problemi. Resti in linea.»

Deanna tamburellò con le dita sulla scrivania mentre dal ricevitore fluiva una musichetta accattivante. La donna tornò all'apparecchio.

«Okay, vediamo...» Deanna udì una tastiera ticchettare, poi uno strano *bip*. Dopo un istante, la donna pronunciò le parole che Deanna e Theresa speravano di udire.

«Sì, eccolo. Garrett Blake. Hm... il nome è giusto, almeno stando alle nostre informazioni. Qui dice che la barca si chiama *Happenstance*.»

Deanna la ringraziò sentitamente e le chiese il nome, «per citare un'altra persona che incarna l'ospitalità del Sud». Poi riattaccò, raggiante.

«Garrett Blake», disse con un sorriso di trionfo. «Il no-

stro misterioso scrittore si chiama Garrett Blake.»
«Non riesco a credere che tu l'abbia trovato.»
Deanna annuì, come se fosse riuscita a fare qualcosa di cui persino lei dubitava. «Credici, invece. Questa vecchia sa ancora come trovare le informazioni.»
«Puoi dirlo forte.»
«Vuoi sapere qualcos'altro?»
Theresa ci pensò un istante. «Puoi trovare qualcosa su Catherine?»
Deanna alzò le spalle e si preparò alla nuova ricerca. «Non so, ma possiamo provarci. Chiamiamo il giornale per vedere se hanno materiale in archivio. Se è morta per un incidente forse hanno scritto qualche cosa.»
Deanna telefonò di nuovo al giornale e chiese della redazione della cronaca. Sfortunatamente, dopo avere parlato con un paio di persone, le fu detto che i giornali degli anni precedenti erano archiviati su microfilm, e senza una data precisa non era possibile consultarli. Le venne fornito il nome di una persona che Theresa avrebbe potuto contattare sul posto se avesse deciso di cercare le informazioni di persona.
«Credo che sia tutto ciò che possiamo fare da qui. Il resto sta a te, Theresa. Ma almeno sai dove trovarlo.»
Deanna le porse il foglietto con il nome. Theresa esitava. Deanna la guardò un attimo, poi posò il foglio sulla scrivania e sollevò di nuovo il telefono.
«Chi vuoi chiamare, adesso?»
«La mia agenzia di viaggio. Ti serve un biglietto d'aereo e un posto dove stare.»
«Ma non ho ancora deciso se andare o no...»
«Oh, ci andrai.»
«Come fai a esserne tanto sicura?»

«Perché non voglio vederti seduta in redazione per il resto dell'anno a chiederti che cosa sarebbe potuto accadere. Non lavori bene quando sei distratta.»

«Ma Deanna...»

«Poche storie. Lo sai anche tu che la curiosità ti farebbe ammattire. Io matta lo sono già diventata.»

«Ma...»

«Ma un bel niente.» Fece una pausa, poi il suo tono si addolcì. «Ricordati, Theresa, che non hai nulla da perdere. Il peggio che possa capitarti è tornare a casa fra un paio di giorni. Tutto lì. Non parti mica in cerca di una tribù di cannibali. Vai solo a scoprire se la tua curiosità è giustificata.»

Rimasero entrambe a guardarsi in silenzio. Deanna ostentava un risolino compiaciuto, mentre Theresa, consapevole che la decisione era presa, si sentì battere il cuore. *Mio Dio, sto per farlo sul serio. Non ci posso credere.*

Tuttavia cercò ancora di abbozzare un rifiuto poco convinto.

«Non saprei nemmeno che cosa dirgli, se alla fine lo incontrassi...»

«Qualcosa ti verrà in mente, ne sono certa. Adesso lasciami fare questa telefonata. Vai a prendere la borsa. Mi serve il numero della tua carta di credito.»

Mentre Theresa andava alla sua scrivania, la sua mente turbinava. *Garrett Blake. Wilmington. Island Diving. Happenstance.* Quelle parole continuavano a frullarle in capo, come se stesse ripetendo le battute di una commedia.

Aprì l'ultimo cassetto in basso, dove teneva la borsa, poi esitò un istante prima di tornare da Deanna. Ma ormai questa storia si era impossessata di lei, e finalmente si risolse a darle la sua carta di credito. La sera dopo sarebbe partita per Wilmington, North Carolina.

Deanna le disse di prendersi il resto della giornata e quella successiva di riposo. Uscendo dall'ufficio, Theresa ebbe l'impressione di essere stata in qualche modo incastrata, come aveva fatto lei con il vecchio signor Shendakin.

A differenza del signor Shendakin, però, in fondo in fondo ne era contenta, e quando il giorno dopo l'aeroplano atterrò a Wilmington Theresa Osborne andò dritta in albergo, chiedendosi dove l'avrebbe condotta tutto ciò.

5

Theresa si svegliò presto, com'era sua abitudine, e si alzò per guardare fuori della finestra. Il sole del North Carolina proiettava prismi dorati attraverso le brume del mattino. Socchiuse la porta del balcone per cambiare aria alla camera.

In bagno si sfilò il pigiama e aprì l'acqua della doccia. Entrando nel box, pensò quanto fosse stato facile arrivare fin lì. Poco meno di quarantott'ore prima era seduta con Deanna a studiare le lettere, fare telefonate e cercare Garrett. Appena tornata a casa aveva parlato con Ella, che ancora una volta si era offerta di badare a Harvey e di ritirarle la posta.

Il giorno dopo era andata in biblioteca per documentarsi sull'immersione subacquea. Le era parso logico. La sua esperienza di reporter le aveva insegnato a non dare mai nulla per scontato, a elaborare un piano e a fare del suo meglio per essere pronta a tutto.

Il piano che alla fine aveva escogitato era semplice. Sarebbe andata all'*Island Diving* e avrebbe gironzolato per il negozio, nella speranza di adocchiare Garrett Blake. Se fosse stato un vecchio settantenne o uno studente ventenne, sarebbe tornata a casa e avrebbe chiuso l'incidente. Ma se le intuizioni sue e di Deanna si fossero rivelate esatte e Garrett avesse avuto più o meno la sua età, avrebbe provato almeno a parlargli. Per questo si era documentata sulle immersioni: voleva dare l'impressione di non essere completamente digiuna. Probabilmente, se fosse riuscita a parlargli di qualcosa che gli interessava, avrebbe appreso di più sul suo conto senza doversi scoprire troppo. Così avrebbe avuto modo di valutare meglio la situazione.

Ma poi? Qui veniva la parte in cui si sentiva meno sicura. Non voleva raccontare a Garrett la verità: l'avrebbe presa per una pazzia. *Ciao, ho letto le tue lettere a Catherine e, sapendo quanto l'amavi, ho pensato che potessi essere l'uomo che cercavo.* No, era fuori discussione. L'alternativa, però, non sembrava molto migliore: *Ciao, sono del* Boston Times *e ho trovato le tue lettere. Possiamo scrivere un articolo su di te?* Non le pareva una buona idea.

Ma non era arrivata fin lì per abbandonare la partita, anche se non sapeva che cosa avrebbe detto. E poi, come sosteneva Deanna, se la cosa non avesse funzionato sarebbe tornata a Boston, e basta.

Theresa uscì dalla doccia, si asciugò, si spalmò un po' di lozione solare su braccia e gambe e indossò una camicetta bianca a maniche corte, calzoncini di jeans e un paio di sandali bianchi. Voleva avere un aspetto disinvolto, e ci riuscì. L'importante era non farsi notare troppo. In fondo, non sapeva che cosa aspettarsi e desiderava avere la possibilità di valutare la situazione sul momento.

Quando fu pronta per uscire, cercò sull'elenco telefonico e scrisse l'indirizzo dell'*Island Diving* su un pezzo di carta. Dopo un paio di profondi respiri attraversò la hall, continuando a ripetersi il «mantra» di Deanna.

La prima tappa fu in un grande magazzino, dove acquistò una piantina di Wilmington. Si fece dare indicazioni dal commesso e trovò facilmente la strada, sebbene la cittadina fosse più grande del previsto e intasata dal traffico, specie sui ponti che la collegavano direttamente con le isole davanti alla costa: Kure Beach, Carolina Beach e Wrightsville Beach. Tutte le auto sembravano dirette lì.

L'*Island Diving* si trovava non lontano dal mare. Attraversata la città, il traffico parve farsi un po' meno congestionato, e quando ebbe imboccato la strada giusta Theresa rallentò e si mise in cerca del negozio.

Non era distante. Proprio come aveva sperato, c'erano poche auto parcheggiate davanti all'edificio. Si fermò a pochi metri dall'ingresso.

Era un vecchio fabbricato di legno, scolorito dall'aria salmastra e dalle brezze marine, con un lato che dava sull'Atlantic Intracoastal Waterway. Appesa a due catene arrugginite c'era l'insegna dipinta a mano; le finestre erano state impolverate da migliaia di temporali.

Scese dall'auto, si allontanò i capelli dal volto e si diresse verso la porta. Prima di aprirla respirò a fondo, poi entrò, facendo del suo meglio per sembrare una cliente qualsiasi.

Vagò per il negozio, aggirandosi fra gli scaffali e osservando clienti d'ogni sorta prendere e posare gli oggetti esposti sugli scaffali. Cercò di individuare chi aveva l'aria di lavorare lì. Lanciò occhiate furtive a tutti gli uomini presenti, chiedendosi: *sei Garrett?* La maggior parte, però, sembravano clienti.

Alla fine raggiunse la parete di fondo, dove trovò una serie di ritagli di giornale incorniciati e appesi sopra gli scaffali. Dopo una prima occhiata li guardò meglio, e all'improvviso si rese conto di essersi imbattuta nella risposta alla prima domanda sul misterioso Garrett Blake.

Finalmente sapeva che aspetto aveva.

Il primo articolo, ripreso da un quotidiano, parlava di immersioni subacquee, e la didascalia sotto la foto diceva semplicemente: «Garrett Blake di *Island Diving* prepara gli allievi alla loro prima immersione nell'oceano».

La foto lo mostrava mentre sistemava le cinghie delle bombole a uno dei suoi allievi, e Theresa si accorse che lei e Deanna avevano visto giusto. Doveva essere sulla trentina, con un viso asciutto e corti capelli castani schiariti dal sole. Superava l'allievo di cinque o sei centimetri, e la camicia senza maniche scopriva braccia dai muscoli vistosi.

La grana grossa della fotografia non permetteva di cogliere il colore degli occhi, ma il viso era abbronzato. Le sembrò che avesse delle piccole rughe all'angolo degli occhi, però poteva darsi che tenesse le palpebre socchiuse per il riverbero del sole.

Lesse con attenzione l'articolo, prendendo nota dell'orario delle lezioni di immersione e di altri particolari sul modo di ottenere il brevetto da subacqueo. Il secondo articolo non aveva foto e trattava della ricerca di relitti sommersi, un'attività assai diffusa nel North Carolina. Sembrava che al largo della costa ci fossero più di cinquecento relitti di cui si conosceva la posizione, tanto che lo Stato veniva chiamato il Cimitero dell'Atlantico. A causa degli Outer Banks e delle altre isole proprio sotto costa, le navi vi facevano naufragio da secoli.

Il terzo articolo, anch'esso privo di foto, riguardava il *Monitor*, la prima corazzata nordista della Guerra di Secessione. In rotta verso il South Carolina, era colata a picco nel 1862 al largo di Capo Hatteras, mentre veniva rimorchiata da un vapore. Il relitto era stato finalmente localizzato, e Garrett Blake, insieme con altri sub del Duke Maritime Institute, aveva ricevuto l'incarico di immergersi per esaminare la possibilità di recuperare la nave.

Il quarto articolo era dedicato alla *Happenstance*. C'erano otto fotografie dell'imbarcazione, scattate da diverse angolazioni, dentro e fuori, che documentavano l'opera di restauro. Theresa apprese che si trattava di un esemplare unico, interamente di legno, costruito a Lisbona nel 1927. Disegnata da Herreschoff, uno dei più famosi progettisti navali dell'epoca, la *Happenstance* aveva una storia lunga e avventurosa (era stata persino impiegata durante la seconda guerra mondiale per sorvegliare le postazioni tedesche lungo le coste francesi). Infine aveva fatto vela verso Nantucket, dov'era stata acquistata da un uomo d'affari del luogo. Quando Garrett Blake l'aveva comperata quattro anni prima, era ormai ridotta a un relitto, e l'articolo raccontava che lui e sua moglie Catherine l'avevano restaurata.

Catherine...

Theresa guardò la data dell'articolo. Aprile 1992. L'articolo non diceva che Catherine fosse morta, e, dato che una delle lettere era stata rinvenuta a Norfolk tre anni prima, voleva dire che la moglie di Garrett era scomparsa intorno al 1993.

«Posso esserle utile?»

Theresa si voltò istintivamente verso la voce alle sue spalle. Dietro di lei c'era un giovane sorridente, e d'un tratto fu lieta di avere appena visto una fotografia di Garrett. Se non altro, sapeva che non poteva essere lui.

«L'ho spaventata?» le chiese il commesso, e Theresa si affrettò a scuotere il capo.

«No... stavo solo guardando le fotografie.»

Il giovane vi accennò con la testa. «Fantastica, non trova?»

«Chi?»

«La *Happenstance*. Garrett, il proprietario del negozio, l'ha ricostruita. È una barca magnifica. Una delle più belle che abbia mai visto, ora che è finita.»

«È qui? Garrett, voglio dire.»

«No, è giù al porto. Tornerà solo in tarda mattinata.»

«Oh...»

«Posso aiutarla? So che il negozio è un po' stipato, ma qui può trovare tutto quello che le serve per fare immersioni.»

Theresa scosse la testa. «No, sto solo dando un'occhiata.»

«Okay, ma se posso esserle d'aiuto, me lo dica.»

«Certo», rispose lei, e il giovane annuì allegramente, poi si girò e tornò verso il bancone vicino all'ingresso. Prima di riuscire a fermare le parole, Theresa gli domandò: «Ha detto che Garrett è al porto?»

«Sì. Un paio di isolati più giù», rispose lui, voltandosi e continuando a camminare all'indietro mentre parlava. «Al porticciolo. Sa dov'è?»

«Credo di esserci passata venendo qui.»

«Credo che si fermerà ancora un'oretta, ma, come le ho detto, se ripassa più tardi, lo troverà qui. Vuole che gli lasci un messaggio da parte sua?»

«Non c'è bisogno. Non è nulla di importante.»

Passò qualche minuto fingendo di interessarsi agli oggetti sugli scaffali, poi uscì con un cenno di saluto al giovane.

Invece di tornare alla macchina, però, si avviò a piedi verso il porticciolo.

Quando vi giunse, si guardò attorno nella speranza di trovare la *Happenstance*. Dato che la maggior parte delle imbarcazioni erano bianche, mentre la *Happenstance* aveva il colore del legno naturale, le fu facile individuarla e dirigersi verso la banchina giusta.

Scese la scaletta del molo in preda al nervosismo, ma se non altro la visita al negozio le aveva suggerito qualche tema di conversazione. Se avesse incontrato Garrett, gli avrebbe semplicemente spiegato che dopo avere letto l'articolo sulla *Happenstance* desiderava vedere la barca da vicino. Una scusa plausibile, e sperava di servirsene per dare inizio a una conversazione più lunga. Si sarebbe fatta un'idea di com'era Garrett dal vivo... E poi... e poi chissà.

Mentre si avvicinava all'imbarcazione, però, notò che intorno pareva non esserci nessuno. Nessuno a bordo, nessuno sul molo, tutto sembrava deserto. La barca era ormeggiata, la vela avvolta nel copriranda e ogni cosa sembrava in ordine. Dopo avere guardato in giro, Theresa controllò il nome della barca sulla poppa. Era proprio la *Happenstance*. Si scostò una ciocca di capelli che le era finita sul viso. Strano, pensò un po' perplessa, il ragazzo del negozio ha detto che era qui.

Invece di tornare subito indietro, rimase qualche istante ad ammirare la barca. Era splendida, maestosa e piena di vita, diversa dalle imbarcazioni che la circondavano. Aveva molto più carattere degli altri cabinati a vela ormeggiati ai suoi lati, e comprese perché il giornale le avesse dedicato un articolo. Per qualche verso le rammentava una versione in piccolo dei vascelli dei pirati visti al cinema. Camminò avanti e indietro per qualche minuto, esaminandola da diverse angolazioni e chiedendosi in che stato fosse prima del restauro. Molte parti sembravano nuove, anche se quasi sicuramente il fasciame non era stato sostituito per intero.

Alla fine decise di ripassare all'*Island Diving* un po' più tardi. Evidentemente il commesso si era sbagliato. Dopo un'ultima occhiata alla barca, si voltò per andarsene.

Sul molo, a pochi passi da lei, c'era un uomo immobile, che la osservava attentamente.

Garrett...

Il caldo del mattino lo faceva sudare, e la camicia qua e là era fradicia. Le maniche erano state strappate via, mettendo in risalto i muscoli delle braccia. Aveva le mani nere di grasso e l'orologio subacqueo che portava al polso era tutto graffiato, come se lo usasse da anni. Indossava calzoncini color kaki e scarpe da tennis senza calze. Aveva l'aria di chi è abituato a passare tutto, o quasi tutto, il suo tempo in riva al mare.

Involontariamente Theresa fece un passo indietro. «Posso esserle utile?» le chiese l'uomo. Sorrideva, ma non si avvicinò, come se temesse di farla sentire in trappola.

Il che è esattamente ciò che Theresa provò quando i loro sguardi si incontrarono.

Per un attimo rimase a fissarlo, incapace di parlare. Sebbene avesse già visto la sua fotografia, il suo aspetto la colpì, anche se non avrebbe saputo dire il perché. Era alto, con le spalle larghe. Non era di una bellezza folgorante, ma il suo viso era abbronzato e vissuto, come se il sole e il mare vi avessero lasciato il loro segno. Gli occhi non erano neanche lontanamente magnetici come quelli di David, ma in lui c'era senz'altro qualcosa di irresistibile. Aveva un modo molto maschile di starle di fronte.

Ricordando il suo piano, Theresa inspirò a fondo e indicò la *Happenstance*.

«Stavo ammirando la sua barca. Davvero magnifica.»

Strofinandosi le mani per togliere un po' di grasso, Garrett rispose cortesemente: «Grazie, molto gentile».

Il suo sguardo fermo sembrava mettere a nudo la realtà della situazione, e di colpo Theresa rivide tutto: il ritrovamento della bottiglia, la curiosità sempre più assillante, le ricerche, il viaggio fino a Wilmington e infine quell'incontro a faccia a faccia. Turbata, chiuse gli occhi, cercando di riprendersi. In un certo senso non si era aspettata che tutto accadesse così in fretta. Per un istante fu assalita dal terrore più totale.

Garrett fece un piccolo passo avanti. «Si sente bene?» chiese premurosamente.

Con un altro respiro profondo, costringendosi a rilassarsi, Theresa rispose: «Sì, credo di sì. Ho solo avuto un leggero capogiro».

«Sicura?»

Theresa si passò la mano tra i capelli, a disagio. «Certo. Ora sto bene. Davvero.»

«Bene», replicò lui, come se volesse aspettare per vedere se aveva detto la verità. Dopo essersene convinto, le domandò incuriosito: «Ci siamo già visti?»

Theresa scosse lentamente il capo. «Non credo proprio.»

«Allora come fa a sapere che questa barca è mia?»

Lei rispose con sollievo: «Ho visto la sua foto nel negozio, sui ritagli di giornale, insieme con le immagini della barca. Il commesso mi ha detto che l'avrei trovata qui e ho pensato di venire a dare un'occhiata di persona».

«Le ha detto che ero qui?»

Theresa esitò un attimo mentre ripensava alle esatte parole del giovane. «Veramente mi ha detto che lei era al porto. E ho pensato che volesse dire qui.»

Garrett annuì. «Ero sull'altra barca, quella che usiamo per le immersioni.»

Un piccolo peschereccio suonò la sirena e Garrett si voltò a salutare l'uomo sul ponte. Quando la barca fu passata, posò di nuovo lo sguardo su Theresa e rimase colpito dalla sua bellezza. Da vicino era persino meglio di come gli era parsa dall'altra parte del porticciolo. Istintivamente abbassò gli occhi e prese il fazzoletto rosso che teneva nella tasca posteriore per asciugarsi il sudore dalla fronte.

«Ha fatto davvero un magnifico lavoro di restauro», disse Theresa.

Lui abbozzò un sorriso mentre metteva via il fazzoletto. «Grazie. Gentile da parte sua.»

Theresa guardava la *Happenstance*; poi si voltò di nuovo verso di lui. «Lo so che non sono affari miei», disse distrattamente, «ma, visto che è qui, le spiacerebbe se le facessi qualche domanda sulla barca?»

Dalla sua espressione intuì che non era la prima volta che glielo chiedevano.

«Che cosa vorrebbe sapere?»

Theresa fece del suo meglio per apparire disinvolta. «Ecco, quando l'ha acquistata era davvero malridotta come diceva l'articolo?»

«A dire il vero era molto peggio.» Fece un passo avanti, indicando vari punti dell'imbarcazione mentre parlava. «A prua il fasciame era quasi tutto marcio, e nella fiancata c'era una serie di falle. Un miracolo che galleggiasse ancora. Abbiamo finito con il sostituire gran parte dello scafo e del ponte, e quel poco che è rimasto è stato carteggiato completamente, poi stuccato e verniciato a nuovo. E questo solo per l'esterno. Abbiamo dovuto rifare anche l'interno, e ci è voluto molto più tempo.»

Pur avendo notato l'uso del plurale nella sua risposta, Theresa decise di non farci caso.

«Dev'essere stato un vero lavoraccio.»

Lo disse con un sorriso, e Garrett avvertì un groppo allo stomaco. *Accidenti, quant'è carina.*

«Infatti, ma ne è valsa la pena. È più divertente da portare delle altre barche.»

«Perché?»

«Perché l'ha costruita gente che di mare se ne intendeva. È stata progettata con grandissima cura, e questo rende molto più facile governarla.»

«Immagino che vada in barca da molto tempo.»

«Da quand'ero ragazzo.»

Theresa annuì. Dopo una breve pausa fece un passo verso la barca. «Le spiace?»

Lui scosse il capo. «No, faccia pure.»

Theresa si avvicinò e accarezzò lo scafo con una mano. Garrett notò che non portava anelli, anche se la cosa non aveva importanza. Senza voltarsi, Theresa domandò: «Che legno è?»

«Mogano.»

«Tutta la barca?»

«Gran parte. A eccezione dell'alberatura e di qualche elemento degli interni.»

Theresa annuì di nuovo, e Garrett la osservò camminare lungo la *Happenstance.* Mentre si allontanava, non poté fare a meno di notare la sua figura snella, e come i lisci capelli scuri le sfiorassero le spalle. Ma non era solo l'aspetto a destare il suo interesse: quella donna aveva un modo di muoversi sicuro e risoluto, come se sapesse esattamente che cosa avevano in mente gli uomini quando erano accanto a lei. Garrett scosse la testa per scacciare il pensiero.

«È proprio vero che è stata usata per spiare i tedeschi durante la guerra?» chiese Theresa, voltandosi verso di lui.

Garrett ridacchiò, facendo uno sforzo per snebbiarsi la mente. «È quello che mi ha raccontato l'ex proprietario, ma non so se sia vero o se l'abbia inventato per alzare il prezzo.»

«In ogni caso è una barca davvero magnifica. Quanto tempo ha impiegato per restaurarla?»

«Quasi un anno.»

Theresa sbirciò in uno degli oblò, ma l'interno era troppo buio per distinguere qualcosa. «Su che barca andava mentre restaurava la *Happenstance*?»

«Non andavamo in barca. Non c'era tempo, tra il negozio, le lezioni e i lavori di riparazione.»

«Non ha mai avuto crisi di astinenza?» domandò la donna con un sorriso, e per la prima volta Garrett si rese conto che gli piaceva parlare con lei.

«Certo. Ma sono sparite non appena abbiamo finito e l'abbiamo messa in acqua.»

Di nuovo quel «noi».

«Non ne dubito.»

Dopo avere ammirato l'imbarcazione ancora per qualche secondo, Theresa gli si avvicinò nuovamente. Per un attimo rimasero entrambi in silenzio. Garrett si chiese se si fosse accorta che la sbirciava con la coda dell'occhio.

«Bene», disse infine Theresa incrociando le braccia, «credo di averle rubato abbastanza tempo.»

«Niente affatto», replicò lui, sentendo di nuovo il sudore imperlargli la fronte. «Mi piace parlare di vela.»

«Anche a me. Andare a vela mi è sempre sembrato uno sport molto divertente.»

«Da come ne parla, si direbbe che non l'abbia mai fatto.»

Theresa fece spallucce. «Infatti. Mi sarebbe sempre piaciuto, ma non si è mai presentata l'occasione.»

Mentre parlava, lo guardò, e quando i loro occhi si incontrarono Garrett si sorprese a tirare fuori il fazzoletto per la seconda volta in pochi minuti. *Accidenti se fa caldo, oggi.* Si asciugò la fronte e udì le parole sfuggirgli di bocca prima di poterle fermare.

«Se vuole provare, di solito esco ogni sera, dopo il lavoro. Sarà la benvenuta.»

Non sapeva perché l'avesse detto. Forse, pensò, era il desiderio di una compagnia femminile dopo tutti quegli anni, anche se solo per poco. O forse aveva che fare con il modo in cui le s'illuminavano gli occhi ogni volta che parlava. Qualunque fosse il motivo, le aveva appena chiesto di andare con lui, e non poteva più tirarsi indietro.

Anche Theresa rimase lievemente sorpresa, ma accettò subito. In fondo era venuta a Wilmington per quello.

«Volentieri», rispose. «A che ora?»

Garrett rimise il fazzoletto in tasca, un po' imbarazzato da ciò che aveva appena fatto. «Che ne dice delle sette? Il sole comincia a tramontare, ed è l'ora migliore per uscire.»

«Per me va benissimo. Porterò qualcosa da mangiare.» Non senza sorpresa di Garrett, appariva contenta e allo stesso tempo eccitata.

«Non è necessario.»

«Lo so, ma è il minimo che possa fare. Dopo tutto, non era obbligato a invitarmi. Vanno bene dei panini?»

Garrett fece un piccolo passo indietro, improvvisamente a corto d'aria. «Benissimo. Non sono di gusti difficili.»

«D'accordo», disse Theresa, poi tacque per un attimo. Dondolandosi da un piede all'altro, attese che lui aggiungesse qualcosa. Dato che rimaneva zitto, si accomodò distrattamente la borsa a tracolla. «Allora ci vediamo stasera. Qui alla barca, giusto?»

«Qui», rispose Garrett, accorgendosi di essere stato brusco. Schiaritosi la gola, si sforzò di sorridere. «Sarà divertente. Vedrà che le piacerà.»

«Non ne dubito. A più tardi.»

Theresa si voltò e si avviò lungo il molo, con i capelli scompigliati dal vento. Mentre si allontanava, Garrett si accorse di avere dimenticato una cosa.

«Ehi!» la chiamò.

Lei si fermò e si volse, schermandosi gli occhi con la mano. «Sì?»

Era carina anche da lontano.

Garrett fece qualche passo verso di lei. «Ho dimenticato di chiederle come si chiama.»

«Theresa. Theresa Osborne.»

«Io sono Garrett Blake.»

«Bene, Garrett. Ci vediamo alle sette.»

Detto questo si girò e se ne andò a passo svelto. Garrett la guardò allontanarsi, cercando di trovare una spiegazione al conflitto di emozioni che provava. Sebbene da un lato fosse eccitato da quanto era appena successo, dall'altro sentiva che in tutta la faccenda c'era qualcosa che non andava. Sapeva che non c'era ragione di provare sensi di colpa, ma questa sensazione si stava facendo sempre più forte, e lui avrebbe voluto poter fare qualcosa per scacciarla.

Ma naturalmente non era possibile. Non lo è mai.

6

Le lancette dell'orologio passarono oltre l'ora di pranzo e avanzarono con regolarità verso le sette, ma per Garrett Blake il tempo si era fermato tre anni prima, quando Catherine, scendendo dal marciapiede, era stata investita e uccisa da un anziano signore che aveva perso il controllo dell'auto e cambiato per sempre la vita di due famiglie. Nelle settimane successive la rabbia contro il guidatore aveva lasciato gradatamente il posto a propositi di vendetta, non attuati solo perché il dolore lo rendeva incapace di qualsiasi azione. Garrett non riusciva a dormire più di tre ore per notte, piangeva ogni volta che vedeva gli abiti della moglie nell'armadio e perse quasi dieci chili perché andava avanti solo a caffè e cracker. Un mese dopo cominciò a fumare e, nelle notti in cui la sofferenza diventava troppo grande per poterla affrontare da sobrio, anche a bere. Suo padre si occupò momentaneamente degli affari, mentre Garrett sedeva in silenzio sulla veranda di casa sua, cercando di immaginare un mondo senza Catherine. Non aveva più la forza né il desiderio di vivere, e a volte, mentre se ne stava seduto lì, sperava che l'aria umida e salmastra lo inghiottisse, per evitargli di dover affrontare il futuro da solo.

Ciò che rendeva tutto più difficile era il fatto di non riuscire a ricordare un solo momento passato senza di lei. Si conoscevano da sempre ed erano andati a scuola insieme. Da ragazzini erano amici per la pelle, e Garrett le aveva mandato due bigliettini per San Valentino. In seguito si erano allontanati, pur continuando a frequentare le stesse scuole, anno dopo anno. Catherine era tutta pelle e ossa, perennemente la più piccola della classe, e Garrett, pur riservandole sempre un posto speciale nel suo cuore, non si era accorto che si stava pian piano trasformando in una ragazza attraente. Non erano mai andati insieme a una festa, e nemmeno al cinema, ma dopo quattro anni a Chapel Hill, dove si era laureato in biologia marina, Garrett l'aveva incontrata per caso a Wrightsville Beach, e di colpo si era reso conto di quanto fosse stato sciocco. Catherine non era più la ragazzina allampanata di un tempo: si era fatta bella, con splendide curve che facevano voltare tutti, uomini e donne, aveva capelli biondi e occhi intensi e misteriosi. Quando Garrett si era ripreso dallo stupore e le aveva chiesto che cosa avesse in programma per la serata, era cominciato un legame che li avrebbe condotti al matrimonio e a sei meravigliosi anni trascorsi insieme.

La prima notte di nozze, soli in una camera d'albergo a lume di candela, Catherine gli aveva porto i due bigliettini di San Valentino ed era scoppiata a ridere vedendo la sua espressione. «Si capisce che li ho tenuti», aveva bisbigliato abbracciandolo, «è stata la prima volta che ho amato qualcuno. L'amore è amore, a qualsiasi età, e sapevo che se ti avessi lasciato abbastanza tempo, saresti tornato da me.»

Ogni volta che Garrett si sorprendeva a pensare a lei, ricordava com'era stata quella notte, oppure l'ultima volta che erano usciti in mare. Nitidissimo era ancora adesso il ricordo di quella sera: i suoi capelli biondi al vento, il suo viso raggiante, le sue risate.

«Che spruzzi!» gridò Catherine esultante, a prua della barca. Aggrappandosi allo strallo, si sporse nel vento, il profilo stagliato contro il cielo fiammeggiante.

«Sta' attenta!» le gridò Garrett, reggendo il timone.

Lei si sporse ancora di più, voltandosi a guardare il marito con un sorriso di sfida.

«Dico sul serio!» gridò lui. Ebbe l'impressione che perdesse la presa e si staccò dal timone, ma solo per sentirla ridere mentre si rialzava. Agile come sempre, Catherine tornò a poppa senza difficoltà e gli gettò le braccia al collo. Baciandolo sull'orecchio mormorò: «Sei arrabbiato?»

«Mi fai sempre arrabbiare quando ti ci metti.»

«Non fare il brontolone», lo stuzzicò lei. «Non adesso, che finalmente ti ho tutto per me.»

«Ma se mi hai tutto per te ogni notte.»

«Non così», ribatté lei, baciandolo di nuovo. Dopo una rapida occhiata in giro, sorrise. «Perché non ammainiamo le vele e caliamo l'ancora?»

«Adesso?»

Lei annuì. «A meno che, s'intende, tu non voglia navigare tutta la notte.» Con uno sguardo malizioso, Catherine aprì la porta della cabina e scomparve. Quattro minuti più tardi, calata in fretta e furia l'ancora, Garrett la raggiunse...

Garrett soffiò con forza, per disperdere i ricordi come uno sbuffo di fumo. Sebbene ricordasse ancora quella sera, si accorse che con il passare del tempo gli riusciva sempre più difficile visualizzare con precisione l'aspetto di Catherine. A poco a poco i suoi lineamenti andavano sfocandosi, e pur sapendo che l'oblio aiuta ad alleviare il dolore Garrett avrebbe desiderato più di ogni altra cosa rivederla. In tre anni aveva riguardato l'album delle fotografie una volta soltanto, ed era stato così male che aveva giurato di non farlo mai più. Adesso la rivedeva chiaramente solo di notte, nel sonno. Gli piaceva sognarla, perché era come se fosse ancora viva. Catherine parlava e si muoveva, lui la stringeva tra le braccia, e per un momento sembrava che tutto fosse tornato come prima. Ma anche i sogni hanno il loro prezzo, perché al risveglio si sentiva sempre sfinito e depresso. A volte andava in negozio e si chiudeva a chiave in ufficio per tutta la mattina, per non parlare con nessuno.

Suo padre faceva del suo meglio per aiutarlo. Anche lui aveva perso la moglie e sapeva bene che cosa provasse suo figlio. Garrett andava a trovarlo almeno una volta alla settimana, e la compagnia di suo padre gli faceva sempre piacere. Era l'unica persona che lo capisse davvero, e il vecchio lo ricambiava. L'anno prima suo padre gli aveva detto che avrebbe dovuto ricominciare a frequentare compagnie femminili. «Non è giusto che tu rimanga sempre solo», aveva detto. «È quasi come se ci avessi rinunciato.» Garrett sapeva che in un certo senso era vero. Ma in realtà non desiderava trovare nessun'altra. Non aveva più fatto l'amore dalla morte di Catherine, e, peggio ancora, non ne aveva provato alcun bisogno. Era come se fosse morta anche una parte di lui. Quando Garrett gli aveva chiesto perché avrebbe dovuto seguire quel consiglio, dal momento che lui non si era risposato, il padre aveva distolto in silenzio lo sguardo. Poi però aveva detto una cosa che tormentava entrambi, una cosa che non avrebbe mai voluto dire.

«Credi davvero che possa trovarne un'altra degna di prendere il suo posto?»

Con il tempo Garrett era tornato al negozio e aveva ripreso a lavorare, facendo del suo meglio per continuare a vivere. Rimaneva all'*Island Diving* più che poteva, sistemando l'archivio e ordinando l'ufficio, solo perché gli faceva meno male che tornare a casa. Aveva scoperto che, rientrando con l'oscurità e accendendo poche luci, notava meno le cose di Catherine, e la sua presenza era meno forte. Si era abituato di nuovo a vivere da solo, a cucinare, a fare le pulizie e il bucato. Era addirittura giunto a curare il giardino come faceva lei, anche se non lo divertiva altrettanto.

Credeva di stare meglio, ma quando era venuto il momento di mettere via le cose di Catherine non aveva avuto la forza di farlo. Era stato suo padre a doversene occupare. Dopo un fine settimana passato a fare immersioni, Garrett era tornato in una casa nella quale ogni ricordo della moglie era stato cancellato. Senza le cose di Catherine la casa era vuota; non c'era più motivo di rimanervi. Nel giro di un mese Garrett l'aveva venduta e si era trasferito in una casa più piccola a Carolina Beach, convinto che, andandosene, avrebbe ricominciato a vivere. E adesso erano più di tre anni che, in un modo o nell'altro, ci stava riuscendo.

Suo padre però non aveva trovato tutto. In una scatola che teneva sul tavolino accanto al divano, Garrett conservava ancora qualcosa da cui non riusciva a separarsi: i bigliettini di San Valentino, la fede nuziale e altri oggetti che nessuno avrebbe capito. A notte fonda gli piaceva prenderli fra le mani; in quelle occasioni, sebbene suo padre avesse l'impressione che lui stesse meglio, Garrett si rendeva conto che non era così, che in realtà stava malissimo, perché nulla sarebbe stato più come una volta.

Garrett andò al porticciolo con qualche minuto di anticipo, per avere il tempo di preparare la *Happenstance.* Sfilò il copriranda, aprì la cabina e controllò che tutto fosse a posto.

Suo padre gli aveva telefonato proprio mentre usciva di casa, e Garrett ripensò alla conversazione.

«Vuoi venire a cena da me?» gli aveva chiesto il padre.

Garrett aveva risposto che non poteva. «Stasera esco in mare con una persona.»

Suo padre era rimasto zitto per un momento. Poi aveva domandato: «Una donna?»

Garrett gli aveva spiegato brevemente il suo incontro con Theresa.

«Sembra che questo appuntamento ti renda un po' nervoso», era stato il commento.

«Non sono affatto nervoso, papà. E non è un appuntamento. Come ti ho detto, facciamo solo un giro in barca. Ha detto di non essere mai andata in vela.»

«Carina?»

«Che importanza ha?»

«Nessuna. A me però sembra un appuntamento.»

«No, non lo è.»

«Se lo dici tu.»

Garrett la vide venire lungo il molo poco dopo le sette, con un paio di calzoncini corti e una camicetta rossa senza maniche, reggendo un cestino da picnic in una mano e una felpa e una giacca a vento nell'altra. Sembrava assai più rilassata di lui, e l'espressione del volto non tradiva i suoi pensieri. Quando lo salutò con la mano, Garrett provò una familiare fitta di rimorso e si affrettò a restituirle il saluto prima di finire di sistemare le scotte. Mentre Theresa si avvicinava alla barca, bofonchiò tra sé e sé, facendo del suo meglio per schiarirsi la mente.

«Ciao», disse lei disinvolta. «Spero di non averti fatto aspettare troppo.»

Garrett si tolse i guanti da lavoro. «Oh, ciao. No, sei puntualissima. Sono venuto un po' prima per preparare la barca.»

«Hai finito?»

Garrett si guardò intorno per accertarsene. «Credo di sì. Vuoi una mano per salire?»

Mise da parte i guanti e allungò un braccio. Theresa gli passò le sue cose, che lui sistemò su uno dei sedili lungo il parapetto. Quando le prese le mani per issarla a bordo, lei avvertì i calli sulle sue palme. Poi Garrett fece un passetto indietro e indicò il timone.

«Pronta a salpare?»

«Quando vuoi.»

«Allora accomodati. Adesso usciremo dal porto. Vuoi qualcosa da bere, prima? Ho della limonata in frigorifero.»

Lei scosse il capo. «No, grazie. Sto bene così.»

Si guardò intorno e scelse un posto nell'angolo. Lo osservò girare una chiavetta e accendere il motore, che incominciò a ronzare piano. Poi, lasciando il timone, Garrett mollò le due cime di ormeggio. La *Happenstance* sfilò lentamente lungo il molo. Con leggera sorpresa, Theresa disse: «Non sapevo che ci fosse un motore».

Lui voltò il capo e rispose con voce abbastanza alta da

farsi sentire: «È piccolo, giusto i cavalli necessari per entrare e uscire dal porto. Ne abbiamo messo uno nuovo quando l'abbiamo ricostruita».

La *Happenstance* si allontanò dal molo e uscì dal porticciolo. Quando furono nelle acque del canale costiero, Garrett spense il motore, si infilò i guanti e issò rapidamente la vela. La *Happenstance* prese il vento e con un rapido movimento Garrett si accucciò accanto a Theresa.

«Attenta alla testa: il boma ti passerà sopra.»

Nei pochi attimi successivi tutto accadde freneticamente. Theresa abbassò la testa e vide compiersi l'avvertimento di Garrett: il boma si spostò da un lato all'altro della barca trascinato dalla vela che si tendeva nel vento. Quando la randa fu nella posizione giusta, Garrett fissò le scotte. In un batter d'occhio tornò al timone, governando con piccoli aggiustamenti e osservando la vela, per essere sicuro che tutto filasse liscio. L'intera manovra non era durata più di trenta secondi.

«Non sapevo che bisognasse fare tutto così in fretta. Pensavo che la vela fosse uno sport rilassante.»

Garrett la guardò sopra la spalla. Catherine aveva l'abitudine di sedersi in quel medesimo posto, e per un attimo, con il sole al tramonto che allungava le ombre, credette che fosse lei. Scacciò quel pensiero e si schiarì la voce.

«Lo è, quando sei in mezzo all'oceano senza nessuno intorno. Ma in questo momento siamo nel canale costiero e dobbiamo cercare di tenere una rotta che non ostacoli le altre imbarcazioni.»

Teneva il timone quasi perfettamente immobile e Theresa avvertì che la *Happenstance* stava acquistando gradatamente velocità. Si alzò dal suo posto e si avvicinò a Garrett, fermandosi al suo fianco. C'era un po' di brezza e, pur sentendo la sua carezza sul viso, Theresa non avrebbe mai detto che bastasse a gonfiare una vela.

«Bene, ci siamo, credo», disse lui guardandola con un sorriso soddisfatto. «Dovremmo farcela senza cambiare bordo. Sempre che il vento non giri, s'intende.»

Si dirigevano verso l'uscita del canale. Sapendo che per governare la barca Garrett aveva bisogno di concentrazione, Theresa rimase in silenzio al suo fianco. Intanto lo osservava con la coda dell'occhio: le forti mani sul timone, le lunghe gambe che si flettevano man mano che la barca si inclinava nel vento.

Poi, dato che la conversazione languiva, Theresa si guardò intorno. Come molte barche a vela, la *Happenstance* era costruita su due livelli: un ponte inferiore scoperto, dov'erano adesso, e un secondo ponte, più alto di circa un metro, che si estendeva fino a prua. Sotto quest'ultimo c'era la cabina, con due finestrelle così incrostate di salsedine che era impossibile vedere all'interno. Si entrava attraverso una porticina, così bassa che bisognava chinarsi per non battere la testa.

Posando di nuovo gli occhi su Garrett, Theresa si chiese quanti anni avesse. Una trentina, probabilmente, ma non le riuscì di essere più precisa. Guardarlo da vicino non serviva a molto; il viso un po' sciupato, come scavato dal vento, gli dava un aspetto particolare, che indubbiamente lo faceva sembrare più vecchio.

Theresa si disse che in vita sua aveva visto uomini più belli, ma dovette ammettere che quell'uomo aveva qualcosa di speciale, di indefinibile.

Qualche ora prima, al telefono con Deanna, aveva cercato di descriverlo, ma dato che non assomigliava a nessuno degli uomini che conosceva a Boston, le era riuscito difficile. Aveva detto a Deanna che era più o meno della sua età, a modo suo piacente e atletico, ma con naturalezza, come se la sua forza fosse semplicemente una conseguenza della vita che aveva scelto. Non aveva saputo essere più precisa, ma dopo averlo osservato meglio pensò di non essersi scostata molto dal vero.

Deanna si era entusiasmata quando aveva sentito della gita in barca in programma quella sera, anche se Theresa era stata subito assalita dai dubbi. Per un attimo l'idea di restare sola con uno sconosciuto, in mezzo al mare per di più, le era sembrata inquietante, ma quasi subito si era convinta che i suoi timori erano infondati. *È come un qualsiasi altro appuntamento*, si era ripetuta per tutto il pomeriggio. *Non fare le cose più grandi di quel che sono.* Quando era giunta l'ora di andare al porto, tuttavia, era stata sul punto di rinunciare. Alla fine aveva deciso che non poteva gettare la spugna, in primo luogo per se stessa, ma anche per la delusione che avrebbe causato a Deanna.

Mentre si avvicinavano alla bocca del canale, Garrett girò la ruota del timone. La barca rispose docilmente, allontanandosi da riva verso acque più profonde. Mentre riportava in centro il timone, Garrett si guardò intorno in cerca di altre imbarcazioni. Nonostante il vento mutevole, sembrava che avesse un controllo assoluto sull'imbarcazione, e Theresa fu certa che sapesse perfettamente che cosa stava facendo.

Sopra di loro volteggiavano diversi uccelli marini che si lasciavano portare dalle correnti ascensionali. La barca solcava veloce le onde. Le vele schioccavano forte sotto la spinta del vento. L'acqua sciabordava lungo lo scafo. Tutto sembrava in movimento mentre procedevano nel crepuscolo sotto il cielo del North Carolina.

Theresa incrociò le braccia, poi prese la felpa e la infilò, rallegrandosi di essersi ricordata di portarla. L'aria si era già rinfrescata da quando erano salpati. Il sole scendeva più velocemente di quanto si aspettasse, e la sua luce morente si rifletteva sulle vele, gettando ombre su buona parte del ponte.

Dietro la barca la scia gorgogliava e vorticava, e Theresa si sporse per guardarla meglio. Fissare quell'acqua turbinante aveva un effetto ipnotico. Tenendosi in equilibrio, posò una mano sul parapetto e sentì delle asperità sotto i polpastrelli. Guardando bene, notò una scritta intagliata nel legno. *Costruita nel 1934 – Restaurata nel 1991.*

Una serie di onde sollevate da un'imbarcazione più grande che passava in lontananza li fece rollare, e Theresa tornò accanto a Garrett. Stava di nuovo girando il timone, questa volta con maggior decisione, e Theresa colse il suo breve sorriso mentre puntava verso il mare aperto. Lo osservò finché la barca non fu uscita senza intoppi dal canale.

Per la prima volta da chissà quanto tempo, aveva fatto qualcosa di assolutamente spontaneo, qualcosa che ancora una settimana prima non avrebbe neppure immaginato. E adesso non sapeva bene che cosa attendersi. E se Garrett si fosse rivelato diverso da come se l'era immaginato? Senza dubbio sarebbe tornata a Boston con una risposta... ma per ora sperava di non doversene andare subito. Erano già successe troppe cose...

Quando la *Happenstance* fu abbastanza lontana dalle altre imbarcazioni, Garrett chiese a Theresa di prendere il timone. «Tienilo fermo e basta», le disse. Regolò di nuovo le vele, questa volta ancora più rapidamente di prima. Quando tornò al suo posto, si assicurò che la barca procedesse al traverso, poi fece una piccola asola sulla scotta del fiocco e la collegò alla ruota del timone, lasciando qualche centimetro di gioco.

«Bene, così dovrebbe andare», disse saggiando il timone per accertarsi che rimanesse in posizione. «Adesso possiamo anche goderci la navigazione.»

«Non devi tenere il timone?»

«Ci pensa la scotta. A volte, se il vento arriva a raffiche, non si può mollare il timone. Ma stasera siamo fortunati. Potremmo tenere questa rotta per ore.»

Mentre alle loro spalle il sole tramontava lentamente, Garrett riaccompagnò Theresa nel punto in cui si era seduta in precedenza. Accertatisi che non ci fosse niente che potesse strapparle gli abiti, presero posto in modo da vedersi in faccia, lei di lato, lui a poppa. Sentendo il vento sul viso, Theresa si raccolse i capelli sulla nuca e guardò il mare.

Garrett la osservò. Era più bassa di lui, sul metro e settanta, con un viso grazioso e una figura che gli ricordava le fotomodelle dei giornali. Ma per quanto fosse attraente, c'era qualcos'altro in lei che lo incuriosiva. Era intelligente, l'aveva intuito subito, e anche sicura di sé, come se fosse capace di vivere la sua vita a modo suo. Per lui erano queste le cose davvero importanti. Senza di esse, la bellezza non valeva niente.

Guardandola, gli tornava in mente Catherine. Soprattutto per l'espressione. Fissava l'oceano con aria sognante, e Garrett non poté fare a meno di ricordare l'ultima volta che Catherine e lui erano usciti in mare insieme. Si sentì di nuovo in colpa, anche se si sforzò di scacciare il rimorso. Scrollò la testa e sistemò distrattamente il cinturino dell'orologio, prima stringendolo, poi allentandolo nella posizione iniziale.

«Davvero bellissimo», disse infine Theresa, voltandosi verso di lui. «Grazie di avermi invitata.»

Garrett le fu grato di avere rotto il silenzio.

«Di nulla. È bello avere un po' di compagnia, ogni tanto.»

Lei sorrise a quella risposta, chiedendosi se fosse sincero. «Di solito esci in mare da solo?»

Garrett si appoggiò all'indietro e allungò le gambe davanti a sé. «Sì. È il modo migliore per rilassarsi dopo il lavoro. Anche se la giornata è stata un inferno, quando sei qui è come se il vento spazzasse via tutta la stanchezza.»

«È faticoso immergersi?»

«No, non è quello. Le immersioni sono la parte più divertente. È tutto il resto. Le scartoffie, avere che fare con gente che all'ultimo minuto annulla la lezione, assicurarsi che il negozio abbia le scorte necessarie. La giornata può diventare molto lunga.»

«Non ne dubito. Però ti piace, no?»

«Sì. Non lo cambierei con niente al mondo.» Fece una pausa e si risistemò l'orologio al polso. «E tu invece, Theresa, che cosa fai?» Era una delle poche domande neutre che gli erano venute in mente nel corso della giornata.

«Sono una giornalista del *Boston Times.*»

«Sei qui in vacanza?»

Lei esitò un attimo prima di rispondere. «Diciamo di sì.»

Garrett annuì, aspettandosi quella risposta. «E di che cosa scrivi?»

Theresa sorrise. «Problemi dei genitori.»

Vide lo stupore nei suoi occhi, lo stesso stupore che appariva sul viso di tutti gli uomini la prima volta che usciva con loro. *Tanto vale farla finita subito*, pensò tra sé. «Ho un figlio», proseguì. «Di dodici anni.»

Garrett inarcò le sopracciglia. «Dodici anni?»

«Ti meraviglia.»

«Sì. Non dimostri l'età per avere un figlio di dodici anni.»

«Lo prenderò come un complimento», ribatté lei con una smorfia, senza abboccare all'amo. Non era ancora pronta a rivelare la sua età. «Comunque ha proprio dodici anni. Vuoi vedere la sua foto?»

«Volentieri», disse lui.

Theresa cercò il portafoglio, tirò fuori la foto di Kevin e gliela porse. Garrett la osservò per un momento, poi tornò con lo sguardo su di lei.

«Occhi e capelli come i tuoi», disse, restituendole la foto. «È un bel ragazzo.»

«Grazie.» Mentre metteva via la fotografia, Theresa domandò: «E tu? Hai figli?»

Garrett scrollò le spalle. «No. Almeno che io sappia.»

Theresa ridacchiò e lui continuò:«Come si chiama tuo figlio?»

«Kevin.»

«È qui con te?»

«No, è con suo padre in California. Abbiamo divorziato qualche anno fa.»

Garrett annuì inespressivo, poi si voltò a guardare un'altra barca a vela che passava in lontananza. Anche Theresa la osservò per qualche istante, e, nel silenzio, si rese conto di quanto fosse tranquillo l'oceano paragonato al canale. Gli unici rumori, adesso, erano gli schiocchi della vela tesa dal vento e lo sciabordio dell'acqua mentre la *Happenstance* solcava le onde. Le parve che persino le loro voci avessero un suono diverso da quando erano sul molo. Qui sembravano libere, come se l'aria aperta potesse trasportarle all'infinito.

«Ti piacerebbe vedere il resto della barca?» domandò Garrett.

Lei annuì. «Moltissimo.»

Garrett si alzò e controllò di nuovo le vele prima di fare strada sottocoperta. Quando aprì la porta esitò un istante, sopraffatto dal frammento di un ricordo da tempo sepolto ma riaffiorato all'improvviso, forse per la novità di quella presenza femminile.

Catherine era seduta al tavolino con una bottiglia di vino già aperta. Davanti a lei, un vaso con un unico fiore rifletteva la luce di una candela. La fiamma ondeggiava al rollio della barca, proiettando lunghe ombre sull'interno dello scafo. Garrett scorse l'accenno di un sorriso.

«Ho pensato di farti una sorpresa», gli disse Catherine. «È da parecchio che non mangiamo a lume di candela.»

Garrett guardò la piccola cucina di bordo, con accanto due piatti avvolti nella stagnola.

«Quando hai portato a bordo tutta questa roba?»

«Mentre eri in negozio.»

Theresa gli girò intorno silenziosa, lasciandolo all'intimità dei suoi pensieri. Anche se aveva notato la sua esitazione, non ne fece parola, e Garrett gliene fu grato.

Sulla sinistra, lungo la fiancata della barca, correva un sedile sufficientemente spazioso perché una persona potesse dormirvi comodamente; proprio di fronte, c'era un tavolino per due persone. Accanto alla porta un lavandino e una cucinetta con sotto un piccolo frigorifero; di fronte, la porta della cabina.

Garrett si mise di lato con le mani sui fianchi, mentre Theresa esaminava l'interno. Non le stette addosso, come avrebbero fatto altri uomini, ma le lasciò spazio. Tuttavia, Theresa avvertì il suo sguardo che la osservava, anche se non in maniera sfacciata. Dopo un momento disse: «Da fuori non si direbbe tanto spaziosa».

«Lo so.» Garrett si schiarì la voce imbarazzato. «Sorprendente, vero?»

«Sì. Sembra che ci sia tutto l'occorrente.»

«Infatti. Se volessi, potrei andare fino in Europa, anche se non lo raccomanderei. Ma per me è fantastica.»

Le girò intorno e si avvicinò al frigorifero, chinandosi a prenderne una Coca Cola. «Ti va di bere qualcosa?»

«Volentieri», rispose Theresa. Passò le mani sulle pareti, tastando le venature del legno.

«Che cosa preferisci? Ho della SevenUp e della Coca Cola.»

«SevenUp, grazie», rispose lei.

Garrett si rialzò e le porse la lattina. Quando lei la prese, le loro dita si sfiorarono.

«Non ho ghiaccio a bordo, ma è fredda.»

«Vedrò di accontentarmi», disse Theresa, facendolo sorridere.

Mentre apriva la lattina, Garrett la guardò, ripensando a ciò che gli aveva appena detto. Aveva un figlio di dodici anni... ed essendo giornalista era probabile che fosse andata all'università. Se aveva aspettato a sposarsi dopo la laurea... doveva avere quattro o cinque anni più di lui. Non li dimostrava, questo era poco ma sicuro, né si comportava come la maggioranza delle ventenni che conosceva in città. I suoi gesti tradivano la maturità che nasce solo in coloro che hanno conosciuto gli alti e i bassi della vita.

Non che avesse importanza.

Theresa dedicò la sua attenzione a una fotografia incorniciata appesa alla parete. Garrett Blake vi appariva in piedi su un molo con un marlin appena catturato. Era molto più giovane di adesso e sorrideva felice, e la sua aria di trionfo le ricordava quella di Kevin tutte le volte che segnava un gol giocando a pallone.

Colmando l'improvviso silenzio Theresa disse: «Vedo che ti piace pescare». Indicò la fotografia. Lui le si avvicinò, e quando le fu accanto Theresa avvertì il calore che emanava dalla sua persona. Sapeva di sale e di vento.

«Sì», rispose lui piano. «Mio padre pescava gamberi e si può dire che sono cresciuto sul mare.»

«Quando è stata scattata?»

«Una decina d'anni fa, poco prima che tornassi al college per l'ultimo anno. C'era una gara di pesca e mio padre e io abbiamo deciso di passare un paio di notti al largo sulla Corrente del Golfo; abbiamo catturato quel marlin a una sessantina di miglia dalla costa. Ci sono volute quasi sette ore a tirarlo in barca, perché mio padre voleva insegnarmi a farlo alla vecchia maniera.»

«E cioè?»

Garrett ridacchiò.

«Alla fine avevo le mani a pezzi, e il giorno dopo non riuscivo più a muovere le spalle. La lenza non era abbastanza robusta per un pesce di quelle dimensioni, così abbiamo dovuto lasciare che il marlin si sfogasse. Si allontanava, poi appena si fermava cominciavamo a richiamarlo piano piano con il mulinello, poi via di nuovo, e così per tutto il giorno, finché a un certo punto era così esausto che non ha più opposto resistenza.»

«Come nel *Vecchio e il mare* di Hemingway.»

«Più o meno, solo che non mi sono sentito vecchio fino al giorno dopo. Mio padre, invece, avrebbe potuto fare il protagonista del film.»

Theresa guardò la foto. «Tuo padre è quello accanto a te?»

«Sì.»

«Vi assomigliate», commentò.

Garrett abbozzò un sorriso, non sapendo se prenderlo come un complimento. Accennò al tavolo, e Theresa si sedette di fronte a lui. Poi domandò: «Hai detto che sei andato al college?»

Lui la guardò negli occhi. «Sì, mi sono laureato in biologia marina. Non m'interessava nient'altro, e siccome papà mi aveva detto di non tornare a casa senza una laurea, ho pensato di studiare qualcosa che potesse servirmi in seguito.»

«Così hai comprato il negozio...»

Lui scosse la testa. «No, non subito. Dopo la laurea ho lavorato per il Duke Maritime Institute come sommozzatore, ma non guadagnavo molto. Così ho preso il brevetto di istruttore e mi sono messo a dare lezioni nei fine settimana. Qualche anno dopo è arrivato anche il negozio.» Inarcò un sopracciglio. «E tu?»

Theresa bevve un sorso di SevenUp prima di rispondere. «La mia vita non è eccitante come la tua. Sono cresciuta a Omaha, nel Nebraska, e ho studiato a Brown. Dopo essermi laureata, ho girato un paio di posti e provato diversi lavori; alla fine mi sono stabilita a Boston. Lavoro per il *Boston Times* da nove anni, ma ho una rubrica fissa da molti meno. Prima facevo la reporter.»

«Ti piace il tuo lavoro?»

Theresa ci pensò un attimo, come se non se lo fosse mai chiesto.

«È un bel lavoro», disse infine. «Molto meglio adesso che all'inizio. Posso andare a prendere Kevin a scuola e sono libera di scrivere ciò che voglio, purché sia in tema con la mia rubrica. E si guadagna anche bene, quindi non mi posso lamentare, anche se...»

Fece un'altra pausa. «Non è più stimolante come una volta. Non fraintendermi, mi piace quello che faccio, ma a volte mi sembra di riscrivere in continuazione le stesse cose. Non sarebbe poi così negativo, se non dovessi badare anche a Kevin. In questo momento credo di essere il classico esempio di madre sola oberata di lavoro, non so se mi spiego.»

Garrett annuì e disse a bassa voce: «Spesso la vita non riesce come ce l'aspettavamo, vero?»

«No, infatti», convenne lei, e di nuovo colse il suo sguardo. La sua espressione la indusse a chiedersi se Garrett non le avesse appena detto qualcosa che diceva di rado. Theresa sorrise e si protese verso di lui.

«Ti va di mangiare? Ho portato una cena leggera nel cestino.»

«Quando vuoi.»

«Spero che ti piacciano i panini e le insalate fredde. Non mi è venuto in mente nient'altro che non si rovinasse.»

«Molto meglio di quanto avrei fatto io. Se fosse dipeso da me mi sarei fermato a mangiare un hamburger prima di salpare. Preferisci cenare qui sotto o fuori?»

«Fuori, decisamente.»

Presero le loro lattine e uscirono dalla cabina. Mentre risalivano Garrett afferrò una cerata appesa a un attaccapanni vicino alla porta e le accennò di andare avanti senza aspettarlo. «Dammi un minuto per calare l'ancora», disse, «così potremo mangiare senza bisogno di controllare le vele in continuazione.» All'orizzonte, il sole stava scomparendo dietro una massa di cumuli. Theresa raggiunse il suo posto e aprì il cestino che aveva portato con sé. Tirò fuori due panini avvolti nel cellophane e dei contenitori di polistirolo con insalata di cavolo e patate.

Osservò Garrett che, posata la cerata, ammainava le vele, facendo rallentare quasi di colpo la barca. Guardandolo da dietro, rimase ancora una volta colpita dal suo aspetto muscoloso. Da dove era seduta, le spalle di Garrett apparivano ancora più larghe, messe in risalto dalla vita stretta. Stentava a credere di essere in barca con quell'uomo, quando due giorni prima era ancora a Boston. L'intera situazione le sembrò irreale.

Mentre Garrett lavorava svelto, Theresa alzò gli occhi al cielo. Adesso la brezza rinfrescava, la temperatura era scesa e il cielo si andava rapidamente oscurando.

Quando la barca fu completamente ferma, Garrett filò l'ancora. Attese un minuto, per accertarsi che avesse preso, poi, quando fu soddisfatto, si sedette accanto a Theresa.

«Vorrei poterti aiutare», disse lei con un sorriso. Si scostò i capelli sulla spalla con lo stesso gesto di Catherine, e per un istante Garrett rimase in silenzio.

«Tutto a posto?» gli domandò Theresa.

Lui annuì, provando di nuovo un certo imbarazzo. «Qui staremo benissimo. Ma se il vento continua a rinfrescare, dovremo bordeggiare un po' di più per tornare a riva.»

Lei gli porse un piatto con un panino e un po' di insalata, consapevole che ora le sedeva più vicino di prima.

«Allora impiegheremo di più a tornare?»

Garrett prese una forchetta di plastica e mangiò un boccone di insalata prima di rispondere. «Un po'. Ma non sarà un problema, basta che il vento non cada del tutto. Se succede siamo nei pasticci.»

«Deduco che ti è già successo.»

«Un paio di volte», annuì Garrett. «È raro, ma può capitare.»

Lei lo guardò stupita. «Perché raro? C'è sempre vento?»

«Sull'oceano di solito sì.»

«E allora?»

Garrett sorrise divertito e posò il panino sul piatto. «Ecco, i venti sono provocati da differenze di temperatura: l'aria calda va verso quella più fredda. Perché il vento cada quando sei in alto mare, bisogna che la temperatura dell'aria sia esattamente pari a quella dell'acqua per miglia e miglia. Da queste parti, l'aria durante il giorno è calda, ma appena tramonta il sole la temperatura si abbassa bruscamente. Ecco perché il momento migliore per uscire in mare è l'imbrunire. La temperatura cambia con regolarità e si fila alla grande.»

«Che cosa succede se cade il vento?»

«Le vele si afflosciano e la barca si ferma. Non c'è assolutamente verso di farla muovere.»

«Hai detto che ti è già successo?»

Lui annuì.

«E che cosa hai fatto?»

«Niente. Mi sono messo comodo e mi sono goduto la quiete. Non c'era nessun pericolo e sapevo che con il passare del tempo la temperatura dell'aria sarebbe scesa. Così ho aspettato e basta. Dopo un'oretta si è levata la brezza e sono rientrato in porto.»

«Da come lo dici sembra che tutto sommato sia stata un'esperienza piacevole.»

«Infatti.» Garrett distolse gli occhi dal suo sguardo intenso, posandoli sulla porta della cabina. Dopo un attimo aggiunse, quasi tra sé e sé: «Una delle migliori».

***

Catherine gli fece posto sul sedile. «Vieni a sederti vicino a me.»

Garrett chiuse la porta della cabina e la raggiunse.

«È la giornata più bella che abbiamo passato insieme da tanto tempo», disse dolcemente Catherine.

«Ultimamente abbiamo avuto tutti e due un sacco di lavoro e... non so...» Esitò. «Volevo fare qualcosa di speciale per noi.»

A Garrett sembrava che avesse la stessa espressione tenera della loro notte di nozze. Sedette accanto a lei e versò il vino. «Mi spiace che ultimamente il negozio mi abbia rubato tanto tempo», sussurrò. «Ma sai che ti amo.»

«Lo so.» Catherine sorrise e posò la mano su quella di lui.

«Presto le cose andranno meglio, te lo prometto.»

Lei annuì e prese il bicchiere. «Non parliamone adesso. Ora voglio solo godermi la solitudine con te. Senza distrazioni.»

«Garrett?»

Sbigottito, Garrett guardò Theresa.

«Prego?...»

«Stai bene?» Lei lo fissava con un misto di perplessità e di premura.

«Sì... mi sono ricordato che devo fare una cosa», s'inventò Garrett lì per lì. «Comunque», aggiunse stirandosi e intrecciando le mani intorno a un ginocchio piegato, «basta parlare di me. Se non ti spiace, Theresa... raccontami qualcosa di te.»

Confusa e incerta su che cosa volesse sapere, Theresa

incominciò dall'inizio, soffermandosi sui punti essenziali, studi, lavoro, hobby. Parlò soprattutto di Kevin, di che figlio meraviglioso fosse, e di quanto le dispiacesse non riuscire a dedicargli più tempo.

Garrett l'ascoltava in silenzio, senza dire granché. Quando Theresa ebbe finito le chiese: «Hai detto che una volta eri sposata?»

Lei annuì. «Sì, per otto anni. A un certo punto David... il mio ex marito... ha cominciato a raffreddarsi... e ha finito con il farsi un'amante. Io non potevo andare avanti così.»

«Non ce l'avrei fatta neanch'io», disse piano Garrett, «ma il fatto di avere una buona ragione non rende più facili le separazioni».

«No, infatti.» Theresa tacque e bevve un sorso di SevenUp. «Nonostante tutto siamo rimasti amici. È un buon padre per Kevin, e di lui ormai non mi interessa altro.»

Una grossa ondata passò sotto lo scafo, e Garrett si girò per assicurarsi che l'ancora tenesse. Quando si voltò di nuovo, Theresa disse: «Adesso tocca a te. Raccontami la tua vita».

Anche Garrett incominciò dal principio, raccontandole la sua infanzia di figlio unico a Wilmington. Sua madre era morta quando aveva dodici anni, e dato che suo padre passava gran parte del tempo in barca, era cresciuto praticamente sul mare. Parlò dei tempi del college, sorvolando sugli episodi più scapestrati, che avrebbero potuto darle un'impressione fuorviante, poi descrisse l'inizio dell'attività del negozio e la sua giornata tipica. Stranamente non fece neppure parola di Catherine, e a Theresa non rimase che fare supposizioni.

Intanto era calata la notte e si era levata una nebbiolina. Una sorta di intimità scese su di loro, cullati com'erano dal lieve rollio della barca. La frescura, la brezza che li accarezzava in viso, il dondolio leggero della barca concorrevano ad alleviare i precedenti imbarazzi.

Theresa cercò di ricordare quale fosse stata l'ultima volta che si era sentita così in compagnia di un uomo. Non una volta aveva avuto l'impressione che Garrett spingesse per rivederla, e non pareva nemmeno che quella sera si attendesse altro da lei. Molti degli uomini da lei conosciuti a Boston sembravano animati dalla comune convinzione, che, avendo abbandonato la routine quotidiana per passare una piacevole serata, dovevano ottenere qualcosa in cambio. Un atteggiamento da adolescenti, non per questo meno tipico, e il cambiamento le riuscì gradito.

In una pausa della conversazione, Garrett si appoggiò all'indietro e si passò le mani tra i capelli. Chiuse gli occhi, come assaporando quell'attimo di quiete tutto per sé. Theresa ne approfittò per riporre piatti e tovaglioli nel cestino, in modo che il vento non li facesse finire in mare. Quando Garrett si sentì pronto, si alzò in piedi.

«Credo che sia ora di rientrare», disse, quasi dispiaciuto che la gita volgesse al termine.

Pochi minuti dopo la barca aveva ripreso a navigare, e Theresa notò che il vento era molto più forte dell'andata. Garrett era al timone, per tenere in rotta la *Happenstance*. Theresa gli era accanto, con una mano sul parapetto, e si ripeteva mentalmente la loro conversazione. Per parecchio tempo nessuno dei due parlò, e Garrett si sorprese a chiedersi perché mai si sentisse tanto turbato.

L'ultima volta che uscirono in mare insieme, Catherine e Garrett parlarono tranquillamente per ore, godendosi il vino e la cena. Il mare era calmo e il dolce rollio delle onde era familiare, confortevole.

Più tardi, quella notte, dopo avere fatto all'amore, Catherine rimase distesa accanto a Garrett, accarezzandogli il petto senza parlare.

«A che cosa pensi?» chiese lui dopo un po'.

«Che non credevo si potesse amare qualcuno come amo te», mormorò lei.

Garrett le sfiorò la guancia con un dito. Catherine lo fissava intensamente negli occhi.

«Nemmeno io lo credevo possibile», rispose dolcemente lui. «Non so che cosa farei senza di te.»

«Vuoi promettermi una cosa?»

«Tutto quello che vuoi.»

«Se dovesse mai accadermi qualcosa, promettimi che ti troverai un'altra.»

«Non credo che potrei amare un'altra donna.»

«Promettimelo e basta, okay?»

Gli occorse qualche istante per rispondere. «Va bene. Se ti fa felice, te lo prometto.»

Le sorrise teneramente.

Catherine si raggomitolò contro di lui. «Sono felice, Garrett.»

Quando il ricordo svanì, Garrett si schiarì la gola e toccò il braccio di Theresa per attirare la sua attenzione. Indicò il cielo. «Guarda lassù», disse, facendo del suo meglio per mostrarsi disinvolto. «Prima che inventassero bussole e sestanti, i marinai usavano le stelle per tenere la rotta. Quella là è la Stella Polare. Indica sempre il nord.»

Theresa guardò il cielo. «Come fai a sapere che stella è?»

«Basta avere dei punti di riferimento. Lo vedi il Gran Carro?»

«Sì.»

«Se tracci una retta partendo dalle due stelle che formano l'estremità del timone, ti indicherà la Stella Polare.»

Mentre lo guardava indicare le stelle che andava nominando, Theresa rimuginò sugli interessi di Garrett. La vela, le immersioni subacquee, la pesca, la navigazione con le stelle: tutto ciò che aveva che fare con il mare. O forse, tutto ciò che gli permetteva di stare solo per ore e ore.

Con una mano Garrett prese la cerata blu che aveva lasciato accanto al timone e se l'infilò. «Si dice che i fenici siano stati i più grandi esploratori della storia. Nel 600 a.C. sostenevano di avere circumnavigato l'Africa, ma nessuno credette loro, perché raccontavano che a metà del loro viaggio la Stella Polare era scomparsa. Invece era vero.»

«Perché?»

«Perché erano entrati nell'emisfero australe. Per questo gli storici sono sicuri che abbiano compiuto quest'impresa. Prima di loro nessuno aveva mai visto una cosa del genere, o perlomeno nessuno ne aveva dato notizia. Ci sono voluti quasi duemila anni per dimostrare che avevano ragione.»

Theresa annuì, immaginando quel viaggio di tanti secoli prima. Si chiese perché non avesse mai imparato certe cose a scuola, e che tipo fosse l'uomo che invece ne era rimasto colpito. D'un tratto capì perché Catherine si fosse innamorata di lui. Non perché fosse particolarmente bello, ambizioso o affascinante, anche se ciò almeno in parte era vero, ma soprattutto perché sembrava capace di vivere come piaceva a lui. Nel suo modo di fare c'era qualcosa di misterioso e di diverso, qualcosa di virile, che lo distingueva da tutti gli altri uomini che aveva conosciuto.

Visto che Theresa non diceva niente, Garrett la guardò, e di nuovo notò quanto fosse bella. Nel buio la sua pelle chiara appariva eterea, e lui si sorprese a immaginare che effetto gli avrebbe fatto sfiorarle delicatamente la guancia. Scrollò il capo, sforzandosi di scacciare quel pensiero.

Ma non ci riuscì. Il vento le scompigliava i capelli, e tale vista gli provocò una stretta allo stomaco. Quanto tempo era passato dall'ultima volta che si era sentito così? Troppo, di sicuro. Ma non poteva, né voleva farci nulla. Se ne rese conto anche mentre la osservava. Non era né il momento, né il posto giusto... e neppure la persona giusta. In fondo al cuore, si chiese se fosse davvero possibile che le cose tornassero come prima.

«Spero di non annoiarti», disse infine con tranquillità forzata. «Questo cose mi hanno sempre interessato molto.»

Lei lo guardò in viso e sorrise. «No, non mi annoi affatto. Era una bella storia. Mi stavo chiedendo che cosa avessero passato quegli uomini. Non è facile affrontare qualcosa di completamente ignoto.»

«No, infatti», convenne lui, con la sensazione che Theresa gli avesse letto nel pensiero.

Le luci degli edifici lungo la riva sembravano ammiccare nella nebbia che si andava infittendo. La *Happenstance* beccheggiava leggermente mentre si avvicinava all'imboccatura del canale. Theresa si guardò intorno in cerca delle cose che aveva portato con sé. La giacca a vento era finita in un angolo vicino alla cabina. Mentalmente prese nota di non dimenticarla una volta arrivati in porto.

Anche se Garrett le aveva detto che di solito navigava solo, Theresa si domandò se avesse portato qualcun altro con sé oltre a Catherine e a lei. E se non l'aveva fatto, che cosa voleva dire? Era consapevole che quella sera lui l'aveva osservata con molta attenzione, ma senza mai scoprirsi. Posto che lo avesse incuriosito, Garrett aveva tenuto ben nascosti i suoi pensieri. Non aveva insistito per sapere cose che non sarebbe stata pronta a dirgli, né le aveva chiesto se avesse un uomo. Quella sera non aveva fatto nulla che potesse far pensare a qualcosa più di un interesse puramente occasionale.

Garrett girò un interruttore e accese le luci di posizione. Non abbastanza forti per illuminare, ma sufficienti a segnalare la loro presenza alle altre imbarcazioni. Poi indicò la notte. «Il canale è proprio laggiù, tra quelle luci», disse, e ruotò il timone in quella direzione. Le vele schioccarono e lo scafo sbandò un istante prima di tornare nella posizione di prima.

«Allora», chiese infine, «ti è piaciuta la tua prima uscita a vela?»

«Molto. È stato magnifico.»

«Mi fa piacere. Non sarà stato un viaggio nell'emisfero australe, ma è tutto quello che posso offrire.»

Rimasero fermi l'uno accanto all'altra, perduti nei loro pensieri. Un'altra barca a vela apparve nel buio a un quarto di miglio, diretta anch'essa verso il porto. Tenendosi a distanza di sicurezza, Garrett si guardò in giro, per accertarsi che non arrivasse nessun altro. Theresa notò che la nebbia aveva cancellato completamente l'orizzonte.

Voltandosi verso Garrett, vide che il vento gli aveva spettinato i capelli buttandoglieli indietro. La cerata aperta che indossava gli arrivava a metà coscia. Consumata e sbiadita, aveva l'aria di essere stata usata per anni. Lo faceva sembrare più grosso di quanto fosse, e proprio questa sarebbe stata l'immagine di lui che le sarebbe rimasta impressa per sempre nella memoria. Questa e la prima volta che lo aveva visto.

Mentre si avvicinavano al porto, Theresa si chiese all'improvviso se si sarebbero rivisti. Ancora pochi minuti e avrebbero attraccato, per poi separarsi. Dubitava che Garrett le avrebbe chiesto di incontrarsi un'altra volta, e non voleva essere lei a farlo. Per qualche motivo non le sembrava la cosa giusta.

Attraversarono l'imboccatura, diretti verso il porticciolo. Anche questa volta Garrett tenne la barca al centro del canale, e Theresa vide una serie di luci triangolari che lo segnalavano. Tenne le vele più o meno fino al punto in cui le aveva issate all'andata, poi le ammainò con la stessa destrezza con cui aveva governato per tutta la serata. Il motore partì scoppiettando e in pochi minuti si fecero strada in mezzo alle barche rimaste ormeggiate. Quando raggiunsero il molo, lei rimase sul ponte mentre Garrett saltava a terra e legava la *Happenstance*.

Theresa si diresse a poppa per recuperare cestino e giacca a vento, poi si fermò. Dopo un attimo di riflessione, prese il cestino, ma con la mano libera spinse la giacca sotto il cuscino del sedile. Quando Garrett le chiese se tutto era a posto, si schiarì la voce e disse: «Sto prendendo le mie cose». Si avvicinò alla fiancata della barca, e Garrett le offrì la mano. Mentre gliela stringeva, Theresa né avvertì di nuovo tutta la forza, poi con un balzo fu sul molo.

Si guardarono un istante, non sapendo bene che cosa sarebbe successo, poi Garrett indicò la barca. «Devo sistemarla per la notte, e ci vorrà un po' di tempo.»

Theresa annuì. «Lo immaginavo.»

«Posso accompagnarti alla macchina?»

«Certo», rispose lei, e si incamminarono insieme. Quando raggiunsero l'auto a nolo, Garrett guardò Theresa cercare le chiavi nel cestino e, dopo averle trovate, aprire la portiera.

«È stata proprio una magnifica serata», disse lei.

«Anche per me.»

«Dovresti portare altra gente fuori con te. Sono certa che avresti molto successo.»

«Ci penserò», rispose Garrett con un sorriso.

Per un attimo i loro occhi si incontrarono nel buio, e Garrett rivide ancora una volta Catherine.

«Adesso sarà meglio che vada», disse in fretta, quasi a disagio. «Domani devo alzarmi presto.» Lei annuì e Garrett, non sapendo bene che cosa fare, le tese la mano. «È stato un piacere conoscerti, Theresa. Spero che tu passi delle belle vacanze.»

Stringergli la mano le fece uno strano effetto, dopo la serata che avevano appena trascorso insieme, ma si sarebbe meravigliata se si fosse comportato diversamente.

«Grazie di tutto, Garrett. Anche per me è stato bello conoscerti.»

Si mise al volante e avviò il motore. Garrett le chiuse la portiera e aspettò che ingranasse la marcia. Con un ultimo sorriso, Theresa fece retromarcia. Garrett la salutò con la mano mentre si avviava e la seguì con lo sguardo finché non lasciò il porticciolo. Quando fu scomparsa, si girò e si incamminò lungo il molo, chiedendosi perché si sentisse così turbato.

Venti minuti dopo, mentre Garrett finiva di sistemare la *Happenstance*, Theresa entrò nella sua camera d'albergo. Buttò il cestino sul letto e andò in bagno. Si sciacquò il viso con l'acqua fredda e si lavò i denti prima di spogliarsi. Poi, lasciando accesa solo la luce del comodino, si infilò sotto le coperte, chiuse gli occhi e pensò a Garrett.

Se fosse stato David a invitarla a fare un giro in barca, si sarebbe comportato in modo del tutto diverso. Avrebbe condotto la serata in modo da attenersi all'immagine affascinante che voleva dare di sé («Per caso ho del vino in frigo, ne vuoi un bicchiere?»), e senza dubbio avrebbe parlato un po' di più di se stesso. Ma sarebbe stato cauto e astuto: era maestro nell'intuire dove finiva la determinazione e cominciava l'arroganza, e non avrebbe mai superato quel confine. Solo conoscendolo meglio si sarebbe capito che tutto era stato accuratamente orchestrato per dare l'impressione migliore. Con Garrett, invece, Theresa aveva capito fin dall'inizio che non fingeva, che in lui c'era qualcosa di sincero, e il suo modo di comportarsi l'affascinava. Ma aveva fatto la cosa giusta? Non ne era ancora sicura. Le sue mosse sembravano quasi calcolate, e non le piaceva raffigurare se stessa in quel modo.

Ma ormai era fatta. Aveva preso la sua decisione e non poteva più tornare indietro. Spense la luce, e quando i suoi occhi si furono abituati all'oscurità guardò la fessura rimasta fra le tende semichiuse. Era finalmente spuntata una falce di luna, e i suoi tenui raggi piovevano sul letto. Rimase a fissarla incapace di girarsi, finché il suo corpo si rilassò e i suoi occhi si chiusero, vinti dal sonno.

7

«E poi, che cosa è successo?»

Jeb Blake era chino su una tazza di caffè e parlava con voce roca. Aveva una settantina d'anni ed era alto e snello, fin troppo magro, con il viso solcato di rughe. I radi capelli erano quasi bianchi e il pomo d'Adamo gli sporgeva dal collo come una piccola prugna. Le braccia erano tatuate, segnate da cicatrici e coperte di macchie prodotte dal sole, e le articolazioni delle dita erano sempre gonfie dopo tanti anni passati a pescare gamberi. Se non fosse stato per gli occhi, sarebbe parso debole e malato, ma in realtà non lo era affatto. Continuava a lavorare quasi tutti i giorni, anche se solo qualche ora, e usciva sempre di casa prima dell'alba, per tornarvi verso mezzogiorno.

«Non è successo niente. È salita in macchina e se n'è andata.»

Arrotolandosi la prima delle numerose sigarette che avrebbe fumato nel corso della giornata, Jeb Blake fissò il figlio. Per anni il dottore gli aveva detto che il fumo lo avrebbe ucciso, ma dato che era morto d'infarto a sessant'anni, Jeb aveva smesso di dare credito ai consigli dei medici. Garrett era persuaso che suo padre sarebbe vissuto più di lui.

«Un vero peccato, eh?»

Garrett rimase sorpreso da tanta schiettezza. «No, papà. È stata una serata piacevole. È una donna con cui si chiacchiera bene, e la sua compagnia mi è piaciuta.»

«Ma non la rivedrai.»

Garrett bevve un sorso di caffè e scosse la testa. «Ne dubito. Come ho detto, è qui in vacanza.»

«Per quanto tempo?»

«Non lo so. Non gliel'ho chiesto.»

«E perché?»

Garrett versò un altro po' di panna nel caffè. «Ma perché ti interessa tanto? Sono uscito in barca in compagnia e mi sono divertito. Non c'è granché da dire.»

«Eccome se c'è.»

«Per esempio?»

«Per esempio se la cosa ti è piaciuta abbastanza da farti ricominciare a vedere gente.»

Garrett mescolò il caffè assorto nei suoi pensieri. Ecco qual era il punto. Con gli anni si era abituato agli interrogatori paterni, ma quel mattino non era dell'umore giusto per rivangare vecchie questioni. «Papà, ne abbiamo già parlato.»

«Lo so, ma mi preoccupi. Passi troppo tempo da solo, ultimamente.»

«Non è vero.»

«Sì, invece», obiettò il padre, con una dolcezza inaspettata.

«Non ho voglia di discuterne, papà.»

«Nemmeno io. Ci ho già provato, ma non ha funzionato.» Jeb Blake sorrise, e dopo un attimo di silenzio attaccò da un altro fronte.

«Be', com'è?»

Garrett rifletté per qualche secondo. Suo malgrado, aveva continuato a pensare a lei per un pezzo, prima di rientrare per la notte.

«Theresa? È bella e intelligente. E anche molto affascinante, a modo suo.»

«È sola?»

«Credo di sì. È divorziata, e non credo che avrebbe accettato il mio invito se stesse con qualcuno.»

Jeb studiò con attenzione l'espressione del figlio. Quindi si chinò nuovamente sul tavolo. «Ti piaceva, eh?»

Guardando suo padre negli occhi, Garrett capì che non poteva nascondergli la verità. «Sì. Ma, come ti ho detto, probabilmente non la rivedrò più. Non so dove alloggia, e da quanto ne so potrebbe ripartire anche oggi.»

Il padre lo guardò in silenzio per un attimo, prima di porgli con grande cautela la domanda successiva: «Ma se fosse ancora qui e se tu sapessi dov'è, la rivedresti volentieri?»

Garrett distolse lo sguardo senza rispondere, e Jeb allungò la mano per stringere il braccio del figlio. Anche a settant'anni le sue mani erano forti, e Garrett lo sentì premere solo il necessario per attirare la sua attenzione.

«Ragazzo, sono passati tre anni. So che l'amavi, ma adesso è giusto lasciar perdere. Lo sai anche tu, no? Devi riuscire a superare questa storia.»

Garrett non rispose subito. «Lo so, papà», disse. «Ma non è facile.»

«Niente che abbia valore è facile. Ricordatelo.»

Pochi minuti dopo finirono il caffè. Garrett gettò un paio di dollari sul tavolo e seguì il padre fuori del bar, verso il furgone parcheggiato. Quando giunse in negozio, una dozzina di pensieri diversi gli frullavano per la testa. Non riuscendo a concentrarsi, decise di tornare al porto per finire di riparare il motore cui aveva messo mano il giorno prima. Sapeva che doveva assolutamente passare qualche ora in negozio, ma in quel momento aveva bisogno di stare solo.

Prese la cassetta degli attrezzi dal furgone e la portò sulla barca che usava per i corsi di immersione subacquea. Era un vecchio modello, grande abbastanza da portare otto allievi e tutta l'attrezzatura.

Aggiustare il motore era un lavoro lungo ma non difficile, e il giorno prima si era già portato parecchio avanti. Mentre toglieva la copertura protettiva del motore, ripensò alla conversazione con suo padre. Ovviamente il vecchio aveva ragione. Non c'era nessun motivo per continuare a sentirsi così, ma, testimone Iddio, non sapeva come impedirlo. Catherine era tutto per lui. Le bastava uno sguardo, e Garrett aveva l'impressione che ogni cosa andasse per il verso giusto. E quando sorrideva... Santo cielo, non era più riuscito a trovare nulla di simile in nessun'altra donna. Non era giusto che un tesoro simile gli fosse stato portato via, anzi era *ignobile*. Perché proprio lei? Perché proprio a lui? Per mesi era rimasto sveglio di notte a chiedersi: «E se?» Se avesse aspettato qualche secondo prima di attraversare la strada? Se fossero rimasti qualche minuto di più al tavolo della colazione? Se lui l'avesse accompagnata, invece di andare subito in negozio? Migliaia di se, che non lo aiutavano a capire le cose meglio di quando era accaduto l'incidente.

Cercando di schiarirsi le idee, si concentrò sul lavoro. Svitò i bulloni che fissavano il carburatore e lo smontò dal motore. Con attenzione, incominciò ad aprirlo per assicurarsi che non fosse troppo usurato. Non credeva che la causa del problema fosse quella, ma voleva dare un'occhiata per accertarsene.

Mentre lavorava, il sole salì, e dopo un po' Garrett fu costretto ad asciugarsi il sudore dalla fronte. Più o meno a quell'ora, il giorno prima, aveva visto Theresa andare verso la *Happenstance*. L'aveva notata subito, se non altro perché era sola. Donne come lei di solito non venivano sole. Normalmente erano in compagnia di ricchi signori attempati, proprietari degli yacht ormeggiati sull'altro lato del porticciolo. Quando si era fermata accanto alla sua barca, Garrett era rimasto stupito, anche se si era aspettato di vederla passare oltre dopo qualche istante, proseguendo verso la sua meta. Era ciò che faceva di solito la gente. Ma dopo averla osservata per un po', si era reso conto che quella donna era venuta al molo per vedere la *Happenstance*, e il suo modo di gironzolarle intorno dava l'idea che non fosse lì solo per quello.

Incuriosito, si era avvicinato per parlarle. Lì per lì non ci aveva fatto caso, ma quella sera, quando era tornato alla barca, si era reso conto che nel suo primo sguardo c'era qualcosa di strano. Come se *riconoscesse* una parte di lui che di norma teneva nascosta dentro di sé. Anzi, come se sapesse sul suo conto più cose di quante fosse disposta ad ammettere.

Scosse il capo: che idea assurda. Theresa aveva detto di avere visto gli articoli in negozio; forse nasceva di lì quella strana espressione. Garrett rifletté un momento e giunse alla conclusione che doveva essere così. Era certo di non averla mai incontrata prima, altrimenti se la sarebbe ricordata, e poi Theresa veniva in vacanza da Boston. Era l'unica spiegazione plausibile che gli venisse in mente, però in tutta la faccenda continuava a esserci qualcosa di strano.

Ma che importanza aveva?

Erano usciti in mare, erano stati bene insieme e si erano salutati. Fine. Come aveva detto a suo padre, non si sarebbe potuto mettere in contatto con lei nemmeno volendo. Probabilmente in quel momento era in viaggio per Boston, oppure sarebbe partita di lì a pochi giorni, e quella settimana lui aveva un sacco di cose da fare. L'estate era la stagione dei corsi per subacquei, e tutti i fine settimana erano già prenotati sino alla fine di agosto. Garrett non aveva né il tempo né la voglia di telefonare a tutti gli alberghi di Wilmington per trovarla, e anche se l'avesse fatto, che cosa le avrebbe detto? Che cosa poteva dirle senza sembrare ridicolo?

Assillato da queste domande, continuò a lavorare sul motore. Dopo avere trovato e sostituito un morsetto allentato, rimontò il carburatore e la copertura del motore e lo fece partire. Visto che girava molto meglio, mollò le cime di ormeggio e portò fuori la barca per una quarantina di minuti. Provò il motore a varie velocità, spegnendolo e riaccendendolo diverse volte; poi, soddisfatto, rientrò in porto. Lieto di avere impiegato meno tempo di quanto avesse calcolato, raccolse gli attrezzi, tornò al furgone e percorse i pochi isolati fino al negozio.

Come sempre, il vassoio sulla sua scrivania era pieno di fogli, e Garrett indugiò qualche minuto a esaminarli. Si trattava in gran parte di ordini già compilati per articoli che servivano in negozio, oltre a qualche fattura. Sedutosi alla scrivania, smaltì in fretta il lavoro.

Poco prima delle undici aveva sistemato quasi tutto e si diresse verso la parte anteriore del negozio. Ian, uno dei commessi stagionali, era al telefono e gli porse tre foglietti. I primi due erano di fornitori, e dalle brevi annotazioni sembrava che ci fosse stato un disguido negli ultimi ordini. Un'altra grana da risolvere, pensò Garrett, facendo ritorno in ufficio.

Lesse il terzo biglietto camminando, ma quando si rese conto di chi era si fermò di colpo. Ricontrollò per timore di essersi sbagliato, entrò in ufficio e si chiuse la porta alle spalle. Fece il numero e chiese dell'interno segnato.

Quando suonò il telefono, Theresa Osborne stava leggendo il giornale. Rispose al secondo squillo.

«Ciao Theresa, sono Garrett. Ho saputo che mi hai cercato.»

Parve lieta di sentirlo. «Oh, ciao, Garrett. Grazie di avermi richiamato. Come stai?»

La sua voce gli riportò alla mente le immagini della sera precedente. Sorridendo tra sé e sé, Garrett si chiese che aspetto avesse Theresa in una camera d'albergo. «Bene, grazie. Stavo sbrigando un po' di lavoro d'ufficio quando ho trovato il tuo messaggio. Che cosa posso fare per te?»

«Ieri sera ho lasciato in barca la mia giacca a vento, volevo sapere se per caso l'hai trovata.»

«No, ma non ho controllato bene. Era in cabina?»

«Non so con precisione.»

Garrett fece una breve pausa. «Senti, faccio un salto al porto e do un'occhiata. Poi ti richiamo e ti dico se l'ho trovata.»

«Non ti disturba troppo?»

«Niente affatto. Ci vorrà qualche minuto. Ti trovo ancora lì?»

«Sì.»

«D'accordo. A risentirci.»

Garrett uscì dal negozio e si diresse verso il porticciolo

a passo svelto. A bordo della *Happenstance* aprì la cabina e scese sottocoperta. Non trovando la giacca a vento, tornò fuori e la cercò in coperta; finalmente la scorse a poppa, seminascosta sotto il cuscino del sedile. Dopo avere controllato che non si fosse macchiata, la prese e tornò in negozio.

In ufficio, compose di nuovo il numero annotato sul biglietto. Questa volta Theresa rispose al primo squillo.

«Sono ancora Garrett. Ho trovato la giacca a vento.»

Theresa gli sembrò sollevata. «Grazie. E grazie anche di essere andato a cercarla.»

«Figurati.»

Theresa rimase un attimo in silenzio, come se stesse pensando al da farsi. Infine disse: «Me la metti da parte? Passo tra una ventina di minuti a prenderla».

«Volentieri», rispose lui. Dopo avere riattaccato, si appoggiò allo schienale, riflettendo su quanto era appena accaduto. Non è ancora partita, si disse, e la rivedrò. Non riusciva a capire come Theresa avesse potuto dimenticare la giacca a vento, visto che aveva portato pochissime cose, ma di una cosa fu certo: era contento della sua sbadataggine.

Non che avesse importanza, s'intende.

Theresa arrivò venti minuti dopo, con un paio di calzoncini e una camicia scollata e senza maniche che metteva in risalto a meraviglia le sue forme. Quando entrò in negozio e si guardò intorno, Ian e Garrett rimasero imbambolati a fissarla. Finalmente Theresa vide Garrett, sorrise e lo salutò con un «ciao». Ian alzò un sopracciglio in direzione di Garrett come per dire: «Mi stai tenendo nascosto qualcosa?» Garrett non gli badò e si avvicinò a Theresa stringendo in mano la sua giacca a vento. Sapeva che Ian avrebbe osservato con attenzione tutto ciò che faceva, per poi tormentarlo di domande più tardi, ma Garrett era più che deciso a non dirgli nulla.

«Come nuova», disse porgendo la giacca a Theresa. Prima che lei arrivasse, Garrett si era lavato il grasso dalle mani e aveva indossato una delle magliette in vendita nel negozio. Non era uno schianto, ma se non altro adesso sembrava pulito.

«Grazie per essere andato a prenderla», disse Theresa, e qualcosa nei suoi occhi fece di nuovo scattare in lui l'attrazione che aveva provato il giorno prima. Si grattò distrattamente una guancia.

«L'ho fatto volentieri. Deve averla nascosta il vento.»

«Probabilmente», rispose lei sistemandosi la spallina della camicetta. Garrett non sapeva se avesse fretta, ma era sicuro di non volerla lasciar andare via subito. Disse le prime parole che gli vennero in mente: «Ieri sera mi sono divertito».

«Anch'io.»

I loro occhi si incontrarono, e Garrett abbozzò un sorriso. Non sapeva che altro dire; era passato molto tempo dall'ultima volta in cui si era trovato in una situazione del genere. Pur essendo bravo a trattare con i clienti e gli estranei in generale, questo era un caso del tutto diverso. Si dondolava da una gamba all'altra, sentendosi come un sedicenne. Alla fine fu lei a parlare.

«Mi sento in debito per il tempo che ti ho rubato.»

«Non essere ridicola. Non mi devi niente.»

«Non tanto per la giacca a vento, ma per ieri sera.»

Garrett scosse la testa. «Neppure per quello. Mi ha fatto piacere che tu sia venuta.»

Mi ha fatto piacere che tu sia venuta. Quelle parole gli rimbalzarono nella mente subito dopo averle pronunciate. Fino a due giorni prima non avrebbe neppure immaginato di dirle a qualcuno.

In sottofondo si udì lo squillo del telefono, che riscosse Garrett dai suoi pensieri. Cercando di guadagnare tempo, le domandò: «Sei venuta fin quaggiù solo per prendere la giacca a vento, oppure avevi intenzione di fare un giro?»

«Non ho particolari programmi. È quasi ora di pranzo e vorrei mangiare un boccone.» Lo guardò con aria interrogativa. «Puoi consigliarmi dove andare?»

Garrett ci pensò un attimo prima di rispondere. «A me piace *Hank's*, giù al molo. Il cibo è fresco e il panorama è fantastico.»

«Dove si trova con precisione?»

Lui indicò alle proprie spalle. «Su Wrightsville Beach. Prendi il ponte per l'isola e giri a destra. Non puoi sbagliare: basta seguire i cartelli sul molo. Il ristorante è proprio lì.»

«Hanno qualche specialità?»

«Soprattutto pesce. Gamberi e ostriche superbi, ma se preferisci altro hanno anche hamburger e tutto il resto.»

Theresa aspettò per vedere se intendesse aggiungere qualcosa, ma dato che Garrett non diceva niente, si voltò a guardare la vetrina. Per la seconda volta nel giro di pochi minuti Garrett si sentì a disagio in sua presenza. Che cosa aveva quella donna, per dargli una sensazione del genere? Alla fine, facendosi coraggio, parlò.

«Se vuoi, ti faccio vedere dov'è. È venuta fame anche a me, e sarei felice di farti compagnia per pranzo.»

Theresa sorrise. «Molto volentieri, Garrett.»

Si sentì sollevato. «Ho il furgone sul retro. Vuoi che guidi io?»

«Conosci meglio la strada», rispose lei. Garrett la condusse attraverso il negozio e uscì sul retro. Camminando leggermente dietro di lui, in modo che non potesse vedere la sua espressione, Theresa si lasciò sfuggire un sorrisetto.

Hank's esisteva da quando era stato costruito il molo, ed era frequentato sia da gente del luogo sia da turisti. L'ambiente era semplice, ma c'era atmosfera: assomigliava ai ristoranti tipici di Cape Cod, con pavimenti di legno consunti da innumerevoli scarpe sporche di sabbia, grandi finestre che si affacciavano sull'Atlantico, foto di pesci da primato alle pareti. Da un lato c'era la porta che dava sulla cucina, e Theresa vide piatti di pesce fresco sui vassoi portati da camerieri e cameriere in calzoncini e maglietta blu con lo stemma del ristorante. Tavoli e sedie erano di legno massiccio, decorati dalle incisioni dei numerosi avventori precedenti. Il locale non aveva pretese di eleganza, e Theresa notò che la maggior parte dei clienti sembrava venire dritta dalla spiaggia.

«Fidati», le disse Garrett mentre si dirigevano a un tavolo, «si mangia benissimo, a dispetto delle apparenze.»

Presero posto a un tavolo d'angolo, e Garrett scostò due bottiglie di birra che non erano ancora state portate via. I menu erano infilati tra bottigliette e vasetti di ketchup, Tabasco, salsa tartara e salsa cocktail, oltre a un altro condimento chiamato semplicemente «Hank». Plastificati e senza pretese, i menu sembravano vecchi di anni. Guardandosi intorno Theresa vide che quasi tutti i tavoli erano occupati.

«È affollato», disse, mettendosi comoda.

«È sempre così. Anche prima che Wrightsville Beach

diventasse famosa per il turismo, questo locale era una specie di leggenda. Il venerdì e il sabato sera non riesci nemmeno a entrare, se non sei disposto ad aspettare un paio d'ore.»

«Che cos'ha di tanto speciale?»

«La cucina e i prezzi. Tutte le mattine Hank si fa portare pesce e crostacei freschi, e di solito si mangia con meno di dieci dollari, compresa la mancia e un paio di birre.»

«Com'è possibile?»

«Dipende dalla quantità, immagino. Come ho detto, è sempre pieno.»

«Allora siamo stati fortunati a trovare un tavolo.»

«Sì. Ma siamo arrivati prima della gente del posto, e i turisti non si trattengono mai a lungo. Mangiano un boccone in fretta e poi tornano al sole.»

Theresa diede un'ultima occhiata in giro prima di studiare il menu. «Allora, che cosa mi consigli?»

«Ti piace il pesce?»

«Da morire.»

«Allora prendi il tonno o il 'delfino'. Sono entrambi deliziosi.»

«Delfino?»

«Non il mammifero», ridacchiò lui. «È la corifena. Qui la chiamiamo così.»

«Credo che prenderò il tonno», disse lei strizzando l'occhio. «Tanto per andare sul sicuro.»

«Secondo te sarei capace di inventarmi una cosa simile?»

«Non so che cosa pensare», rispose Theresa in tono un po' ironico. «Ci siamo conosciuti ieri. Non ti conosco abbastanza per poterlo escludere con certezza.»

«Mi offendi», rispose lui con lo stesso tono, e Theresa scoppiò a ridere. Rise anche Garrett, e un attimo dopo Theresa lo sorprese toccandogli brevemente il braccio. D'un tratto si rese conto che anche Catherine usava lo stesso gesto per attirare la sua attenzione.

«Guarda», disse lei, indicando verso le finestre, e Garrett si voltò in quella direzione. Sul molo camminava un vecchio pescatore con la sua attrezzatura: nulla di strano, se non fosse stato per il grosso pappagallo appollaiato sulla spalla.

Garrett scosse il capo e sorrise, ancora consapevole della pressione della mano di lei sul braccio. «Ne abbiamo per tutti i gusti. Non siamo ancora come la California, ma dacci qualche anno e vedrai.»

Lo sguardo di Theresa seguì il vecchio che camminava lungo il molo con il suo pappagallo. «Dovresti trovartene uno anche tu perché ti tenga compagnia mentre sei in barca.»

«Già, per farmi rovinare la tranquillità? Con la fortuna che ho, di sicuro non parlerebbe: non farebbe altro che gracchiare e mi staccherebbe un pezzo d'orecchio con il becco la prima volta che cambia il vento.»

«Ma avresti un'aria da pirata.»

«Avrei un'aria da idiota.»

«Uffa, non sai stare al gioco», disse Theresa fingendosi imbronciata. Dopo una breve pausa si guardò in giro. «Hanno già inventato i camerieri da queste parti, oppure dobbiamo pescarci il pesce e cucinarcelo da soli?»

«Maledetti yankee», borbottò Garrett scuotendo la testa, e lei scoppiò di nuovo a ridere, chiedendosi se anche lui si divertisse come lei. Qualcosa le diceva di sì.

Qualche minuto dopo arrivò la cameriera a prendere le ordinazioni. Entrambi chiesero una birra e, dopo avere passato l'ordine in cucina, la cameriera tornò con due bottiglie.

«Niente bicchieri?» domandò Theresa alzando un sopracciglio, dopo che la cameriera se ne fu andata.

«No. Questo è un posto di gran classe.»

«Adesso capisco perché ti piace tanto.»

«Hai da ridire sui miei gusti?»

«Solo se nutri dubbi in proposito.»

«Adesso sembri una psichiatra.»

«No, ma sono una madre, e questo fa di me una specie di esperta della natura umana.»

«Davvero?»

«Lo dico sempre anche a Kevin.»

Garrett bevve un sorso di birra. «Oggi l'hai sentito?»

Lei annuì e bevve a sua volta. «Solo pochi minuti. Quando gli ho telefonato stava per andare a Disneyland. Non aveva molto tempo per parlare: non voleva tardare, per essere uno dei primi a fare le montagne russe di Indiana Jones.»

«Si diverte in compagnia di suo padre?»

«Tantissimo. David è sempre stato un buon padre, ma adesso credo che voglia rimediare al fatto di vederlo poco. Ogni volta che Kevin va a trovarlo, si aspetta qualcosa di divertente ed eccitante.»

Garrett la guardò incuriosito. «Si direbbe che la cosa non ti convinca.»

Lei esitò prima di rispondere. «Spero soltanto che in futuro questo non provochi delle delusioni. David e la sua nuova moglie hanno avuto un figlio, e appena sarà un po' più grande temo che per David e Kevin diventerà molto più difficile stare insieme da soli.»

Garrett si sporse sulla tavola. «È impossibile proteggere i figli dalle delusioni della vita.»

«Lo so, lo so benissimo. Però...»

Tacque, e Garrett concluse con garbo la frase: «È tuo figlio e non vuoi vederlo soffrire».

«Proprio così.» Gocce di umidità condensata imperlavano la bottiglia di birra, e Theresa incominciò a strapparne via l'etichetta. Anche questa era una cosa che faceva Catherine, e Garrett bevve un altro sorso cercando di concentrarsi sulla conversazione.

«Non so che cosa dirti, ma sono sicuro che Kevin, per poco che ti assomigli, se la caverà bene.»

«In che senso?»

Lui alzò le spalle. «Nessuno ha la vita facile... nemmeno tu. Hai avuto anche tu momenti difficili. Penso che vedendoti superare le avversità Kevin imparerà a fare altrettanto.»

«Adesso sei tu che sembri uno psichiatra.»

«Ti sto solo dicendo quello che ho imparato crescendo. Avevo più o meno l'età di Kevin quando mia madre è morta di cancro. Osservare mio padre mi ha insegnato che bisogna continuare a vivere, qualunque cosa ti accada.»

«Tuo padre si è risposato?»

«No», rispose Garrett scuotendo il capo. «Credo che ogni tanto abbia rimpianto di non averlo fatto, ma non ha mai trovato la forza.»

Ecco da dove gli viene, pensò lei. Tale il padre, tale il figlio.

«Vive ancora qui?» chiese.

«Sì. Ultimamente ci vediamo spesso. Almeno una volta alla settimana. Gli piace farmi rigare dritto.»

Theresa sorrise. «Come la maggior parte dei genitori.»

Quando, pochi minuti dopo, arrivò il cibo, continuarono la conversazione mangiando. Questa volta Garrett fu più loquace di lei e le parlò della sua infanzia nel Sud, spiegandole perché non se ne sarebbe mai andato anche se ne avesse avuto l'occasione. Poi le raccontò qualche avventura capitatagli in barca o sott'acqua. Theresa lo ascoltava affascinata. A paragone delle storie che riempivano la bocca degli uomini di Boston, di solito presunti successi di lavoro, le sue parole le riuscivano del tutto nuove. Parlava delle migliaia di creature marine che aveva visto sott'acqua, di come avesse affrontato un'improvvisa tempesta che aveva quasi rovesciato la barca. Una volta era stato persino inseguito da un pesce martello e si era dovuto rifugiare nel relitto che stava esplorando. «Avevo quasi finito l'ossigeno quando sono riuscito ad emergere», disse, scuotendo la testa a quel ricordo.

Mentre Garrett parlava, Theresa lo scrutò attentamente, lieta che si fosse sciolto rispetto alla sera prima. Notò di nuovo i particolari che l'avevano colpita in precedenza: il viso sottile, gli occhi azzurri, l'armonia dei movimenti. Ma soprattutto l'energia che metteva nel discorso, e il mutamento l'affascinava. Non dava più l'impressione di misurare ogni parola.

Finirono di mangiare (aveva ragione lui, il cibo era ottimo) e bevvero una seconda birra mentre i ventilatori sul soffitto ronzavano pigri. Con il sole a picco, nel ristorante faceva caldo, ma l'affollamento non era diminuito. Quando arrivò il conto, Garrett pagò e le fece segno di alzarsi.

«Pronta?»

«Quando vuoi. E grazie per il pranzo. Davvero ottimo.»

Quando uscirono dal locale, Theresa era convinta che Garrett sarebbe tornato subito in negozio; invece lui la sorprese proponendole una cosa diversa.

«Ti andrebbe di fare una passeggiata? Di solito in riva al

mare fa più fresco.» Lei accettò, e Garrett la condusse alla scaletta che scendeva in spiaggia. I gradini erano un po' sconnessi e coperti da un sottile strato di sabbia che li costrinse a reggersi alla ringhiera. Giunti sulla spiaggia, si diressero verso il mare camminando sotto il pontile. L'ombra era fresca nell'afa del mezzogiorno, e quando arrivarono alla sabbia compatta della linea di marea si fermarono un istante a togliersi le scarpe. Tutto intorno c'erano famiglie che si accalcavano sugli asciugamani e sguazzavano nell'acqua.

S'incamminarono in silenzio, l'uno accanto all'altra, mentre Theresa si guardava intorno incuriosita.

«Sei andata spesso in spiaggia da quando sei arrivata?» chiese Garrett.

Theresa scosse il capo. «No. Sono arrivata solo l'altro ieri. Questa è la prima volta che vengo in spiaggia.»

«Ti piace?»

«È stupenda.»

«Assomiglia alle spiagge del Nord?»

«Ad alcune sì, ma qui l'acqua è molto più calda. Non sei mai stato su al Nord?»

«Mai messo piede fuori del North Carolina.»

Lei sorrise. «Un vero giramondo, eh?»

«No, ma non credo di perdermi granché», rispose Garrett con un risolino. «Qui mi piace, e non riesco a immaginare un posto più bello. Non vorrei essere da nessun'altra parte.» Dopo qualche passo la guardò e cambiò discorso. «Fino a quando rimarrai a Wilmington?»

«Fino a domenica. Lunedì devo tornare in ufficio.»

Altri cinque giorni, pensò lui.

«Conosci qualcuno in città?»

«No, sono venuta da sola.»

«Perché proprio qui?»

«Pura curiosità. Avevo sentito parlare bene di questo posto e volevo vederlo con i miei occhi.»

Quella risposta lo sorprese. «Di solito vai in vacanza da sola?»

«A dire il vero è la prima volta.»

In quel momento videro venire nella loro direzione una ragazza che faceva jogging con un labrador nero. Il cane era sfinito per il caldo e procedeva con la lingua penzoloni. Incurante delle sue condizioni, la ragazza continuava a correre, e quando infine passò accanto a Theresa, Garrett fu sul punto di dirle qualcosa, poi pensò che non erano affari suoi.

Passò qualche istante prima che Garrett parlasse di nuovo. «Posso farti una domanda personale?»

«Dipende dalla domanda.»

Lui si fermò a raccogliere due minuscole conchiglie che avevano attirato la sua attenzione. Dopo averle rigirate un po' fra le mani gliele porse. «A Boston esci con qualcuno?»

Theresa prese le conchiglie e rispose: «No».

Indugiarono nell'acqua bassa, lasciandosi lambire i piedi dalle onde. Sebbene si attendesse quella risposta, Garrett non riuscì a capire per quale ragione una donna come lei passasse le sue serate da sola.

«Perché no? Una donna come te dovrebbe avere uomini a iosa.»

Lei sorrise e riprese a camminare. «Grazie, sei gentile. Ma non è così facile, soprattutto quando si ha un figlio. Devo tenere conto di tante cose, ogni volta che incontro un uomo.» Fece una pausa, poi aggiunse: «E tu, invece? Stai con qualche ragazza?»

Garrett scosse il capo. «No.»

«Allora tocca a me chiederti perché.»

Lui alzò le spalle. «Probabilmente non ne ho trovata nessuna che mi piacesse abbastanza.»

«Tutto qui?»

Era il momento della verità, e Garrett lo sapeva. Non aveva da fare altro che ribadire l'affermazione precedente, e tutto sarebbe finito lì. Ma per qualche passo ancora non disse nulla.

La folla sulla spiaggia si era diradata a mano a mano che si allontanavano dal pontile, e ora non si sentiva altro che il rumore della risacca. Garrett scorse sul litorale un gruppetto di rondini di mare che già si allontanavano al loro sopraggiungere. Il sole, quasi a picco, riverberava sulla sabbia, costringendo entrambi a socchiudere un poco gli occhi. Garrett rispose senza guardarla, e Theresa dovette avvicinarsi per udire le parole soffocate dal frastuono dell'oceano.

«No, non è tutto. Più che altro è una scusa. A essere sinceri, non ho nemmeno provato a cercare una ragazza.»

Theresa lo osservava con attenzione. Garrett guardava fisso davanti a sé, come se stesse radunando i suoi pensieri, ma la sua riluttanza era quasi tangibile. «C'è una cosa che ieri sera non ti ho detto.»

Theresa avvertì una stretta al cuore, sapendo bene ciò che stava per dirle. Si limitò a rispondere, con aria indifferente: «Ah sì?»

«Anch'io ero sposato», disse finalmente Garrett. «Sei anni di matrimonio.» Si voltò verso di lei con un'espressione che la fece trasalire. «Poi mia moglie è morta.»

«Mi spiace», mormorò lei.

Garrett si fermò di nuovo a raccogliere altre conchiglie, ma questa volta non gliele porse. Dopo averle osservate distrattamente, ne gettò una in mare. Theresa la guardò scomparire tra le onde.

«È successo tre anni fa. Da allora non me ne è importato più niente delle donne.» Garrett tacque, imbarazzato.

«Non ti senti mai solo?»

«Sì, ma cerco di non pensarci troppo. Mi do da fare in negozio... c'è sempre un mucchio di lavoro... e questo mi aiuta a passare il tempo. Prima di rendermene conto è ora di andare a letto, e il giorno dopo si ricomincia da capo.»

Quando terminò, Garrett la guardò con un sorriso mesto. Ecco, l'aveva detto. Erano anni che voleva confidarsi con qualcuno che non fosse suo padre, e aveva finito con il farlo con una donna di Boston che conosceva appena. Una donna che, chissà come, era riuscita a spalancare porte che lui stesso aveva inchiodato.

Theresa aspettò, poi, vedendo che taceva, gli domandò: «Com'era?»

«Catherine?» Garrett sentì seccarglisi la gola. «Vuoi saperlo davvero?»

«Sì», rispose lei con dolcezza.

Garrett gettò un'altra conchiglia nella risacca, raccogliendo i propri pensieri. Come poteva sperare di descriverla a parole? Ma una parte di lui voleva provarci, voleva che, fra tanti, fosse Theresa a capire. Suo malgrado, si ritrovò ancora una volta trascinato nel vortice dei ricordi.

«Ehi, tesoro», lo salutò Catherine alzando gli occhi dai fiori. «Non ti aspettavo così presto.»

«Stamattina l'attività in negozio era più fiacca del solito, e ho pensato di fare un salto a casa per pranzo, per vedere come stavi.»

«Molto meglio.»

«Credi che fosse influenza?»

«Non lo so. Forse qualcosa che ho mangiato. Un'ora dopo che sei uscito mi sono sentita meglio e ho potuto fare un po' di giardinaggio.»

«Lo vedo.»

«Che te ne pare dei fiori?» Indicò un'aiuola con la terra rivoltata di fresco.

Garrett esaminò le viole del pensiero allineate lungo la veranda e sorrise. «Sono magnifiche, ma non pensi che avresti dovuto lasciare un po' di terra nell'aiuola?»

Catherine si asciugò la fronte con il dorso della mano e si alzò, guardandolo con gli occhi socchiusi nel riverbero del sole. «Sono così sporca?»

Aveva le ginocchia nere per essere stata in terra e un baffo di fango le attraversava la guancia. I capelli le scappavano da una coda disfatta e il viso era rosso e sudato per lo sforzo.

«Sei perfetta.»

Catherine si tolse i guanti e li lanciò sulla veranda. «Non è vero, Garrett, ma grazie lo stesso. Vieni, che ti preparo qualcosa da mangiare. So che devi tornare in negozio.»

Mentre Theresa lo guardava paziente, Garrett sospirò, poi voltò la testa e parlò a voce bassa.

«Era il sogno della mia vita. Bella e affascinante, con la battuta pronta, mi sosteneva in tutto quello che facevo. In pratica la conoscevo da sempre, eravamo andati a scuola insieme. Ci siamo sposati l'anno dopo la mia laurea e siamo rimasti insieme sei anni prima dell'incidente. I sei anni migliori della mia vita. Quando mi è stata strappata...» Tacque, come se gli mancassero le parole. «Non so se mi abituerò mai a vivere senza di lei.»

Il modo in cui parlava di Catherine, le fece più compassione di quanto prevedesse. Non era solo la voce, ma l'espressione del suo viso prima di descriverla, come dibattuto fra la bellezza dei ricordi e il dolore che gli procuravano. Anche se l'avevano commossa, le lettere non l'avevano preparata a questo. Non avrei dovuto toccare quest'argomento, pensò. Sapevo già che cosa provava per lei. Non c'era motivo di farlo parlare ancora.

Invece sì, si intromise d'improvviso un'altra voce nella sua testa. *Dovevi vedere di persona la sua reazione. Dovevi scoprire se era pronto a gettarsi il passato alle spalle.*

Dopo qualche istante, Garrett scagliò in acqua anche le altre conchiglie. «Mi spiace», disse.

«Di che cosa?»

«Non avrei dovuto parlarti di lei. E neppure così tanto di me.»

«Va tutto bene, Garrett. Sono stata io a chiederti di lei, ricordi?»

«Non volevo darti quest'impressione.» Parlava come se avesse commesso un errore. La reazione di Theresa fu quasi istintiva.

Fece un passo verso di lui e gli prese una mano, stringendogliela con tenerezza. Quando lo guardò, vide stupore nei suoi occhi, ma Garrett non cercò di tirarsi indietro.

«Hai perso tua moglie... un'esperienza che poche persone della nostra età hanno vissuto.» Lui abbassò gli occhi, mentre Theresa cercava le parole giuste.

«I tuoi sentimenti rivelano molte cose sul tuo carattere. Sei il genere di persona capace di amare per sempre... non c'è niente di cui vergognarsi.»

«Lo so. È solo che sono passati tre anni...»

«Un giorno troverai un'altra donna speciale. Di solito

capita a quelli che sono stati innamorati una volta. È nella loro natura.»

Gli strinse di nuovo la mano, e Garrett sentì che quel gesto lo riscaldava. Per qualche motivo non voleva lasciarla andare.

«Spero che tu abbia ragione», disse infine.

«Ce l'ho. So queste cose. Sono una mamma, ricordi?»

Lui rise sottovoce, nel tentativo di allentare la tensione che provava dentro. «Me lo ricordo. E devi anche essere una brava mamma.»

Si voltarono e fecero ritorno verso il pontile parlando a bassa voce degli ultimi tre anni, sempre tenendosi per mano. Quando raggiunsero il furgone e partirono alla volta del negozio, Garrett era più confuso che mai. Gli avvenimenti degli ultimi due giorni erano giunti del tutto inaspettati. Theresa non era più una semplice sconosciuta ed era più di un'amica. Senza dubbio si sentiva attratto da lei. Ma tra pochi giorni se ne sarebbe andata, e Garrett sapeva che probabilmente era meglio così.

«A che cosa pensi?» chiese Theresa. Garrett accelerò mentre percorrevano il ponte verso Wilmington e il negozio. *Avanti*, si disse. *Dille che cosa ti passa davvero per la testa.*

«Pensavo», disse infine, sorprendendo anche se stesso, «che se questa sera non hai impegni mi piacerebbe invitarti a cena a casa mia».

Theresa sorrise. «Speravo che me lo chiedessi.»

Garrett era ancora sbalordito di se stesso quando svoltò a sinistra nella via che portava al negozio.

«Puoi venire per le otto? Ho del lavoro da fare in negozio, e probabilmente ne avrò fino a tardi.»

«Per me va bene. Dove abiti?»

«A Carolina Beach. Ti spiego la strada quando siamo in negozio.»

Parcheggiarono e Theresa seguì Garrett in ufficio. Lui annotò le indicazioni su un foglietto, poi, tentando di apparire meno confuso di quanto si sentisse, disse: «Non dovresti avere difficoltà a trovare casa mia: ci sarà il furgone parcheggiato proprio davanti. Ma se hai problemi, chiamami a questo numero».

Quando se ne fu andata, Garrett si sorprese a pensare alla serata imminente. Mentre sedeva in ufficio, due domande senza risposta lo assillarono. Primo, perché era così attratto da Theresa? Secondo, perché di colpo aveva l'impressione di tradire Catherine?

8

Theresa trascorse il resto della giornata andando a passeggio, mentre Garrett lavorava in negozio. Non conoscendo bene Wilmington, chiese indicazioni per il centro e passò qualche ora in giro per i negozi. La maggior parte erano per turisti e, anche se nulla era di suo gusto, trovò qualcosa che sarebbe piaciuto a Kevin. Dopo avergli comperato un paio di calzoncini per quando fosse tornato dalla California, rientrò in albergo con l'intenzione di schiacciare un pisolino. I due giorni precedenti l'avevano sfinita, e si addormentò quasi subito.

Da parte sua Garrett dovette affrontare tutta una serie di piccoli inconvenienti. Era appena tornato quando arrivò una spedizione di attrezzature nuove, e, dopo avere separato ciò che non gli serviva, chiamò la ditta perché venisse a riprenderselo. Più tardi nel pomeriggio scoprì che quel fine settimana tre persone che si erano prenotate per il corso di immersione erano fuori città e avevano disdetto le lezioni. Una rapida scorsa alla lista d'attesa si rivelò infruttuosa.

Alle sei e mezzo era stanco, e con un sospiro di sollievo chiuse finalmente la baracca. Passò in un negozio di alimentari a comperare gli ingredienti che gli occorrevano per la cena. Fece una doccia, indossò un paio di jeans puliti e una leggera camicia di cotone, e prese una birra dal frigorifero. L'aprì e andò a riposarsi su una sedia di ferro battuto sulla veranda. Guardando l'ora, si rese conto che fra poco sarebbe giunta Theresa.

Garrett era ancora seduto in veranda quando udì il rumore di un motore che rallentava. Fece il giro della casa e vide che Theresa stava posteggiando dietro il suo furgone.

Scese dall'auto in jeans, con la stessa camicetta che aveva indosso la mattina, quella che metteva in risalto a meraviglia le sue forme. Gli andò incontro con l'aria rilassata, e quando gli sorrise Garrett si accorse che era ancora più attraente di prima. La cosa lo mise un po' a disagio, per una ragione che non volle ammettere.

Si avviò con tutta la disinvoltura di cui fu capace e la incontrò a metà strada. Theresa aveva portato una bottiglia di vino bianco, e quando le fu vicino Garrett si accorse che, a differenza di quel mattino, si era messa del profumo.

«Ho portato del vino», disse lei. «Pensavo che fosse adatto alla cena.» Poi, dopo una breve pausa, aggiunse: «Com'è andato il pomeriggio?»

«Ho avuto molto da fare. C'è stato afflusso di clienti fino alla chiusura, e ho dovuto sbrigare anche un sacco di scartoffie. Tant'è che sono arrivato a casa poco fa.» Si diresse verso la porta, a fianco di Theresa. «E tu? Come hai passato il tempo?»

«Ho dovuto fare un sonnellino», rispose lei in tono canzonatorio, e Garrett rise.

«Mi sono dimenticato di chiedertelo prima, ma vuoi

qualcosa di particolare per cena?» chiese lui.
«Che cosa avevi in mente?»
«Bistecche alla griglia, ma non sapevo se ti piacessero.»
«Scherzi? Dimentichi che sono cresciuta nel Nebraska. Vado pazza per una bella bistecca.»
«Allora ti aspetta una bella sorpresa.»
«Cioè?»
«So cucinare le bistecche migliori del mondo.»
«Ma davvero?»
«Te lo dimostrerò», replicò lui, e Theresa scoppiò in una risata argentina.
Avvicinandosi alla porta, Theresa diede per la prima volta un'occhiata alla casa. Era relativamente piccola, a un piano solo, di forma rettangolare, con un rivestimento di legno verniciato malamente scrostato in più punti. A differenza delle case di Wrightsville Beach, questa era costruita direttamente sulla sabbia. Quando gli chiese perché non fosse sopraelevata come le altre, Garrett le spiegò che era stata costruita prima che entrasse in vigore la normativa sugli uragani. «Adesso le case devono essere sopraelevate, in modo che le onde possano passare sotto la struttura principale. Probabilmente il prossimo grande uragano spazzerà questo vecchio rudere in mare, ma finora ho avuto fortuna.»
«La cosa non ti preoccupa?»
«Non molto. Vale poco, ed è per questo che me la sono potuta permettere. Credo che l'ex proprietario si fosse stufato di farsela sotto tutte le volte che sull'Atlantico cominciava a formarsi una tempesta.»
Raggiunsero i gradini scricchiolanti ed entrarono. La prima cosa che Theresa notò fu il panorama. Le finestre del salotto occupavano l'intera parete, affacciandosi sulla veranda e sulla spiaggia.

«Che vista incredibile», disse meravigliata.

«Vero? Ormai sono qui da anni, ma non ci ho ancora fatto l'abitudine.»

Su un lato c'era il caminetto, incorniciato da una dozzina di fotografie subacquee. Theresa si avvicinò a esaminarle. «Ti spiace se do un'occhiata in giro?»

«No, fa' pure. Intanto io devo ancora tirare fuori il barbecue. Ha bisogno di una bella pulita.»

Garrett uscì dalla porta a vetri scorrevole.

Mentre era fuori, Theresa guardò le fotografie, quindi fece il giro della casa. Come in gran parte delle case che aveva visto sulla spiaggia, c'era posto per non più di due persone. C'era una sola camera da letto, cui si accedeva dal soggiorno. Come il salotto, aveva grandi finestre che occupavano l'intera parete e davano sulla spiaggia. La parte anteriore della casa, cioè il lato sulla strada, era occupato da una cucina, un minuscolo tinello e il bagno. Benché tutto fosse in ordine, la casa dava l'impressione di essere trascurata da anni.

Tornando in salotto, Theresa si fermò sulla porta della camera da letto e sbirciò dentro. Anche lì le pareti erano coperte di fotografie subacquee. In più, proprio sopra il letto, era appesa una grande mappa del North Carolina, che riportava la posizione di almeno cinquecento relitti. Guardando sul comodino, Theresa vide una cornicetta con la fotografia di una donna. Assicuratasi che Garrett fosse ancora fuori a pulire il barbecue, entrò nella stanza per osservarla da vicino.

Catherine doveva avere circa venticinque anni. Come le fotografie appese ai muri, anche quella sembrava scattata da Garrett, e Theresa si domandò se fosse stata incorniciata prima o dopo l'incidente. Sollevandola, notò che Catherine era attraente, un tantino più minuta di lei, con capelli biondi lunghi fino alle spalle. Sebbene la foto fosse un po' sgranata, come per un eccessivo ingrandimento, Theresa fu colpita dagli occhi: di un verde intenso e dal taglio quasi felino, conferivano a Catherine un'aria esotica, e davano l'impressione di fissare chi guardava il ritratto. Rimise delicatamente la foto al suo posto, nell'esatta angolazione di prima, e si voltò, senza riuscire a liberarsi dalla sensazione che Catherine tenesse d'occhio ogni suo gesto.

Ignorando quel fastidio, osservò lo specchio appeso sopra il cassettone. Per quanto potesse sembrare incredibile, c'era solo un'altra fotografia di Catherine. Lei e Garrett vi erano ritratti insieme a bordo della *Happenstance* e sorridevano felici. Dato che la barca sembrava già restaurata, la foto doveva risalire a pochi mesi prima della morte di Catherine.

Sapendo che Garrett poteva rientrare da un momento all'altro, Theresa uscì dalla camera da letto con un leggero senso di colpa per avere curiosato in casa d'altri. Si avvicinò alla porta scorrevole che dava sulla veranda e l'aprì. Garrett stava pulendo la griglia e sentendola uscire le sorrise. Theresa lo raggiunse e si appoggiò contro la ringhiera incrociando i piedi.

«Hai scattato tu le foto appese alle pareti?» domandò.

Con il dorso della mano Garrett si scostò i capelli dal viso. «Sì. C'è stato un periodo in cui avevo l'abitudine di immergermi con la macchina fotografica. Quasi tutte le foto sono in negozio, ma dato che ne avevo tante, ho pensato di metterle anche qui.»

«Sembrano fatte da un professionista.»

«Grazie. Ma penso che la qualità dipenda più che altro dalla quantità. Dovevi vedere le montagne di scarti.»

Mentre parlava, sollevò la griglia davanti a sé. Pur essendo annerita in più punti, sembrava pronta, e la mise da parte. Poi prese un sacco di carbonella e ne sparse un po' sul fondo di un barbecue che doveva avere almeno trent'anni, livellandola con la mano. Poi aggiunse un po' di liquido infiammabile, distribuendolo equamente.

«Non ti hanno detto che hanno inventato le griglie a gas», commentò Theresa nel medesimo tono canzonatorio di poc'anzi.

«Lo so, ma mi piace fare come quando ero bambino. E poi, così la carne ha tutto un altro sapore. Arrostire con il gas è come cuocere sui fornelli.»

«Mentre tu mi hai promesso la bistecca migliore del mondo», sorrise lei.

«L'avrai. Fidati.»

Garrett finì i preparativi. «Adesso lasciamo che la carbonella s'impregni per qualche minuto. Vuoi qualcosa da bere?»

«Che cosa mi offri?» domandò Theresa.

Garrett si schiarì la voce. «Birra, aranciata e il vino che hai portato tu.»

«Una birra, grazie.»

Garrett prese il sacco di carbonella e la bottiglia di liquido infiammabile e li ripose in un vecchio baule da marinaio accanto al muro della casa. Dopo essersi spazzolato la sabbia dalle scarpe rientrò, lasciando aperta la porta scorrevole.

Nel frattempo Theresa si voltò a guardare la spiaggia. Il sole tramontava, e quasi tutti i bagnanti se ne erano andati, tranne qualcuno che faceva jogging o passeggiava. Anche se la spiaggia non era più affollata, nel breve intervallo in cui rimase sola, davanti alla casa passò almeno una dozzina di persone.

«Non ti dà fastidio essere circondato da tutta questa gente?» chiese a Garrett quando tornò.

Lui le porse la birra. «Per niente. E poi qui ci sto poco. Di solito quando arrivo a casa la spiaggia è quasi deserta. E d'inverno non c'è nessuno.»

Per un attimo Theresa lo immaginò seduto in veranda a guardare il mare, solo come sempre. Garrett infilò una mano in tasca e ne tirò fuori una scatola di fiammiferi. Accese la carbonella, indietreggiando quando si levò la prima vampata. La brezza leggera faceva danzare in cerchio le fiamme.

«Adesso che il fuoco è acceso, preparerò la cena.»

«Posso darti una mano?»

«Non c'è molto da fare», rispose lui. «Ma se sei fortunata, può darsi che ti riveli il segreto della mia ricetta.»

Theresa piegò il capo di lato e gli gettò un'occhiata maliziosa. «Lo sai che stai creando grandi aspettative per queste bistecche?»

«Sì, ma ho piena fiducia.»

Le strizzò l'occhio, e Theresa rise prima di seguirlo in cucina. Garrett aprì un armadietto, tirando fuori qualche patata. Si mise davanti al lavandino e lavò prima le mani, poi le patate. Acceso il forno, avvolse le patate nella stagnola e le posò sulla griglia.

«Che cosa posso fare?»

«Non molto, come vedi. Tengo tutto sotto controllo. Ho comprato una confezione di insalata già preparata e il menu non prevede altro.»

Theresa si fece da parte mentre Garrett infilava le ultime patate nel forno e tirava fuori l'insalata dal frigorifero. Mentre la rovesciava in una ciotola, Garrett la osservò con la coda dell'occhio. Che cosa aveva quella donna per fargli desiderare così intensamente di starle vicino? Stupito, estrasse dal frigorifero anche le bistecche, poi aprì il mobiletto accanto e trovò gli altri ingredienti. Radunò ogni cosa, disponendola davanti a Theresa.

Lei gli lanciò un sorriso di sfida e domandò: «Allora, che cos'hanno di speciale queste bistecche?»

Cercando di raccogliere le idee, Garrett versò un po' di brandy in un piatto fondo. «Diverse cose. Primo, ti occorre del filetto tagliato spesso. Di solito il macellaio non lo taglia così, devi chiederglielo espressamente. Poi lo condisci con un po' di sale, pepe e aglio in polvere e lo metti a macerare nel brandy mentre aspetti che si formi la brace.»

Mentre parlava eseguì tutte le operazioni, e, per la prima volta da quando l'aveva conosciuto, Theresa notò la sua giovinezza. Stando a quanto le aveva detto, dovevano esserci almeno quattro anni di differenza.

«È questo il tuo segreto?»

«È solo il principio», promise lui, di colpo consapevole della sua bellezza. «Subito prima di metterle sulla griglia, aggiungo un po' di preparato per intenerirle. Il resto dipende da come le cuoci, non da come sono insaporite.»

«Sembri un cuoco esperto.»

«Non lo sono. So fare qualche piatto, ma ultimamente non cucino molto. Di solito quando arrivo a casa non ho voglia di mettermi ai fornelli.»

«Capita anche a me. Se non fosse per Kevin, non credo che cucinerei molto.»

Terminata la preparazione delle bistecche, Garrett aprì un cassetto, prese un coltello e tornò al suo fianco. Sul bancone c'erano dei pomodori e incominciò a tagliarli.

«Dài l'impressione di avere un ottimo rapporto con Kevin.»

«Infatti. Spero solo che continui. Ormai è quasi un adolescente e temo che crescendo vorrà passare sempre meno tempo con me.»

«Io non mi preoccuperei troppo. Da come parli di lui sembra che resterete sempre insieme.»

«Me lo auguro. In questo momento Kevin è tutto quello che ho. Non so che cosa farei se incominciasse a escludermi dalla sua vita. Le mie amiche che hanno figli un po' più grandi continuano a dirmi che è inevitabile.»

«Sono sicuro che cambierà anche lui, come tutti. Ma questo non significa che non parlerà più con te.»

Theresa lo guardò in viso. «Parli per esperienza o lo dici solo per farmi contenta?»

Lui fece spallucce, avvertendo di nuovo il suo profumo. «Sto solo pensando a ciò che è accaduto con mio padre. Siamo sempre stati affiatati, e la cosa non è cambiata quando sono andato alle superiori. Ho incominciato a fare cose diverse e a uscire di più con gli amici, ma abbiamo continuato a parlare.»

«Spero che succeda così anche a me», disse lei.

Mentre i preparativi procedevano, scese su di loro un silenzio tranquillo. Il semplice gesto di affettare pomodori accanto a lei alleviò in parte la tensione che Garrett aveva provato fino a quel momento. Theresa era la prima donna che invitava in quella casa, e si rese conto che la sua presenza aveva qualcosa di rasserenante.

Quando ebbe finito, aggiunse i pomodori all'insalata e si asciugò le mani con un tovagliolo di carta. Quindi si chinò per buttare via la seconda bottiglia di birra.

«Ne vuoi un'altra?»

Lei bevve il rimanente della sua, sorpresa di averla finita così in fretta. Annuì, posando la bottiglia vuota sul bancone. Garrett gliene aprì una nuova, stappandone una anche per sé. Quando prese la bottiglia, Theresa era appoggiata comodamente al bancone, e Garrett fu colpito dalla familiarità del suo modo di fare: forse il sorriso sulle labbra, o l'intensità del suo sguardo mentre lo osservava portarsi la bottiglia alla bocca. Gli tornò di nuovo alla mente quell'afoso pomeriggio estivo con Catherine, quando le aveva fatto una sorpresa tornando a casa per pranzo. Una giornata, a ripensarci ora, che sembrava carica di segni premonitori... ma come avrebbe potuto prevedere che cosa sarebbe successo di lì a poco? Si trovavano in cucina, proprio come lui e Theresa adesso.

«Deduco che tu hai già mangiato», disse Garrett a Catherine, davanti al frigorifero aperto.

Catherine si voltò a guardarlo. «Non ho molta fame», rispose. «Ma ho sete. Ti va un tè ghiacciato?»

«Ottimo. Sai se è già arrivata la posta?»

Catherine annuì, prendendo la caraffa del tè dal ripiano superiore. «È sul tavolo.»

Aprì la credenza e prese due bicchieri. Dopo averne posato uno sul bancone, cominciò a riempire il secondo, che le sfuggì di mano.

«Ti senti bene?» Garrett lasciò cadere la posta, preoccupato.

Imbarazzata, Catherine si passò una mano tra i capelli, poi si chinò a raccogliere i frammenti di vetro. «Ho avuto un leggero mancamento. Ma sto bene.»

Garrett si avvicinò e l'aiutò. «Ti senti di nuovo male?»

«No, ma forse stamattina sono stata troppo al sole.»

Garrett raccolse in silenzio i cocci.

«Non vuoi che resti a casa? Questa settimana è stata piuttosto dura.»

«Non preoccuparti per me, so che hai un sacco di lavoro in negozio.»

Anche se Catherine aveva ragione, quando tornò al lavoro Garrett rimpianse di averle dato ascolto.

Garrett deglutì con forza, improvvisamente consapevole del silenzio che regnava in cucina. «Vado a vedere a che punto è la brace», disse, sentendo il bisogno di fare qualcosa. «Speriamo che sia pronta.»

«Posso apparecchiare, nel frattempo?»

«Certo, l'occorrente è tutto qui dentro.»

Dopo averle mostrato dove trovare ciò che serviva, Garrett uscì all'aperto, imponendosi di rilassarsi e di liberare la mente da quei ricordi sinistri. Raggiunto il barbecue, controllò la carbonella, concentrandosi sul compito che lo aspettava. Le braci erano quasi bianche, e stimò che mancasse appena qualche minuto. Aprì il baule da marinaio e ne estrasse un soffietto. Con un profondo respiro lo posò sulla balaustra accanto al barbecue. L'aria dall'oceano era fresca, quasi inebriante, e per la prima volta si rese conto che, nonostante l'assillante pensiero di Catherine, era contento che Theresa fosse lì con lui. Addirittura felice, come non gli capitava da tempo.

Non solo perché andavano d'accordo, ma anche per i tanti piccoli gesti di Theresa. Il suo modo di sorridere, di guardarlo, persino il modo in cui gli aveva preso la mano quel pomeriggio. Incominciava ad avere l'impressione di conoscerla da moltissimo tempo. Si chiese se fosse perché per tanti versi assomigliava a Catherine, oppure, come aveva detto suo padre, perché aveva bisogno di passare un po' di tempo in compagnia.

Mentre era fuori, Theresa apparecchiò la tavola. Mise un bicchiere da vino accanto ai piatti e frugò nel cassetto in cerca delle posate. Accanto agli utensili da cucina trovò due candele, ognuna con il suo minuscolo candeliere. Dopo un attimo di esitazione, per timore di esagerare, decise di porre anche quelle sulla tavola. Avrebbe lasciato che fosse Garrett a decidere se accenderle o no. Garrett rientrò proprio in quel momento.

«Ancora un paio di minuti. Vuoi sederti fuori mentre aspettiamo?»

Theresa prese la birra e lo seguì in veranda. Come la sera prima, si era levata la brezza, ma non così forte. Prese una sedia e si mise accanto a Garrett, che era rimasto in piedi. La camicia chiara metteva in evidenza la sua carnagione abbronzata, e Theresa lo osservò fissare il mare. Poi chiuse un istante gli occhi, sentendosi più viva di quanto le capitasse da molto tempo.

«Scommetto che non hai un panorama simile dalla tua casa di Boston», disse lui, rompendo il silenzio.

«Hai indovinato», rispose Theresa. «Abito in un appartamento. I miei mi giudicano pazza perché vivo in centro. Secondo loro dovrei andare ad abitare nei sobborghi.»

«Perché non lo fai?»

«Ci abitavo prima di divorziare. Ma adesso è molto più comodo così. Mi bastano pochi minuti per andare al lavoro, la scuola di Kevin è proprio di fronte, e devo prendere la tangenziale solo quando vado fuori città. E poi volevo cambiare, dopo la fine del mio matrimonio. Non sopportavo le occhiate dei vicini quando hanno scoperto che David se n'era andato.»

«Che cosa vuoi dire?»

Theresa alzò le spalle e la sua voce si fece più dolce. «Non ho mai spiegato a nessuno del quartiere il motivo della nostra separazione. Pensavo che la cosa non li riguardasse.»

«Infatti.»

Theresa fece una pausa, riandando indietro con la memoria. «Lo so, ma ai loro occhi David era un marito meraviglioso. Bello, di successo, non volevano credere che avesse fatto qualcosa di sbagliato. Anche quando stavamo ancora insieme, si comportava come se tutto fosse perfetto. Solo alla fine sono venuta a sapere che aveva un'amante.»

Si voltò a guardarlo, con un'espressione malinconica. «Come si suole dire, la moglie è sempre l'ultima a saperlo.»

«Come l'hai scoperto?»

Lei scosse il capo. «So che sembra uno stereotipo, ma l'ho saputo dal tintore. Sono andata a ritirare i vestiti di mio marito, e mi hanno consegnato delle ricevute che gli erano rimaste nelle tasche. Una era di un albergo in centro. Dalla data sapevo che quella sera David era rimasto in casa, quindi doveva esserci andato soltanto per il pomeriggio. Quando gli ho chiesto spiegazioni, David ha negato tutto, ma da come mi guardava ho capito che mentiva. Alla fine l'intera storia è saltata fuori e io ho chiesto il divorzio.»

Garrett l'ascoltò in silenzio, lasciandola parlare e domandandosi come si fosse potuta innamorare di un uomo che l'aveva trattata così.

Come leggendogli nel pensiero, Theresa proseguì: «Sai, David era uno di quegli uomini capaci di farti credere qualsiasi cosa. Penso che si convincesse lui stesso di gran parte di ciò che mi diceva. Ci siamo conosciuti al college, e io ne sono rimasta affascinata. Era brillante e mi lusingava che fosse attratto da una come me. Sai, ero una ragazzina del Nebraska, e lui era diverso dai ragazzi che avevo conosciuto fino ad allora. Quando ci siamo sposati ho pensato che mi aspettasse una vita da film. Ma immagino che nulla fosse più lontano dalla sua mente. In seguito sono venuta a sapere che aveva avuto la prima relazione già cinque mesi dopo il matrimonio».

Tacque per un istante, e Garrett fissò la sua birra. «Non so che cosa dire.»

«Non c'è niente da dire», ribatté Theresa con fermezza. «È finita, e, come ti ho detto ieri, l'unica cosa che pretendo da lui è che sia un buon padre per Kevin.»

«Sembra facile, da come lo dici.»

«Non intendevo questo. David mi ha ferita profondamente, e ho avuto bisogno di qualche anno e di parecchie sedute da una buona psicoterapista per venirne fuori. Ho imparato molte cose da lei, altre le ho imparate da sola, per conto mio. Una volta, mentre mi sfogavo gettando su David la colpa di ciò che mi era successo, la psicoterapista mi ha fatto notare che se avessi continuato ad alimentare la mia rabbia, gli avrei dato la possibilità di controllarmi ancora. Questo mi è sembrato davvero troppo, così non me la sono più presa.»

Theresa bevve un sorso di birra, e Garrett le chiese: «Ricordi altro di quello che ti ha detto la psicoterapista?»

Theresa ci pensò un attimo, poi accennò un sorriso timido. «Sì. Ha detto che se avessi incontrato un tipo che mi ricordava David, dovevo voltare i tacchi e scappare a nascondermi tra le colline.»

«Io ti ricordo David?»

«Neanche lontanamente. Sei tutto il contrario.»

«Bene», osservò lui con finta serietà. «Da queste parti non ci sono colline, sai. Avresti dovuto correre un bel po'.»

Theresa ridacchiò, e Garrett gettò uno sguardo al barbecue. Vedendo che la brace era al punto giusto, domandò: «Pronta ad arrostire le bistecche?»

«Mi svelerai il resto della tua ricetta segreta?»

«Con piacere», rispose lui mentre si alzavano in piedi. In cucina sparse un po' di preparato per intenerire la carne su entrambi i lati dei filetti. Quindi aprì il frigorifero e tirò fuori una busta di plastica.

«Che c'è lì dentro?» chiese Theresa.

«La parte grassa della bistecca, che di solito si scarta. Me ne sono fatta dare un po' dal macellaio quando ho comprato il filetto.»

«A che cosa serve?»

«Vedrai.»

Garrett prese anche un paio di molle, e, tornato in veranda, le posò insieme alle bistecche sulla balaustra accanto al soffietto. Quindi prese quest'ultimo e cominciò a soffiare via la cenere dalla carbonella, spiegandole il perché di ogni operazione.

«Per ottenere una buona bistecca bisogna prima di tutto assicurarsi che la brace sia ben calda. Con il mantice soffi via la cenere. In questo modo, non c'è niente che ostacoli il calore.»

Appoggiò la griglia sopra la brace, la lasciò riscaldare per circa un minuto, poi con le molle vi adagiò le bistecche. «Come ti piace?»

«Abbastanza cotta.»

«Con bistecche di queste dimensioni ci vorranno circa undici minuti per parte.»

Theresa sollevò le sopracciglia. «Che precisione svizzera.»

«Ti ho promesso una buona bistecca e intendo mantenere la promessa.»

Mentre controllava la cottura della carne, Garrett osservò Theresa con la coda dell'occhio. C'era un che di sensuale nella sua figura stagliata contro il sole al tramonto. Il cielo era arancio e quella luce calda la rendeva particolarmente bella, scurendo i suoi occhi castani. La brezza della sera che le scompigliava i capelli la faceva apparire irresistibile.

«A che cosa pensi?»

Garrett si irrigidì al suono della sua voce, d'un tratto conscio di essere rimasto muto da quando aveva incominciato a cucinare.

«Pensavo a quanto è stato idiota il tuo ex marito», rispose voltandosi verso di lei. Theresa sorrise, posandogli una mano sulla spalla.

«Ma se fossi ancora sposata, stasera non sarei qui con te.»

«E questo», replicò lui avvertendo il tocco della sua mano, «sarebbe un peccato.»

«Sicuramente», gli fece eco Theresa, mentre i loro occhi s'incontravano e indugiavano un momento. Infine Garrett si girò e prese il grasso. Schiarendosi la voce, disse: «Ci siamo».

Sparse il grasso tagliato a cubetti sui carboni ardenti, proprio sotto le bistecche. Poi si chinò e ci soffiò sopra fino a quando prese fuoco.

«Che cosa stai facendo?»

«Le fiamme del grasso cauterizzano la carne impedendo che faccia acqua e lasciandola morbida. Per lo stesso motivo si usano le molle anziché la forchetta.»

Gettò altri pezzetti di sego sulla carbonella e ripeté l'operazione. Guardandosi intorno, Theresa commentò: «Com'è tranquillo, qui fuori. Adesso capisco perché hai comprato questa casa».

Garrett finì ciò che stava facendo e bevve un altro sorso di birra, perché aveva la gola secca. «Nell'oceano c'è qualcosa che fa quest'effetto sulla gente. Credo che sia per questo che tanti vengono qui a rilassarsi.»

Lei si voltò a guardarlo. «Dimmi, Garrett, a che cosa pensi quando stai qui fuori da solo?»

«A un sacco di cose.»

«Qualcuna in particolare?»

Penso a Catherine, avrebbe voluto risponderle, ma non lo fece.

Sospirò. «No. A volte penso al lavoro, a volte ai nuovi fondali che voglio esplorare. A volte sogno di partirmene in barca e di lasciarmi tutto alle spalle.»

Nell'udire le ultime parole Theresa lo guardò. «Lo faresti davvero? Andartene e non tornare più?»

«Non ne sono sicuro, ma mi piace pensarlo. A differenza di te, io non ho nessuno, tranne mio padre, ma credo che lui capirebbe. Ci assomigliamo molto, e, se non fosse stato per me, magari anche lui se ne sarebbe andato già molto tempo fa.»

«Ma non sarebbe come fuggire?»

«Lo so.»

«Perché ti viene questo desiderio?» lo incalzò Theresa, in un certo senso conoscendo già la risposta. Vedendo che stava zitto, gli si fece più vicina e parlò con dolcezza.

«Garrett, so che non mi riguarda, ma non puoi fuggire dalla tua sofferenza.» Il suo sorriso era rassicurante. «E poi, hai così tanto da offrire.»

Garrett rimase in silenzio, riflettendo su ciò che Theresa gli aveva detto e chiedendosi come mai riuscisse sempre a trovare le parole giuste per farlo sentire meglio.

Nei minuti successivi intorno a loro non si udirono che

rumori provenienti dall'esterno. Garrett rigirò le bistecche che sfrigolavano sulla griglia. La brezza serale fece risuonare in lontananza un carillon a vento. Le onde si frangevano sulla riva con un rumore ritmico e rilassante.

Garrett riandò con la mente ai due giorni precedenti. Pensò al primo momento in cui l'aveva vista, alle ore trascorse sulla *Happenstance*, alla loro passeggiata sulla spiaggia quel pomeriggio, quando per la prima volta le aveva parlato di Catherine. La tensione che l'aveva tormentato in precedenza si era quasi del tutto dissolta, e lì accanto a lei, nell'ombra crescente del crepuscolo, intuì che quella serata aveva in sé più di quanto entrambi fossero disposti ad ammettere.

Poco prima che le bistecche fossero cotte Theresa rientrò a finire di preparare la tavola. Estrasse dal forno le patate, le svolse dalla stagnola e ne pose una in ogni piatto. Poi mise in tavola l'insalata con accanto due condimenti diversi trovati in frigorifero. Per ultimo sistemò sale, pepe, burro e due tovaglioli. In casa si stava facendo buio e accese la luce della cucina. Le sembrò troppo violenta, la spense di nuovo e d'impulso accese le candele, facendo un passo indietro per vedere se non avesse esagerato. Giudicando che andassero bene, prese dal frigorifero la bottiglia di vino; stava per metterla in tavola, quando Garrett entrò con le bistecche.

Dopo avere chiuso la vetrata scorrevole, Garrett vide la tavola apparecchiata. La cucina era immersa nell'oscurità, eccetto per le fiammelle che puntavano verso l'alto, e la loro luce rendeva Theresa ancora più bella. Al lume di candela i suoi capelli scuri avevano un che di misterioso, e la luce danzante balenava nei suoi occhi. Incapace di parlare, Garrett si limitò a fissarla per un lungo momento, e fu allora che comprese con esattezza ciò che aveva cercato di negare a se stesso.

«Ho pensato che creassero un po' di atmosfera», disse lei sottovoce.

«Hai ragione.»

Rimasero a fissarsi da un capo all'altro della stanza, entrambi per un istante paralizzati dall'ombra di remote possibilità.

«Non sono riuscita a trovare il cavatappi», disse Theresa, aggrappandosi alla prima cosa che le venne in mente.

«Lo prendo io», rispose subito lui. «Non lo uso spesso, perciò dev'essere finito in fondo a qualche cassetto.»

Portò in tavola il piatto con le bistecche, poi aprì un cassetto. Dopo avere rovistato tra gli utensili, trovò il cavatappi e, tornato a tavola, con un paio di abili gesti stappò la bottiglia, versando in ciascun bicchiere la giusta quantità di vino. Poi sedette e servì le bistecche con le molle.

«Il momento della verità», dichiarò lei, accingendosi al primo morso. Garrett sorrise e la guardò assaggiare la carne. Theresa ebbe la piacevole sorpresa di scoprire che era proprio come aveva detto lui.

«Garrett, è squisita!» disse con sincerità.

«Grazie.»

Con il trascorrere della serata le candele si consumarono, e Garrett le ripeté due volte quanto fosse felice di averla lì quella sera. Entrambe le volte Theresa avvertì uno strano formicolio alla nuca e dovette bere un sorso di vino per scacciare quella sensazione.

Fuori la marea saliva a poco a poco, attirata da una luna che sembrava spuntata dal nulla.

***

Dopo cena Garrett propose un'altra passeggiata lungo il mare. «Di notte è bellissimo», disse. Theresa accettò, e lui si alzò per sparecchiare.

Uscirono. Garrett si richiuse la porta alle spalle. La notte era dolce. Scesero dalla veranda, superarono una piccola duna di sabbia e si incamminarono sulla spiaggia.

Quando raggiunsero la riva, ripeterono i gesti di quel pomeriggio, togliendosi le scarpe e lasciandole sulla sabbia, dato che in giro non c'era nessuno. Camminarono lentamente, vicini. Con un gesto a sorpresa, Garrett le prese la mano. Sentendo quel calore, per un attimo Theresa si chiese che sensazioni avrebbe provato se le avesse accarezzato il corpo, indugiando sulla pelle. Quella fantasia fece irrigidire qualcosa dentro di lei; quando si voltò a guardare Garrett, si domandò se sapesse a che cosa aveva pensato.

Continuarono a passeggiare, godendosi la notte. «È da molto tempo che non passavo una serata come questa», disse infine Garrett, la voce quasi persa nei ricordi.

«Anch'io», rispose lei.

La sabbia era fresca sotto i loro piedi. «Garrett, ti ricordi quando mi hai invitata in barca?» domandò Theresa.

«Sì.»

«Perché me lo hai chiesto?»

Lui la guardò incuriosito. «Che cosa vuoi dire?»

«Ecco, ho avuto l'impressione che te ne fossi pentito un attimo dopo averlo fatto.»

Lui scosse le spalle. «Non credo che pentito sia la parola giusta. Sono rimasto sorpreso di avertelo chiesto, ma non me ne sono pentito.»

«Sicuro?» sorrise Theresa.

«Sì. Devi sapere che in più di tre anni non avevo mai invitato nessuno. Quando mi hai detto di non essere mai stata su una barca a vela, ecco, di colpo mi sono accorto che ero stufo di uscire sempre da solo.»

«Vuoi dire che mi sono trovata nel posto giusto al momento giusto?»

Garrett scosse il capo. «Non intendevo questo. Volevo portarti con me; non credo che lo avrei chiesto a un'altra persona. E poi la cosa è riuscita molto meglio di quanto sperassi. Per me questi due giorni sono stati i migliori da moltissimo tempo a questa parte.»

Theresa sentì che quelle parole le riscaldavano il cuore. Mentre camminavano, lui le accarezzava lentamente la mano con il pollice.

«Te la immaginavi così la tua vacanza?» proseguì Garrett.

Lei esitò, poi decise che non era ancora il momento di dirgli la verità.

«No.»

Procedettero in silenzio. C'erano altri sulla spiaggia, ma così distanti che Theresa non scorgeva altro che ombre.

«Pensi che tornerai da queste parti? Voglio dire, in vacanza?»

«Non so. Perché?»

«Perché ne sarei contento.»

In lontananza si vedevano le luci di un molo. Di nuovo Theresa sentì la carezza delle sue dita sulla mano.

«Se tornassi, mi prepareresti di nuovo la cena?»

«Cucinerei tutto quello che desideri. Basta che siano bistecche.»

Lei rise piano. «Allora ci farò un pensierino, te lo prometto.»

«E se ti proponessi anche qualche lezione di sub?»

«Penso che piacerebbero più a Kevin che a me.»

«Allora porta anche lui.»

Lei lo guardò. «Non ti scoccerebbe?»

«Niente affatto. Mi piacerebbe molto conoscerlo.»

«Scommetto che lo troveresti simpatico.»

«Ne sono sicuro.»

Proseguirono ancora un po' senza parlare, finché Theresa chiese, d'impulso: «Garrett... posso farti una domanda?»

«Certo.»

«So che ti sembrerà strano, ma...»

Fece una pausa, e lui la guardò interdetto. «E allora?»

«Qual è la cosa peggiore che hai fatto in vita tua?»

Garrett scoppiò a ridere. «E questa da dove ti viene?»

«Voglio saperlo e basta. Lo chiedo sempre a tutti. Mi permette di conoscere il lato più vero delle persone.»

«La cosa peggiore?»

«Sì, la peggiore in assoluto.»

Lui ci pensò su un momento. «Probabilmente la volta che sono uscito con un gruppo di amici una sera di dicembre. Avevamo bevuto, eravamo su di giri e siamo finiti in una strada piena di luci natalizie. Ecco, ci siamo fermati e ci siamo messi a svitare e a rubare tutte le lampadine che potevamo.»

«Ma dài!»

«Proprio così. Eravamo in cinque e abbiamo riempito il furgone di luminarie natalizie. Ma abbiamo lasciato i fili penzoloni... e questo è stato il peggio. Abbiamo lavorato quasi due ore, ridendo a crepapelle di ciò che facevamo. Il giornale aveva descritto la strada come una delle meglio addobbate della città, e quando abbiamo finito l'opera... non riesco a immaginare che cosa ha pensato la gente che abitava lì. Dovevano essere tutti furibondi.»

«Ma è terribile!»

Garrett rise di nuovo. «Lo so. A ripensarci, lo trovo terribile anch'io. Ma in quel momento era uno spasso.»

«E io che ti credevo un ragazzo così perbene...»

«Ma sono un ragazzo perbene.»

«Eri un mostro. E che altro avete fatto, tu e i tuoi amici?» insistette lei, curiosa.

«Vuoi saperlo davvero?»

«Sì.»

Garrett incominciò a raccontarle altre bravate di gioventù: dall'insaponare i finestrini delle auto all'imbrattare le case delle ex ragazze. Una volta, raccontò, era in macchina con una ragazza quando aveva visto un amico passargli accanto. L'amico gli aveva fatto cenno di abbassare il finestrino, e quando lui l'aveva fatto gli aveva buttato in macchina un petardo che gli era scoppiato fra i piedi.

Venti minuti dopo stava ancora raccontando, con grande divertimento di Theresa. Quando finì, le rivolse la stessa domanda che aveva dato inizio alla conversazione.

«Oh, io non sono mai stata come te», rispose lei, quasi pudicamente. «Sono una brava ragazza.»

Garrett rise di nuovo, sentendosi preso in giro (non che gli importasse), e sapendo benissimo che Theresa non gli stava dicendo la verità.

Percorsero la spiaggia in tutta la sua lunghezza, scambiandosi altri aneddoti sull'infanzia. Theresa cercava di immaginarselo da ragazzo, chiedendosi che cosa avrebbe pensato di lui se lo avesse conosciuto ai tempi dell'università. Lo avrebbe trovato irresistibile come ora, oppure si sarebbe innamorata lo stesso di David? Voleva credere che avrebbe notato la differenza tra i due, ma era davvero così?

Allora David le era sembrato assolutamente perfetto.

Si fermarono un momento a guardare il mare. Erano molto vicini, le loro spalle quasi si toccavano.

«A che cosa pensi?» le chiese Garrett.

«A com'è bello il silenzio insieme con te.»

Lui sorrise. «E io stavo pensando che ti ho raccontato un sacco di cose che non ho mai detto a nessuno.»

«Forse perché sai che tornerò a Boston e non le racconterò in giro.»

«Niente affatto», ridacchiò Garrett.

«E allora perché?»

La guardò incuriosito. «Non lo sai?»

«No.»

Theresa sorrise, quasi sfidandolo a continuare. Lui si chiese come spiegarle ciò che lui stesso stentava a capire. Poi, dopo un lungo momento di riflessione, disse a bassa voce: «Credo che sia perché voglio che tu sappia chi sono davvero. Perché se dopo avermi conosciuto vorrai passare ancora del tempo con me...»

Theresa non aprì bocca, ma sapeva esattamente che cosa stava cercando di dirle. Garrett distolse lo sguardo.

«Mi spiace. Non volevo metterti a disagio.»

«Non sono a disagio», replicò Theresa. «Sono contenta che tu lo abbia detto...»

Non aggiunse altro, e dopo un attimo ripresero a camminare lentamente.

«Ma non provi ciò che provo io.»

Lei lo guardò. «Garrett... io...» Le mancarono le parole.

«No, non devi dire niente...»

Non lo lasciò finire. «Invece sì. Tu vuoi una risposta, e io voglio dartela.» Rimase in silenzio, alla ricerca delle parole più adatte. Quindi riprese, con un profondo respiro:

«Dopo la separazione, ho passato un periodo terribile. Quando ho pensato di avere superato il trauma, ho ricominciato a uscire. Ma tutti quelli che incontravo... non so, ho avuto l'impressione che mentre ero sposata il mondo fosse cambiato. Volevano tutti qualcosa, ma nessuno era disposto a dare. Credo di essere rimasta disgustata degli uomini in generale».

«Se la metti così...»

«Garrett, non te lo sto dicendo perché ti reputo come gli altri. Penso che tu sia l'opposto. E questo mi spaventa un po'. Perché se ti dicessi quanto mi stai a cuore... in un certo senso sarebbe come rivelarlo anche a me stessa. E in questo modo mi esporrei al rischio di rimanere ferita un'altra volta.»

«Io non ti farei mai del male», sussurrò lui.

Lei si fermò e gli si mise di fronte. Parlò in tono pacato.

«Lo so che ne sei convinto, Garrett. Ma negli ultimi tre anni hai dovuto affrontare i tuoi problemi. Non so se sei pronto a ricominciare, e se non lo fossi, chi ne soffrirebbe sarei io.»

Le sue parole lo colpirono duramente, e gli occorse qualche momento per reagire. La costrinse a guardarlo negli occhi.

«Theresa... da quando ci siamo incontrati... non so...»

Si fermò, consapevole di non riuscire a tradurre in parole i propri sentimenti.

Sollevò una mano, sfiorandole la guancia con un dito, delicatamente, come una piuma. Nel momento in cui la toccò, Theresa chiuse gli occhi, e, a dispetto dei suoi dubbi, lasciò che quel fremito leggero le percorresse tutto il corpo, scaldandole il collo e il seno.

Intorno a lei il mondo perse definizione, e d'un tratto

Theresa si rese conto di come fosse bello essere lì. La cena insieme, la passeggiata sulla spiaggia, il modo in cui lui la stava guardando... non riusciva a immaginare nulla di più gradevole di ciò che stava accadendo in quel preciso istante.

Le onde che si frangevano sulla spiaggia venivano a lambire i loro piedi. La tiepida brezza estiva le soffiava tra i capelli, accentuando le sensazioni procurate dalla sua carezza. La luna dava all'acqua una patina lucente ed eterea, mentre le nuvole che gettavano ombre sulla spiaggia rendevano il paesaggio quasi irreale.

Cedettero entrambi a ciò che si era andato creando fin dal loro primo incontro. Theresa si lasciò andare contro di lui, avvertendo il calore del suo corpo. Garrett le abbandonò la mano, e cingendola lentamente con le braccia, l'attirò a sé e le diede un tenero bacio sulle labbra. Dopo essersi staccato leggermente per guardarla, la baciò di nuovo, con dolcezza. Lei rispose con passione, mentre sentiva la sua mano salirle lungo la schiena e affondarle tra i capelli.

Rimasero abbracciati a lungo, baciandosi al chiaro di luna senza curarsi di essere visti. Da troppo tempo aspettavano quel momento, e quando alla fine si staccarono si guardarono intensamente negli occhi. Poi, prendendolo per mano, Theresa lo condusse verso casa.

Vi entrarono muovendosi come in un sogno. Garrett la baciò di nuovo appena si fu richiuso la porta alle spalle, questa volta più appassionatamente, dando a Theresa un fremito di eccitazione. Lei andò in cucina, prese le candele dalla tavola e lo precedette in camera da letto. Posò le candele sul cassettone e lui le accese, mentre lei chiudeva le tende della finestra.

Tornata da lui, Theresa gli accarezzò il petto, sentendone i muscoli saldi sotto la camicia e abbandonandosi al desiderio. Guardandolo negli occhi, gli tirò fuori la camicia dai calzoni e prese a sfilargliela verso l'alto. Lui sollevò le braccia e lei gliela tolse dalla testa, appoggiandosi a lui. L'indumento scivolò a terra con un fruscio. Theresa gli baciò il petto, poi il collo, rabbrividendo mentre le mani di lui si posavano sul davanti della camicetta. Si chinò all'indietro per permettergli di slacciargliela lentamente, un bottone dopo l'altro.

Quando la camicetta si aprì, Garrett le fece scivolare le mani dietro la schiena e la strinse a sé, avvertendo il calore della sua pelle contro la propria. La baciò sul collo e le mordicchiò il lobo dell'orecchio, mentre le sue mani le scendevano lungo la spina dorsale. Theresa socchiuse la labbra, vinta dalla sua tenerezza. Le dita di Garrett si arrestarono sul reggiseno e lo sganciarono con un gesto esperto, togliendole il respiro. Poi, senza smettere di baciarla, le abbassò le spalline. Chinò il capo e le baciò teneramente i capezzoli, mentre lei reclinava la testa all'indietro, consapevole del suo respiro ardente e del tocco umido delle sue labbra.

Ansimante, Theresa abbassò una mano verso la chiusura lampo dei suoi jeans. Guardandolo negli occhi, glieli slacciò, poi ne abbassò lentamente la lampo. Sempre fissandolo gli fece scorrere un dito lungo la vita, sfiorandogli l'ombelico con l'unghia prima di afferrare la cintura dei calzoni. Fecero un passo indietro, e Garrett se li sfilò. Poi, avvicinatosi di nuovo a lei per baciarla, la sollevò tra le braccia e la depose delicatamente sul letto.

Sdraiata accanto a lui, Theresa gli accarezzò nuovamente il petto, ora madido di sudore, mentre sentiva le sue mani aprirle dolcemente i jeans. Sollevando un po' il bacino se li sfilò, una gamba per volta, mentre lui continuava a esplorare il suo corpo. Gli accarezzò la schiena e lo mordicchiò sul collo, e sentì il suo respiro farsi più rapido. Garrett si sfilò i boxer mentre lei si toglieva le mutandine, e si ritrovarono finalmente nudi, i corpi premuti l'uno contro l'altro.

Theresa era bella alla luce delle candele. Lui le passò la lingua tra i seni, giù lungo il ventre fino all'ombelico, poi di nuovo verso l'alto. I capelli di Theresa catturavano la luce, pieni di riflessi, e la sua pelle era morbida e invitante mentre s'avvinghiavano l'uno all'altra. Garrett sentì sulla schiena le mani di lei che lo attiravano.

Ma continuò a baciarla su tutto il corpo, senza fretta. Le posò una guancia sull'addome e si strofinò dolcemente. L'accenno di barba sul mento scatenò sensazioni erotiche sulla pelle di lei, che si sdraiò sul letto supina, con le mani tra i suoi capelli. Garrett proseguì finché Theresa non fu sul punto di gridare, quindi risalì e le fece lo stesso sul seno.

Theresa lo strinse a sé, inarcando la schiena mentre Garrett si portava lentamente sopra di lei. Lui le baciò i polpastrelli, uno alla volta, e quando infine si unirono Theresa chiuse gli occhi con un sospiro. Baciandosi teneramente, fecero all'amore con una passione rimasta sopita per tre lunghi anni.

I loro corpi si muovevano all'unisono, intuendo i bisogni dell'altro e sforzandosi di appagarli. Garrett non smetteva di baciarla, lasciandole l'impronta umida della bocca sulla pelle, e Theresa avvertì il proprio corpo fremere per la crescente eccitazione di qualcosa di meraviglioso. E quando infine toccò il culmine, premette forte le dita sulla schiena di lui; ma non appena il primo orgasmo si spense fu investita da un altro, e poi da un altro ancora, in una lunga serie. Quando finirono di fare all'amore, Theresa era esausta; abbracciò Garrett e lo strinse a sé. Poi si rilassò al suo fianco, fissò le candele ormai quasi consumate e, mentre lui continuava ad accarezzarla, rivisse ciò che avevano appena sperimentato insieme.

Rimasero così per quasi tutta la notte, facendo all'amore più e più volte, finché Theresa si addormentò fra le sue braccia, perduta in una sensazione di assoluto benessere. Garrett la osservò a lungo, e subito prima di cedere anche lui al sonno le scostò teneramente i capelli dal viso, sforzandosi di ricordare ogni cosa.

Poco prima dell'alba Theresa aprì gli occhi, accorgendosi d'istinto di essere sola. Si girò nel letto per cercare Garrett. Non vedendolo, si alzò e aprì l'armadio, dove trovò un accappatoio. Se lo avvolse intorno al corpo, uscì dalla camera da letto e scrutò nell'oscurità della cucina. Garrett non c'era. Guardò in salotto, ma anche quello era vuoto, allora comprese improvvisamente dove l'avrebbe trovato.

Uscendo, lo scorse seduto in veranda, con indosso i boxer e una felpa grigia. Voltandosi, Garrett la vide e le sorrise.

«Ciao.»

Theresa gli si accostò, e lui le accennò di sedersi sulle sue ginocchia. La baciò, stringendola a sé, e lei gli cinse il collo con le braccia. Poi, tirandosi indietro con la sensazione che ci fosse qualcosa di stonato, gli accarezzò una guancia.

«Tutto bene?»

«Sì», rispose sottovoce Garrett, senza guardarla.

«Sicuro?»

Lui annuì, sempre con lo sguardo altrove, e con un dito

Theresa lo costrinse a girare il viso verso di lei. «Sembri... triste», disse dolcemente.

Garrett abbozzò un sorriso, senza rispondere.

«Sei triste per quello che è successo?»

«No», rispose lui. «Per niente. Non ho alcun rimpianto.»

«Allora che cosa c'è?»

Garrett rimase zitto, volgendo di nuovo lo sguardo altrove.

«Sei qui fuori a causa di Catherine?» chiese Theresa a bassa voce.

Garrett rimase un attimo in silenzio, poi le prese una mano e finalmente la guardò negli occhi.

«No, non sono qui a causa di Catherine», rispose quasi in un sussurro. «Sono qui a causa tua.»

Poi, con una tenerezza che le rammentò un bambino piccolo, la strinse forte senza aggiungere altro, né la lasciò andare finché il cielo non incominciò a schiarirsi e la prima persona apparve sulla spiaggia.

9

«Come sarebbe a dire che non puoi venire a pranzo da me oggi? Sono anni che mangiamo insieme. Come hai fatto a dimenticartene?»

«Non l'ho dimenticato, papà, è solo che oggi non posso. Riprenderemo la settimana prossima, okay?»

Jeb Blake rimase in silenzio all'altro capo del filo, tamburellando con le dita sulla scrivania.

«Non so perché ma ho la sensazione che tu mi nasconda qualcosa?»

«Non ho assolutamente niente da nascondere.»

«Sicuro?»

«Sì.»

Theresa chiamò Garrett dalla doccia, chiedendogli una spugna. Garrett coprì il ricevitore con la mano e le rispose che sarebbe stato da lei fra un attimo. Quando tornò a parlare al telefono, udì suo padre trarre un profondo respiro.

«Chi era?»

«Nessuno.»

Poi, come illuminandosi, il padre domandò: «Quella Theresa è lì da te, non è vero?»

Sapendo di non potergli più nascondere la verità, Garrett rispose di sì.

Jeb fischiò, chiaramente soddisfatto. «Era ora, dannazione.»

Garrett provò a smorzare il suo entusiasmo. «Papà, non costruire castelli in aria...»

«Va bene, promesso.»

«Grazie.»

«Ma posso almeno farti una domanda?»

«Certo», sospirò Garrett.

«Sei contento?»

Gli occorse un momento per rispondere. «Sì», disse infine.

«Era ora», ripeté Jeb con una risata prima di riattaccare. Garrett fissò il ricevitore mentre lo rimetteva al suo posto.

«Sì, sono contento», mormorò tra sé con un risolino. «Davvero contento.»

Theresa uscì dalla camera da letto pochi minuti dopo, fresca e riposata. Sentendo profumo di caffè, andò in cucina a prenderne una tazza. Dopo avere messo una fetta di pane a tostare, Garrett le si avvicinò.

«Di nuovo buongiorno», disse, baciandole la nuca.

«Buongiorno anche a te.»

«Scusa se stanotte ti ho lasciata sola.»

«Non preoccuparti... ho capito.»

«Dici sul serio?»

«Ma certo.» Theresa si girò e lo guardò sorridendo. «È stata una notte meravigliosa.»

«Anche per me.» Voltandole le spalle per tirare fuori

una tazza dalla credenza, le domandò: «Vuoi fare qualcosa oggi? Ho chiamato in negozio e ho detto che non sarei andato».

«Tu che cosa proponi?»

«Che ne dici di andare in giro per Wilmington?»

«Sì, si può fare.» Ma non sembrava del tutto convinta.

«Avevi in mente qualcos'altro, forse?»

«E se ce ne restassimo qui, per oggi?»

«A fare che cosa?»

«Un paio di idee ce le avrei», rispose lei abbracciandolo. «Sempre che per te non sia un problema, ovviamente.»

«No», rispose lui con un sogghigno. «Non ho problemi di questo genere.»

Per i quattro giorni successivi, Theresa e Garrett furono inseparabili. Garrett lasciò la gestione del negozio nelle mani di Ian, permettendogli addirittura di tenere al suo posto i corsi di immersione subacquea del sabato, cosa mai accaduta prima. Garrett e Theresa uscirono in barca due volte; la seconda rimasero fuori tutta la notte, sdraiati insieme in cabina e cullati dolcemente dalle lunghe onde dell'Atlantico. Quella sera lei gli chiese di raccontarle altre avventure di marinai del passato, e rimase ad accarezzargli i capelli mentre la sua voce risuonava all'interno dello scafo.

Ciò che Theresa non seppe fu che Garrett, dopo che lei si fu addormentata, la lasciò come la prima notte e uscì a passeggiare da solo in coperta. Pensò a Theresa addormentata in cabina e al fatto che di lì a qualche giorno se ne sarebbe andata; questo gli fece tornare in mente un ricordo di parecchi anni prima.

***

«Secondo me non dovresti andare», disse Garrett, guardando Catherine con aria preoccupata.

Lei era accanto alla porta d'ingresso, con la valigia accanto ai piedi, stizzita per le sue parole. «Andiamo, Garrett, ne abbiamo già parlato. Starò via solo qualche giorno.»

«È un po' di tempo che non sei più tu.»

Catherine trattenne a fatica un gesto d'impazienza. «Quante volte ti devo ripetere che sto bene? Mia sorella ha bisogno di me... sai anche tu com'è fatta. È preoccupata per le nozze, e la mamma non è di grande aiuto.»

«Ma anch'io ho bisogno di te.»

«Garrett... il fatto che tu stia tutto il giorno in negozio non significa che anch'io debba rimanere sempre qui. Non siamo mica gemelli siamesi.»

Garrett fece involontariamente un passo indietro, come se Catherine l'avesse schiaffeggiato. «Non volevo dire questo. Solo che non sono sicuro che tu faccia bene ad andare, visto come ti senti.»

«Tu non vuoi mai che vada da nessuna parte.»

«Che cosa ci posso fare se mi manchi quando non ci sei?»

La sua espressione si addolcì leggermente. «Anche se vado via, Garrett, sai che tornerò sempre.»

Quando il ricordo svanì, Garrett tornò in cabina e vide Theresa distesa sotto il lenzuolo. Si coricò silenziosamente accanto a lei e la strinse forte.

***

Il giorno successivo lo passarono in spiaggia, seduti presso il pontile dove erano andati a pranzo la prima volta. Theresa si scottò con i raggi del primo mattino, e Garrett andò a comprarle una lozione solare in uno dei negozi nei pressi della spiaggia. Con la più grande premura, come se fosse una bambina, gliela spalmò sulla schiena in modo che la pelle l'assorbisse. Tuttavia, anche se non voleva crederci, Theresa intuiva che in certi momenti la sua mente vagava altrove. Poi, all'improvviso, quei momenti passavano e a lei veniva il dubbio di essersi sbagliata.

Pranzarono di nuovo da *Hank's*, tenendosi per mano e guardandosi negli occhi. Parlarono a bassa voce, senza prestare attenzione né al frastuono che li circondava, né all'arrivo del conto né all'andirivieni dell'ora di punta.

Theresa lo osservava attentamente, chiedendosi se anche con Catherine fosse sensibile come con lei. Quando stavano insieme, aveva l'impressione che Garrett le leggesse nel pensiero: se desiderava che le prendesse la mano, lui gliela stringeva prima ancora che aprisse bocca; se voleva parlare un po' senza essere interrotta, lui ascoltava in silenzio; se voleva sapere che cosa provasse per lei in quel momento particolare, la sua espressione glielo manifestava senza equivoci. Nessuno, neppure David, l'aveva mai capita così a fondo; eppure, da quanto tempo lo conosceva? Pochi giorni. Com'era possibile, allora? Di notte cercava una risposta mentre lui giaceva addormentato accanto a lei, e la trovava sempre nelle lettere da cui tutto era iniziato. Quanto più conosceva Garrett, tanto più si convinceva che era stato il destino a farle trovare i suoi messaggi, come se una forza sconosciuta li avesse indirizzati verso di lei nell'intento di farli incontrare.

Sabato sera Garrett preparò di nuovo la cena. Mangiarono in veranda, sotto le stelle. Dopo avere fatto all'amore rimasero abbracciati sul letto. Entrambi sapevano che Theresa sarebbe tornata a Boston il giorno dopo. Era un argomento che fino a quel momento avevano evitato.

«Ti rivedrò?» gli chiese Theresa.

Lui era silenzioso, persino troppo. «Spero di sì», disse infine.

«Lo vuoi?»

«Certo.» Garrett si mise a sedere, staccandosi lievemente. Dopo un attimo si alzò anche lei e accese la luce del comodino.

«Che c'è, Garrett?»

«Non voglio che finisca», rispose lui a occhi bassi. «Non voglio che finisca tra noi, non voglio che finisca questa settimana. Sei piombata nella mia vita, me l'hai messa sottosopra e adesso te ne vai.»

Theresa gli prese la mano e disse con tenerezza: «Oh, Garrett, nemmeno io voglio che finisca. È stata una delle settimane più belle della mia vita. Mi sembra di conoscerti da sempre. Possiamo fare in modo che funzioni, se ci proviamo. Posso venire a trovarti io, oppure potresti venire tu a Boston. In ogni caso, possiamo provarci, no?»

«Quanto potrò vederti? Una volta al mese? Meno?»

«Non lo so. Dipende da noi, credo, e da ciò che siamo disposti a fare. Se tutti e due siamo pronti a impegnarci, possiamo riuscirci.»

Garrett rimase a lungo in silenzio. «Tu pensi davvero che sia possibile, se ci vedremo così poco? Quando potrò riabbracciarti? Quando potrò rivedere il tuo viso? Se staremo insieme solo di rado, non riusciremo a fare le cose di cui abbiamo bisogno per continuare a... a volerci bene. Ogni volta che ci vedremo, sapremo che è solo per qualche giorno. Non ci sarebbe tempo per fare maturare niente.»

Erano parole dolorose, in parte perché erano vere, in parte perché sembrava che Garrett volesse troncare lì la loro relazione. Quando infine lui la guardò con un sorriso mesto sulle labbra, Theresa non sapeva che cosa dire. Gli lasciò la mano, confusa.

«Ma allora non vuoi neppure tentare? È questo che stai dicendo? Vuoi dimenticare quello che è successo e basta...»

Lui scosse la testa. «No, non voglio dimenticare. Non posso. Non lo so... vorrei solo poterti vederti più spesso.»

«Anch'io. Ma non possiamo, quindi non ci resta che sfruttare al meglio quello che abbiamo. Okay?»

Garrett scosse il capo in un gesto che sapeva quasi di rinuncia. «Non lo so...»

Theresa lo guardò attentamente, avvertendo la presenza di qualcos'altro.

«Garrett, che cosa c'è che non va?»

Non ottenendo risposta, proseguì: «C'è un motivo particolare per cui non vuoi tentare?»

Garrett rimase zitto. E nel successivo silenzio si voltò a guardare la fotografia di Catherine sul comodino.

«Com'è andato il viaggio?» Garrett prese la valigia di Catherine dal sedile posteriore mentre lei scendeva dall'auto. Catherine sorrise, ma si vedeva che era stanca.

«Bene, ma mia sorella è a pezzi. Vuole che sia tutto perfetto, mentre abbiamo scoperto che Nancy è incinta e il suo vestito da damigella non le va più.»

«E allora? Se lo faccia allargare.»

«È quello che ho detto anch'io, ma sai com'è lei. Di ogni piccolo contrattempo fa una tragedia.»

Catherine si mise le mani sui fianchi e inarcò la schiena con una piccola smorfia.

«Tutto bene?»

«Sono solo un po' anchilosata. Dai miei ero perennemente stanca e ho avuto anche un po' di mal di schiena.»

Si diresse verso la porta, seguita da Garrett.

«Catherine, volevo dirti che mi spiace di come mi sono comportato quando sei partita. Sono contento che tu sia andata, ma sono ancora più felice che tu sia tornata.»

«Garrett, parlami.»

Theresa lo guardò, in ansia. Alla fine lui si decise.

«Theresa... è così difficile per me. Quello che ho passato...»

Lasciò la frase a metà, e di colpo Theresa comprese a che cosa si riferisse. Si sentì un nodo allo stomaco.

«È per via di Catherine? È lei la causa di tutto?»

«No, è solo che...» Garrett tacque, e con chiarezza assoluta, sconvolgente, Theresa seppe di avere indovinato.

«È lei, vero? Non vuoi nemmeno che facciamo un tentativo... a causa di Catherine.»

«Non capisci.»

Suo malgrado, Theresa provò una vampa di collera. «Eccome se capisco. Sei riuscito a stare con me questa settimana solo perché sapevi che me ne sarei andata. E poi, una volta partita, te ne saresti potuto tornare come prima. Sono stata solo un'avventura, eh?»

Garrett scosse il capo. «No. Non sei stata un'avventura. Io ti voglio veramente bene...»

Lei lo fissò duramente. «Ma non abbastanza neppure per tentare di vedere se funziona.»

Garrett la guardò con aria addolorata. «Non fare così...»

«Che cosa dovrei fare? Essere comprensiva? Vuoi che ti dica: 'Ma certo, Garrett, finiamola qui, perché è difficile e non riusciremo a vederci molto spesso. Capisco. È stato bello conoscerti'? È questo che vuoi sentirti dire?»

«No, non è questo.»

«E allora che cosa vuoi? Ti ho già detto che sono pronta a tentare... ti ho già detto che mi piacerebbe...»

Garrett scosse il capo, incapace di reggere il suo sguardo. Theresa si sentì salire le lacrime agli occhi.

«Ascolta, Garrett, lo so che hai perso tua moglie. Lo so che hai sofferto terribilmente per questo. Ma adesso ti comporti come un martire. Hai tutta la vita davanti. Non sprecarla continuando a vivere nel passato.»

«Non vivo nel passato», replicò lui, sulla difensiva.

Theresa lottò per cacciare indietro le lacrime. La sua voce si addolcì. «Garrett... io non ho perso una moglie, ma ho perso una persona cui volevo molto bene. So tutto del dolore e della sofferenza. Ma se devo essere sincera, sono stanca di restare sempre sola. Sono passati tre anni, come per te, e sono stanca. Adesso sono pronta a ricominciare a vivere e a cercarmi una persona speciale con cui stare. Dovresti farlo anche tu.»

«Lo so. Credi che non lo sappia?»

«In questo momento non ne sono tanto sicura. Ci è capitata una cosa meravigliosa e non voglio che vada sprecata.»

Lui rimase a lungo in silenzio.

«Hai ragione», disse poi, lottando con le parole. «Razionalmente so che hai ragione. Ma nel mio cuore... non lo so.»

«E al mio cuore, non ci pensi?»

Il modo in cui lo guardò gli causò un nodo in gola.

«Certo che ci penso. Più di quanto tu creda.» Quando fece per prenderle la mano lei si ritrasse, e allora si rese conto di quanto l'avesse ferita. Dolcemente, cercando di controllare le proprie emozioni, disse: «Theresa, mi spiace di averti messo... di averci messo... in questo stato d'animo proprio la nostra ultima notte. Non era mia intenzione. Credimi, per me non sei una semplice avventura. Dio, tutt'altro. Ti ho detto che ti voglio bene e lo penso sul serio».

Aprì le braccia, implorandola con gli occhi di avvicinarsi. Theresa ebbe un momento di esitazione, poi si appoggiò finalmente a lui, combattuta fra una miriade di sensazioni contrastanti. Affondò il viso nel suo petto, perché non voleva vedere la sua espressione. Lui le baciò i capelli, parlando sottovoce.

«Ti voglio bene. Te ne voglio tanto da spaventarmi. Era molto tempo che non provavo nulla di simile; mi ero quasi dimenticato di quanto possa essere importante avere un'altra persona. Non credo di poterti lasciar andare e dimenticare, e non lo voglio fare. E di sicuro non voglio che la nostra storia finisca qui.» Per un attimo si udì soltanto il suono sommesso del suo respiro. Alla fine mormorò: «Ti prometto che farò tutto il possibile per vederti. E cercheremo di far funzionare le cose».

La sua tenerezza la fece piangere. Garrett proseguì, con un filo di voce quasi impercettibile: «Theresa, credo di essermi innamorato di te».

Credo di essermi innamorato di te, riecheggiò di nuovo nelle sue orecchie. *Credo...*

Credo...

Incapace di rispondere, Theresa mormorò soltanto: «Abbracciami e basta, okay? Non parliamone più».

***

Fecero all'amore alle prime luci dell'alba e si tennero stretti finché il sole fu abbastanza alto da far capire che per Theresa era giunto il momento di prepararsi. Sebbene non avesse trascorso molto tempo in albergo e avesse trasferito la valigia da Garrett, Theresa non aveva disdetto la stanza, nel caso che Kevin o Deanna avessero telefonato.

Fecero la doccia insieme e, dopo essersi vestiti, Garrett preparò la colazione e Theresa finì i bagagli. Mentre chiudeva la valigia, udì uno sfrigolio proveniente dalla cucina, e il profumo della pancetta si diffuse per la casa. Si asciugò i capelli, si truccò leggermente e andò di là.

Garrett era seduto al tavolo e stava bevendo una tazza di caffè. Vedendola entrare, le strizzò l'occhio. Sul bancone c'era una tazza accanto alla caffettiera e Theresa si servì. La colazione era già apparecchiata: uova strapazzate, pancetta e pane tostato. Theresa prese posto sulla sedia più vicina a Garrett.

«Non sapevo che cosa volevi per colazione», disse lui, indicando la tavola.

«Scusa, Garrett, non ho fame.»

«Non fa niente», sorrise lui. «Nemmeno io.»

Theresa si alzò e andò a sedersi sulle sue ginocchia. Lo avvolse con le braccia e gli affondò la testa nel collo. Lui la strinse forte, accarezzandole i capelli.

Alla fine Theresa si staccò. Le ore trascorse al sole le avevano lasciato un po' di abbronzatura. Con i calzoncini di jeans e la camicetta bianca sembrava un'adolescente spensierata. Per un momento si guardò i fiorellini ricamati sui sandali. La valigia e la borsa erano in attesa vicino alla porta della camera da letto.

«Il mio aereo parte tra poco, e devo ancora pagare il conto dell'albergo e riconsegnare la macchina», disse.

«Sei sicura di non volere che ti accompagni?».

Lei annuì, mordendosi le labbra. «Sì, dovrò già fare tutto di corsa, e poi saresti costretto a seguirmi con il furgone. Meglio salutarci qui.»

«Ti telefono stasera.»

Lei sorrise. «Ci conto.»

Gli occhi le si riempirono di lacrime, e Garrett la strinse a sé.

«Mi mancherai», disse, mentre Theresa scoppiava in lacrime. Gliele asciugò con una lieve carezza delle dita.

«E a me mancheranno le tue cenette», bisbigliò lei, sentendosi sciocca.

Garrett rise per spezzare la tensione. «Non essere triste. Ci rivedremo tra un paio di settimane, no?»

«Sempre che tu non ci ripensi.»

«Conterò i giorni», sorrise lui. «E la prossima volta porterai anche Kevin, vero?»

Lei annuì.

«Bene, non vedo l'ora di conoscerlo. Per poco che ti assomigli, sono sicuro che andremo d'accordo.»

«Ne sono sicura anch'io.»

«E fino a quel momento, ti penserò in continuazione.»

«Davvero?»

«Certamente. Ho già incominciato.»

«Solo perché ti sto sulle ginocchia.»

Lui rise di nuovo, e Theresa sorrise fra le lacrime. Poi si alzò e si asciugò le guance. Garrett prese la valigia ed entrambi uscirono di casa. Fuori il sole era già alto e la temperatura saliva rapidamente. Theresa tirò fuori gli occhiali da sole dalla borsa e li tenne in mano mentre raggiungevano la macchina.

Aprì il portabagagli, e Garrett vi sistemò la valigia. Poi,

stringendola tra le braccia, la baciò teneramente; infine si staccò da lei. Dopo averle aperto la portiera, l'aiutò a salire e Theresa infilò la chiave nell'accensione.

Rimasero a guardarsi con la portiera aperta, finché lei non mise in moto.

«Devo andare, altrimenti perdo l'aereo.»

«Lo so.»

Lui si staccò dalla macchina e richiuse la portiera. Theresa abbassò il finestrino e sporse fuori la mano. Garrett gliela strinse per un attimo soltanto. Poi Theresa ingranò la retromarcia.

«Mi telefoni stasera?»

«Promesso.»

Theresa ritrasse la mano, sorridendogli, poi lentamente si staccò dal marciapiede. Garrett la vide agitare il braccio in un ultimo cenno di saluto prima di allontanarsi, e si chiese come diavolo avrebbe fatto a passare le due prossime settimane.

Nonostante il traffico, Theresa raggiunse in fretta l'albergo e pagò il conto. C'erano tre messaggi di Deanna, in apparenza l'uno più disperato dell'altro. «Che cosa succede laggiù? Com'è andato l'appuntamento?» diceva il primo. «Perché non hai chiamato? Voglio sapere tutto», intimava il secondo. Il terzo era un grido di angoscia: «Vuoi farmi morire! Telefonami subito i particolari, per carità!» C'era anche un messaggio di Kevin, che lei aveva chiamato un paio di volte da casa di Garrett; sembrava risalire almeno a un paio di giorni prima.

Restituì la macchina al noleggio e arrivò in aeroporto con meno di mezz'ora d'anticipo. Per fortuna la fila del check in era breve, e Theresa arrivò alla porta proprio mentre imbarcavano i passeggeri. Salì e si accomodò. Il volo per Charlotte non era completo e il sedile accanto a lei era vuoto.

Theresa chiuse gli occhi, ripensando agli straordinari avvenimenti della settimana. Non solo aveva trovato Garrett, ma aveva finito con il conoscerlo meglio di quanto avrebbe mai creduto possibile. Quell'uomo aveva suscitato sentimenti profondi dentro di lei, sentimenti che credeva sepolti da tempo.

Ma lo amava?

Affrontò la domanda con circospezione, intimorita dalle conseguenze che poteva comportare ammettere una cosa del genere.

Riesaminò mentalmente il loro colloquio dell'ultima notte. La sua paura di staccarsi dal passato, il suo timore di non poterla vedere quanto avrebbe desiderato. Tutte cose che capiva perfettamente. Ma...

Credo di essermi innamorato di te.

Theresa si accigliò. Perché «credo»? O era innamorato o non lo era... Non lo era? L'aveva detto solo per farla contenta? Oppure c'era un altro motivo?

Credo di essermi innamorato di te.

Mentalmente, lo udì ripetere più e più volte quelle parole, e nella sua voce le parve di scorgere una punta di... di che cosa? Ambiguità? Con il senno di poi, avrebbe quasi preferito che non le avesse pronunciate. Almeno adesso non sarebbe stata lì a scervellarsi sul loro esatto significato.

E lei? Amava Garrett?

Chiuse stancamente gli occhi, di colpo restia ad affrontare le proprie emozioni contrastanti. Di una cosa, però, era certa: non gli avrebbe mai detto di amarlo finché non avesse avuto la certezza che Garrett era in grado di gettarsi alle spalle Catherine.

Quella notte Garrett sognò che era scoppiato un violento temporale. La pioggia sferzava un lato della casa, e lui correva affannosamente da una stanza all'altra. Era la casa in cui viveva adesso, e pur conoscendola benissimo, la pioggia battente che entrava dalle finestre aperte gli impediva di vedere. Sapendo di doverle chiudere, corse in camera e si ritrovò intrappolato fra le tende sollevate dal vento. Divincolandosi con furia, raggiunse la finestra proprio nel momento in cui la luce andava via. La camera piombò nell'oscurità. Nel frastuono della pioggia gli giunse l'ululato di una sirena che in lontananza annunciava l'imminente arrivo di un uragano. Mentre lottava con la finestra, il cielo fu illuminato da un lampo. I vetri non volevano chiudersi. La pioggia continuava a irrompere a scrosci, bagnandogli le mani e impedendogli di esercitare la forza necessaria.

Sopra di lui, il tetto prese a scricchiolare per la violenza della tempesta.

Garrett continuò a lottare con la finestra, ma era bloccata e non si muoveva. Abbandonando l'impresa, provò con quella accanto. Bloccata anche quella.

Dall'alto sentì il rumore delle tegole spazzate via dal tetto, poi uno schianto di vetri infranti.

Si voltò e corse in soggiorno. La finestra era esplosa verso l'interno, disseminando il pavimento di schegge di vetro. La pioggia entrava lateralmente e il vento era spaventoso. La porta d'ingresso tremava fra gli stipiti.

Fuori della finestra Garrett udì la voce di Theresa che lo chiamava.

«Garrett, devi uscire!»

In quel momento anche le finestre della camera da letto volarono in frantumi. Ingolfandosi dentro la casa, il vento incominciò ad aprire una fenditura nel soffitto. L'edificio non avrebbe resistito a lungo.

Catherine.

Doveva recuperare la sua foto e gli altri oggetti che teneva nel tavolino accanto al divano.

«Garrett! Non c'è più tempo!» gridò di nuovo Theresa.

Nonostante la pioggia e l'oscurità riusciva a vederla fuori, mentre gli faceva segno di seguirla.

La fotografia. L'anello. I biglietti di San Valentino.

«Presto!» continuava a gridare Theresa, agitando affannosamente le braccia.

Con un boato, il tetto si separò dalla struttura della casa, e il vento incominciò a farlo a pezzi. Istintivamente Garrett alzò le braccia sopra la testa, proprio nel momento in cui una porzione di soffitto gli crollava addosso.

Pochi istanti ancora, e tutto sarebbe stato perduto.

Incurante del pericolo, si lanciò verso la camera da letto. Non poteva andarsene senza quegli oggetti.

«Puoi ancora farcela!»

Qualcosa nel grido di Theresa lo bloccò. Guardò verso di lei, poi verso la camera, paralizzato.

Altri pezzi di soffitto gli cadevano intorno. Con uno scricchiolio secco, sinistro, il tetto andava sbriciolandosi.

Garrett fece ancora un passo verso la camera, e vide che Theresa smetteva di agitare le braccia. Come se d'un tratto avesse rinunciato.

Il vento turbinava nella stanza con un ululato soprannaturale, che pareva trapassare anche lui. C'erano mobili sparsi ovunque, che gli bloccavano il cammino.

«Garrett! Ti prego!» gridò Theresa.

La sua voce lo arrestò un'altra volta, e in quel momento Garrett si rese conto che se avesse cercato di salvare le cose del passato avrebbe rischiato di non farcela.

Ne valeva la pena?

La risposta era ovvia.

Garrett abbandonò l'impresa e corse verso lo squarcio nel muro dove un tempo c'era stata la finestra. Con il pugno lo liberò dalle schegge di vetro e uscì sulla veranda proprio nell'attimo in cui la casa veniva scoperchiata completamente. Le pareti incominciarono a inclinarsi, poi crollarono su se stesse con uno schianto assordante.

Garrett cercò Theresa per assicurarsi che stesse bene, ma stranamente non riuscì più a vederla.

10

Era mattina presto e Theresa dormiva profondamente quando fu repentinamente destata dallo squillo del telefono. Annaspando per afferrare il ricevitore, riconobbe all'istante la voce di Garrett.

«Sei arrivata bene a casa?»

«Sì», rispose lei assonnata. «Che ore sono?»

«Le sei e qualcosa. Ti ho svegliata?»

«Sì. Ieri sera sono rimasta alzata fino a tardi aspettando la tua telefonata. Incominciavo a temere che ti fossi dimenticato la promessa.»

«Non me ne sono dimenticato. Pensavo solo che avessi bisogno di un po' di tranquillità per sistemarti.»

«Ma eri sicuro che sarei stata sveglia all'alba, vero?»

Garrett rise. «Scusami. Com'è andato il volo? Come stai?»

«Bene. Stanca, ma sto bene.»

«Allora presumo che i ritmi della grande città ti abbiano già di nuovo sfinita.»

Questa volta fu lei a ridere, e Garrett si fece serio. «Ehi, voglio dirti una cosa.»

«Che cosa?»

«Mi manchi.»
«Sul serio?»
«Sì. Ieri sono andato a lavorare anche se il negozio era chiuso, per portarmi un po' avanti con le scartoffie, ma non ho concluso molto perché continuavo a pensare a te.»
«Mi fa piacere sentirlo.»
«Pura verità. Non so come riuscirò a combinare qualcosa nelle prossime due settimane.»
«Oh, ce la farai.»
«Forse non riuscirò nemmeno a dormire di notte.»
Theresa rise, sapendo che scherzava. «Adesso non farla tanto tragica. Non mi piacciono i tipi troppo dipendenti, sai. Voglio che i miei uomini siano veri uomini.»
«Allora cercherò di stringere i denti.»
Lei rimase zitta un attimo. «Dove sei adesso?»
«Seduto in veranda a guardare l'alba. Perché?»
Theresa pensò allo spettacolo che si stava perdendo. «È bello?»
«Come sempre, ma stamattina non me lo godo come al solito.»
«Perché no?»
«Perché non sei qui a godertelo con me.»
Theresa tornò a sdraiarsi, mettendosi comoda. «Anche tu mi manchi.»
«Lo spero bene. Non sopporterei di essere l'unico a sentirmi così.»
Lei sorrise stringendo il telefono con una mano e attorcigliandosi distrattamente una ciocca di capelli con l'altra, finché venti minuti dopo si salutarono con grande riluttanza e riattaccarono.

***

Arrivando in ufficio più tardi del solito, Theresa avvertì finalmente tutti gli effetti della sua vorticosa avventura. Non aveva dormito molto, e quando si era guardata allo specchio dopo avere parlato con Garrett, si era vista invecchiata di almeno dieci anni. Come sempre, il primo luogo dove si recò appena arrivata fu il distributore, per prendere una tazza di caffè; quella mattina ci aggiunse una seconda bustina di zucchero, per darsi più carica.

«Oh, ciao, Theresa», disse allegramente Deanna entrando dopo di lei. «Pensavo che non saresti più arrivata. Muoio dalla voglia di sapere quello che ti è successo.»

«Buongiorno», borbottò Theresa mescolando il caffè. «Scusa per il ritardo.»

«Mi basta che tu sia arrivata. Ieri sera stavo per venire a trovarti, ma non sapevo a che ora avessi il volo.»

«Mi spiace di non averti chiamata, ma questa settimana mi ha spossata», rispose Theresa.

Deanna si appoggiò al tavolo. «Be', non mi sorprende. Ho già tirato le mie conclusioni.»

«Che cosa vuoi dire?»

A Deanna brillavano gli occhi. «Presumo che tu non abbia ancora visto la tua scrivania.»

«No, sono appena arrivata. Perché?»

«Devi avere fatto una gran buona impressione», replicò Deanna inarcando le sopracciglia.

«Ma che cosa stai dicendo?»

«Vieni con me», disse Deanna con un risolino di complicità, accompagnandola in redazione. Quando Theresa vide la sua scrivania rimase senza fiato. Accanto alla posta accumulatasi durante la sua assenza c'era un mazzo di rose sistemate con gusto in un grande vaso di vetro.

«Sono arrivate stamattina presto. Il fattorino era un po'

stupito che non fossi qui a riceverle, ma io ho fatto finta di niente e gli ho detto che erano per me. Allora sì che l'ho visto sbigottito.»

Quasi senza ascoltarla, Theresa prese il biglietto appoggiato al vaso e lo aprì subito. Deanna si piazzò alle sue spalle e allungò il collo. Il biglietto diceva:

Alla donna più bella ch'io conosca.
Adesso che sono di nuovo solo, nulla è più come prima.
Il cielo è più grigio, l'oceano più minaccioso.
Farai tornare ogni cosa al suo posto?
L'unico modo di farlo è tornare da me.
Mi manchi,

Garrett

Theresa sorrise e rimise il biglietto nella busta, chinandosi ad aspirare il profumo delle rose.

«Dev'essere stata una settimana memorabile», disse Deanna.

«Infatti», rispose Theresa.

«Non vedo l'ora di sapere tutto... fino all'ultimo particolare piccante!»

Theresa si guardò intorno nella redazione, dove tutti la sbirciavano sottecchi. «Penso che sia meglio parlare più tardi, da sole. Non mi va che tutto l'ufficio si metta a spettegolare su di me.»

«Lo stanno già facendo, cara. Era molto tempo che non arrivavano dei fiori. Ma non c'è problema, parleremo più tardi.»

«Hai mica detto chi me li ha mandati?»

«No, naturalmente. A essere sincera, mi piace tenerli sulla corda.» Ammiccò, dopo un'occhiata circolare all'ufficio. «Senti, Theresa, ho del lavoro da sbrigare. Che ne dici di pranzare insieme? Così potremo parlare.»

«Certo. Dove?»

«Ti va il *Mikuni*? Scommetto che non hai trovato molto *sushi* a Wilmington.»

«Perfetto. Deanna... grazie per avere mantenuto il segreto.»

«Di nulla.»

Deanna le diede una pacca affettuosa sulla spalla e tornò nel suo ufficio. Theresa si chinò sulla scrivania e assaporò ancora una volta il profumo delle rose prima di spostare il vaso in un angolo. Incominciò a esaminare la posta, fingendo di non fare caso ai fiori, finché la redazione non sprofondò di nuovo nel suo caos abituale. Assicuratasi che nessuno badasse a lei, prese il telefono e compose il numero del negozio di Garrett.

Le rispose Ian. «Un attimo, credo che sia in ufficio. Chi parla, per favore?»

«Gli dica che vorrei prenotare delle lezioni fra due settimane.» Cercò di apparire più distaccata possibile, perché non sapeva se Ian fosse al corrente della loro storia.

Ian la mise in attesa. Poi, dopo qualche momento di silenzio, la comunicazione venne presa da Garrett.

«Pronto, desidera?» domandò, con una voce leggermente stanca.

Theresa disse soltanto: «Non avresti dovuto, ma sono contenta che tu l'abbia fatto».

Lui riconobbe la voce, e il suo tono si fece più vivace. «Ciao, sei tu. Mi fa piacere che ti siano arrivate. Sono belle?»

«Magnifiche. Come facevi a sapere che adoro le rose?»

«Non lo sapevo, ma non ho mai sentito di nessuna donna cui non piacessero.»

Theresa sorrise. «Allora vuol dire che mandi mazzi di rose a molte donne?»

«A milioni. Ho un sacco di ammiratrici. Gli istruttori di sub sono quasi come gli attori, sai.»

«Davvero?»

«Non dirmi che non lo sapevi. E io che credevo di avere trovato un'altra della banda.»

«Grazie tante», rise lei.

«Di niente. Qualcuno ti ha chiesto da dove arrivano?»

«Si capisce.»

«Spero che tu abbia parlato bene di me.»

«Infatti. Ho detto che hai sessantotto anni, che sei grasso e balbuziente al punto che è quasi impossibile capirti quando parli. Ma visto che mi facevi pietà ti ho accontentato e sono uscita a pranzo con te. E adesso, che iella, mi perseguiti.»

«Ehi, vacci piano», rispose Garrett. Fece una pausa. «Bene... spero che le rose ti ricordino che ti penso.»

«Chissà», sussurrò lei, timida.

«Be', sappi che io ti penso e non voglio che te ne dimentichi.»

Theresa guardò le rose. «Lo stesso vale per me», disse piano.

Dopo avere riattaccato, rimase un attimo immobile, quindi prese nuovamente il biglietto. Lo lesse un'altra volta, ma per prudenza, invece di rimetterlo vicino ai fiori, lo infilò nella borsa. Conoscendo quella marmaglia, era sicura che qualcuno avrebbe cercato di leggerlo di nascosto.

«Allora, che tipo è?»

Deanna era seduta davanti a Theresa al tavolo del ristorante. Theresa le porse le fotografie scattate durante la settimana di vacanza.

«Non so da dove incominciare.»

Osservando una foto di Garrett e Theresa sulla spiaggia, Deanna disse, senza alzare gli occhi: «Incomincia dall'inizio. Non voglio perdermi niente».

Dato che le aveva già spiegato come avesse incontrato Garrett sul molo, Theresa riprese la narrazione dalla serata in barca. Le raccontò come avesse dimenticato di proposito la giacca a bordo per avere una scusa per rivederlo (al che Deanna esclamò: «Fantastico!»), passando poi al pranzo del giorno seguente e infine alla cena. Riassumendo i quattro giorni che avevano trascorso insieme, tralasciò ben poco, mentre Deanna l'ascoltava rapita.

«A quanto pare è stata una vacanza stupenda», commentò infine quest'ultima, sorridendo come una madre orgogliosa della prole.

«Infatti. È stata una delle settimane più belle della mia vita. Solo che...»

«Solo che...?»

Le occorse qualche istante per rispondere. «Ecco, alla fine Garrett ha detto una cosa che mi ha lasciato qualche dubbio sul futuro di questa storia.»

«Che cosa ha detto?»

«Non è tanto quello che ha detto, ma il come l'ha detto. Non sembrava sicuro di volermi rivedere.»

«Mi sembrava di avere capito che volessi tornare a Wilmington tra un paio di settimane.»

«Infatti.»

«Allora qual è il problema?»

Theresa esitò, cercando di raccogliere le idee. «Ecco, Garrett è ancora alle prese con il ricordo di Catherine e...

non sono affatto sicura che riuscirà a togliersela dalla mente.»

D'un tratto Deanna scoppiò a ridere.

«Che cosa c'è di tanto divertente?» domandò stupefatta Theresa.

«Tu, Theresa. Che cosa ti aspettavi? Sapevi che stava ancora lottando con Catherine prima di conoscerlo. Ricordati che in principio è stato proprio il suo amore 'eterno' a sembrarti tanto affascinante. Credevi che potesse dimenticare del tutto Catherine in pochi giorni, solo perché vi siete trovati bene insieme?»

Theresa la guardò imbarazzata, e Deanna rise di nuovo.

«Ho colpito nel segno, eh? Era proprio quello che credevi?»

«Deanna, tu non c'eri... Non hai idea di come fosse perfetto il nostro idillio fino all'ultima notte.»

La voce di Deanna si addolcì. «Theresa, so che una parte di te è convinta di poter cambiare le persone, ma la realtà è diversa. Tu puoi cambiare te stessa e Garrett può cambiare se stesso, ma non puoi farlo tu al posto suo.»

«Lo so...»

«E invece no», la interruppe Deanna con garbo. «Oppure non vuoi rendertene conto. Come si dice, la tua capacità di discernimento è offuscata.»

Theresa rifletté per un attimo su quelle parole.

«Esaminiamo obiettivamente quanto è successo con Garrett, d'accordo?» chiese Deanna, e Theresa annuì.

«Tu sapevi qualcosa di lui, ma lui non ti conosceva affatto. Però è stato lui a invitarti in barca. Dunque tra voi dev'essere scattato qualcosa fin dal primo istante. Poi l'hai rivisto quando sei andata a riprendere la giacca a vento, e lui ti ha invitata a pranzo. Ti ha parlato di Catherine e ti ha chiesto se volevi cenare a casa sua. Dopodiché avete trascorso quattro meravigliosi giorni insieme, cercando di conoscervi e di imparare a volervi bene. Se prima di partire mi avessi detto che sarebbe successo tutto questo, non l'avrei ritenuto possibile. Ma è andata così, questo è il punto. E adesso avete intenzione di continuare a vedervi. A me pare che il successo sia a dire poco strepitoso.»

«Allora secondo te non dovrei preoccuparmi se non riesce a liberarsi del pensiero di Catherine?»

Deanna scosse il capo. «Non proprio. Però, insomma, fai un passo alla volta. Avete trascorso pochi giorni insieme... non sono abbastanza per prendere una decisione di questa importanza. Se fossi in te, starei a vedere come vanno le cose nelle prossime settimane e, quando vi rivedrete, dovresti saperne molto più di adesso.»

«Ne sei convinta?» Theresa gettò all'amica uno sguardo accorato.

«Ho avuto ragione o no a forzarti la mano per farti andare laggiù?»

Mentre Theresa e Deanna erano a pranzo, Garrett stava lavorando in ufficio dietro un cumulo di scartoffie. La porta si aprì ed entrò Jeb Blake. Dopo essersi accertato che il figlio fosse solo, il vecchio si chiuse la porta alle spalle. Sedutosi di fronte a Garrett, tirò fuori di tasca tabacco e cartine e incominciò ad arrotolarsi una sigaretta.

«Avanti, avanti, siediti pure. Come vedi non ho molto da fare.» Garrett indicò la pila di carte.

Jeb sorrise e continuò ad arrotolare. «Ho telefonato un paio di volte in negozio e mi hanno detto che non sei venuto per tutta la settimana. Che cosa stai combinando?»

Appoggiandosi allo schienale, Garrett fissò suo padre. «Sono sicuro che sai già la risposta, e probabilmente sei venuto proprio per questo.»

«Sei stato tutto il tempo con Theresa?»

«Sì.»

Continuando ad arrotolarsi una sigaretta, Jeb chiese con noncuranza: «E che cosa avete fatto?»

«Siamo andati in barca, abbiamo passeggiato sulla spiaggia, abbiamo parlato... sai com'è, abbiamo approfondito la conoscenza.»

Jeb si infilò la sigaretta in bocca. Tirò fuori uno Zippo dal taschino della camicia e l'accese inalando a fondo. Soffiando fuori il fumo, rivolse al figlio un ghigno sornione.

«Hai cucinato le bistecche come ti ho insegnato io?»

Garrett ammiccò. «Certo.»

«È rimasta colpita?»

«Molto.»

Jeb annuì e aspirò un'altra boccata. L'aria nell'ufficio cominciò a farsi pesante.

«Bene, questo significa che almeno una buona qualità ce l'ha.»

«Ne ha più di una, papà.»

«Ti piace, vero?»

«Molto.»

«Anche se non la conosci ancora bene?»

«Mi sembra di sapere tutto di lei.»

Jeb annuì senza dire niente. Dopo un momento domandò: «La rivedrai?»

«Tornerà tra un paio di settimane con il figlio.»

Jeb osservò il figlio attentamente. Poi, alzandosi, si avviò alla porta. Prima di aprirla si girò e disse: «Garrett, posso darti un consiglio?»

Sorpreso dall'improvviso gesto del padre, Garrett rispose: «Certo».

«Se ti piace, se ti rende felice e se ti sembra di conoscerla... non lasciartela scappare.»

«Perché mi dici questo?»

Jeb lo fissò dritto negli occhi e aspirò un'altra boccata. «Perché se ti conosco, sarai tu a troncare questa storia e io sono qui per cercare di impedirtelo.»

«Ma che cosa vuoi dire?»

«Lo sai benissimo», ribatté piano suo padre. Si girò, aprì la porta e uscì senza aggiungere altro.

Quella sera, non riuscendo a togliersi dalla testa le parole di suo padre, Garrett stentava a prendere sonno. Si alzò dal letto e andò in cucina, sapendo che cosa doveva fare. Nel cassetto trovò la carta da lettere che usava tutte le volte che si sentiva confuso, e si sedette al tavolo sperando di riuscire a tradurre in parole i propri pensieri.

Mia cara Catherine,

non so che cosa mi stia capitando e non so se mai lo capirò. Negli ultimi tempi sono successe così tante cose che non riesco più a orientarmi.

Dopo avere scritto quelle prime righe, Garrett rimase un'ora immobile al tavolo, ma per quanto si sforzasse non gli venne in mente altro. E il mattino dopo, quando si svegliò, il suo primo pensiero, a differenza degli altri giorni, non fu per Catherine ma per Theresa.

***

Nelle due settimane successive, Garrett e Theresa si parlarono al telefono tutte le sere, a volte per ore. Garrett le mandò anche due lettere (in realtà nient'altro che messaggi) per farle sapere quanto gli mancava, e la settimana dopo le spedì un altro mazzo di rose, questa volta accompagnata da una scatola di caramelle.

Theresa non voleva mandargli fiori o dolciumi, perciò gli fece avere una camicia azzurra che pensava stesse bene con i suoi jeans, e gli spedì un paio di cartoline.

Kevin tornò a casa qualche giorno dopo, e il tempo trascorse molto più in fretta per Theresa che per Garrett. La prima sera Kevin cenò con la madre, raccontandole della sua vacanza a spizzichi e bocconi, prima di cadere in un sonno di piombo da cui si destò solo quindici ore dopo. Quando si svegliò c'era già un lungo elenco di cose da fare. Kevin aveva bisogno di nuovi abiti per la scuola, perché quelli dell'anno prima gli andavano tutti stretti, e doveva iscriversi al campionato di calcio dell'autunno, il che assorbì quasi un intero sabato. In più era tornato a casa con una valigia piena di panni da lavare, voleva sviluppare le foto scattate in vacanza e aveva un appuntamento dal dentista per vedere se gli occorreva un apparecchio.

In altre parole, la vita in casa Osborne era tornata quella di sempre.

La seconda sera dopo il ritorno di Kevin, Theresa gli raccontò della sua vacanza a Cape Cod e poi del suo viaggio a Wilmington. Gli parlò di Garrett, cercando di fargli capire che cosa provava per lui senza allarmarlo. Sulle prime, quando gli annunciò che quel fine settimana sarebbero andati a trovarlo, Kevin non parve molto entusiasta. Ma non appena Theresa gli disse che lavoro faceva Garrett, incominciò a mostrare qualche segno di interesse.

«Vuoi dire che potrebbe insegnarmi a fare immersioni?» domandò, mentre Theresa passava l'aspirapolvere.

«Ha detto che se ne hai voglia lo farà volentieri.»

«Fantastico», commentò Kevin, tornando a ciò che stava facendo.

Qualche sera dopo lo portò dal giornalaio a comperare qualche rivista specializzata in sport subacquei. Al momento di partire, Kevin sapeva il nome di ogni attrezzatura possibile e immaginabile, e già sognava l'imminente avventura.

Nel frattempo Garrett si era buttato nel lavoro. Stava in negozio fino a tardi, pensando a Theresa e comportandosi per molti versi come dopo la morte di Catherine. Quando diceva a suo padre che sentiva la mancanza di Theresa, Jeb si limitava ad annuire sorridendo. Qualcosa nella sua espressione assorta induceva Garrett a chiedersi che cosa mai passasse per la testa del vecchio.

Dopo averne discusso prima, Theresa e Garrett erano giunti alla conclusione che sarebbe stato meglio che lei e Kevin non soggiornassero in casa di Garrett, ma, essendo ancora estate, quasi tutti gli alberghi della città erano al completo. Per fortuna Garrett conosceva il proprietario di un piccolo motel a un chilometro da casa sua ed era riuscito a trovare una camera per loro.

Quando finalmente giunse il grande giorno, Garrett comprò da mangiare, lavò il furgone dentro e fuori e fece la doccia prima di andare all'aeroporto.

Con un paio di calzoni cachi, scarpe sportive e la camicia che gli aveva regalato Theresa, aspettò nervosamente il loro arrivo.

Nelle ultime due settimane i suoi sentimenti per Theresa si erano rafforzati. Adesso sapeva che quanto era accaduto tra di loro non si basava soltanto sull'attrazione fisica; aspirava a qualcosa di più profondo e durevole. Mentre allungava il collo per individuarla in mezzo alla folla di passeggeri, provò una fitta di ansia. Da tanto non avvertiva più una sensazione del genere per una donna... Come sarebbe andata a finire?

Quando vide Theresa scendere dall'aereo in compagnia di Kevin, tutto il suo nervosismo svanì. Era bella, più di quanto ricordasse. Kevin era esattamente come nella fotografia, e assomigliava moltissimo alla madre. Era alto poco più di un metro e cinquanta, con gli occhi e i capelli castani di Theresa e un'andatura dinoccolata, braccia e gambe che sembravano cresciute più in fretta del resto. Portava un paio di bermuda, scarpe Nike e la maglietta di un complesso musicale. Le sue scelte in fatto di abbigliamento erano chiaramente ispirate dalla televisione, e Garrett non poté trattenere un sorriso: Boston, Wilmington... che importanza aveva? I ragazzini sono sempre gli stessi.

Quando Theresa lo vide, lo salutò con la mano, e Garrett si diresse verso di loro per prendere il bagaglio. Incerto se baciarla davanti a Kevin, attese finché Theresa non gli stampò un allegro bacio sulla guancia.

«Garrett, ti presento mio figlio Kevin», gli annunciò lei, tutta fiera.

«Ciao Kevin.»

«Salve, signor Blake», rispose il ragazzino, impacciato come se Garrett fosse il suo insegnante.

«Chiamami Garrett», disse lui, offrendogli la mano. Kevin gliela strinse con qualche esitazione: fino a quel momento soltanto un altro adulto, Annette, gli aveva permesso di chiamarlo con il suo nome di battesimo.

«Com'è stato il volo?»

«Ottimo», rispose Theresa.

«Avete mangiato qualcosa?»
«No.»
«Allora che ne dite di un boccone prima che vi porti al motel?»
«Buona idea.»
«Qualche preferenza?» domandò Garrett a Kevin.
«Mi piace *McDonald's.*»
«Oh, no, tesoro», disse subito Theresa, ma Garrett la bloccò con un cenno del capo.
«Per me va bene.»
«Proprio sicuro?» chiese Theresa.
«Certo. Mangio sempre lì.»
La risposta piacque molto a Kevin, e insieme si avviarono a ritirare i bagagli.
Uscendo dall'aeroporto, Garrett domandò: «Nuoti bene, Kevin?»
«Abbastanza.»
«Ti andrebbe di fare qualche immersione in questo fine settimana?»
«Credo di sì. Mi sono preparato», rispose lui, cercando di darsi un'aria da adulto.
«Magnifico. Ci contavo. Con un po' di fortuna, magari riusciamo a farti avere il brevetto prima che torni a casa.»
«Che cosa significa?»
«È una licenza che ti permette di immergerti dove e quando vuoi; un po' come la patente di guida.»
«E tu puoi farmela avere in pochi giorni?»
«Certo. Dovrai superare un test scritto e passare qualche ora sott'acqua con un istruttore. Ma dato che questo fine settimana sarai il mio unico allievo, dovremmo avere tutto il tempo necessario... sempre che non voglia imparare anche tua madre.»

«Fantastico», disse Kevin. Quindi si voltò verso Theresa. «Hai intenzione di imparare anche tu, mamma?»

«Non so. Forse.»

«Secondo me dovresti», disse Kevin. «Sarà divertente.»

«Ha ragione, dovresti provare anche tu», aggiunse Garrett ammiccando, sicuro che lei, per non sentirsi in minoranza, avrebbe acconsentito.

«D'accordo», disse Theresa levando gli occhi al cielo. «Verrò anch'io. Ma se vedo uno squalo, torno a casa.»

«Potrebbero davvero esserci degli squali?» si affrettò a domandare Kevin.

«È probabile che ne vedremo. Ma sono piccoli e non aggrediscono le persone.»

«Quanto piccoli?» intervenne Theresa, ricordando la storia del pesce martello che Garrett le aveva raccontato.

«A sufficienza perché non ti debba preoccupare.»

«Ne sei sicuro?»

«Certo.»

«Fantastico», ripeté Kevin tra sé e sé, e Theresa lanciò a Garrett un'occhiata perplessa, chiedendosi se le avesse detto la verità.

Recuperati i bagagli e mangiato un boccone, Garrett portò Theresa e Kevin al motel. Dopo averli sistemati, andò al furgone e tornò tenendo sottobraccio un libro e alcuni moduli.

«Questi sono per te, Kevin.»

«Che cosa sono?»

«Il manuale e i test che dovrai superare per il brevetto. Non preoccuparti, sembra più lungo da leggere di quanto sia in realtà. Ma se vuoi immergerti domani, dovrai avere letto i primi due capitoli e completato il primo test.»

«È difficile?»

«No, tutt'altro, però devi farlo. Puoi usare il libro per trovare le risposte di cui non sei sicuro.»

«Vuoi dire che posso guardare le risposte mentre faccio il test?»

Garrett annuì. «Sì. Quando consegno i questionari ai miei allievi, devono compilarli a casa, e sono sicuro che quasi tutti usano il libro. L'importante è che cerchi di imparare quello che ti serve sapere. Andare sott'acqua è molto divertente, ma può essere pericoloso se non sai quello che fai.»

Consegnò il libro a Kevin.

«Se riesci a finirlo entro domani, sono una ventina di pagine più il test, andremo in piscina per la prima immersione. Imparerai a indossare l'attrezzatura, poi faremo un po' di esercizio.»

«Non ci immergeremo in mare?»

«Domani no. Prima devi abituarti all'equipaggiamento. Dopo qualche ora di pratica, sarai pronto. Probabilmente potrai uscire per le prime immersioni al largo lunedì o martedì. E se passi un numero sufficiente di ore in acqua, quando salirai sull'aereo per tornare a casa avrai in tasca un brevetto provvisorio. Poi non ti resterà da fare altro che richiedere per posta il brevetto definitivo. Ti arriverà nel giro di un paio di settimane.»

Kevin si mise a sfogliare il libro. «Deve leggerlo anche la mamma?»

«Sì, se vuole il brevetto.»

Theresa si avvicinò, sbirciando il libro mentre Kevin lo sfogliava. Non sembrava troppo impegnativo.

«Kevin», disse, «possiamo farlo insieme domattina, se adesso sei troppo stanco.»

«Non sono stanco», si affrettò a rispondere lui.

«Allora ti spiace se Garrett e io andiamo nel patio a chiacchierare un po'?»

«No, fate pure», rispose il figlio, già concentrato sulla prima pagina.

Quando furono fuori, Garrett e Theresa si sedettero l'uno di fronte all'altra. Voltandosi a guardare il figlio, Theresa vide che Kevin era immerso nella lettura.

«Non stai prendendo delle scorciatoie per fargli ottenere il brevetto, vero?»

Garrett scosse la testa. «No, no, assolutamente. Per un brevetto da dilettanti basta superare i test e passare un certo numero di ore in acqua con l'istruttore, tutto qui. Di solito le lezioni si protraggono per tre o quattro fine settimana, ma solo perché la maggior parte della gente non ha il tempo di allenarsi tutti i giorni. Farà lo stesso numero di ore anche lui, però più concentrate.»

«Grazie per quello che fai per lui.»

«Dimentichi che è il mio lavoro.» Dopo essersi accertato che Kevin stesse ancora leggendo, Garrett accostò la sua sedia a Theresa. «Mi sei mancata queste due settimane», le sussurrò, prendendole la mano.

«Anche tu.»

«Sei splendida», continuò lui. «Eri di gran lunga la donna più bella che è scesa dall'aereo.»

Suo malgrado, Theresa arrossì.

«Grazie... anche tu stai bene, soprattutto con quella camicia.»

«Pensavo che ti avrebbe fatto piacere.»

«Ti spiace che non stiamo da te?»

«Non troppo. Capisco le tue ragioni; Kevin non mi conosce ancora ed è meglio che si abitui alla mia presenza secondo i suoi ritmi, invece che forzarlo. Come hai detto tu, ne ha già passate abbastanza.»

«Sai che cosa significa, vero? Che in questi giorni non potremo passare molto tempo insieme.»

«Approfitterò di ogni momento», replicò lui.

Theresa diede un'occhiata all'interno della stanza, e, vedendo che Kevin era sempre immerso nel libro, si sporse a baciare Garrett. Anche se non avrebbe passato la notte con lui, si sentiva sorprendentemente felice. Sedergli accanto e vedere in che modo la guardava le faceva battere il cuore.

«Vorrei tanto che non vivessimo così lontani», disse. «Sei come una droga.»

«Lo prenderò per un complimento.»

Tre ore più tardi, quando Kevin si era addormentato ormai da un pezzo, Theresa accompagnò silenziosamente Garrett alla porta. Dopo essere usciti in corridoio ed essersi chiusi l'uscio alle spalle, si baciarono a lungo, entrambi riluttanti a separarsi. Tra le sue braccia Theresa si sentiva di nuovo un'adolescente, come se stesse rubando un bacio sulla veranda dei genitori, e in un certo senso questo accresceva la sua eccitazione.

«Vorrei che potessi restare qui, stanotte», mormorò.

«Anch'io», disse Garrett.

«Anche per te è difficile dire buonanotte?»

«Per me è più difficile ancora. Devo tornare in una casa vuota.»

«Non dire così. Mi fai sentire in colpa.»

«Un po' di senso di colpa non fa mai male. Mi dà la misura di quanto mi vuoi bene.»

«Altrimenti non sarei qui.» Si baciarono di nuovo, con passione.

Separandosi da lei, Garrett borbottò: «Meglio che me ne vada». Non sembrava affatto convinto.

«Lo so.»

«Ma non ne ho voglia», proseguì lui, con un sorriso da ragazzino.

«Ti capisco», rispose Teresa. «Ma è necessario. Domani devi insegnarci ad andare sott'acqua.»

«Preferirei insegnarti un paio di altre cosette.»

«Credo che tu abbia già provveduto l'ultima volta che sono stata qui», disse lei, pudica.

«Con l'esercizio ci si perfeziona.»

«Allora dovremo trovare il modo di fare esercizio mentre sono qui.»

«Credi che sia possibile?»

«Penso», replicò Theresa con sincerità, «che quando si tratta di noi due tutto sia possibile.»

«Spero che tu abbia ragione.»

«Ce l'ho», disse lei prima di baciarlo un'ultima volta. «Quasi sempre.» Si staccò dolcemente da lui e tornò verso la porta.

«Ecco che cosa mi piace di te, Theresa: la tua sicurezza. Hai sempre la situazione in pugno.»

«Va' a casa, Garrett», disse lei fingendo pudore. «E fammi un favore.»

«Tutto quello che desideri.»

«Sognami.»

Il mattino seguente Kevin si svegliò presto e aprì le tende, lasciando che il sole inondasse la camera. Theresa sbatté gli occhi e si girò dall'altra parte, desiderosa di qualche minuto ancora di pace, ma Kevin non le dette tregua. «Mamma, devi fare il test prima di uscire», disse, tutto eccitato.

Theresa gemette. Si girò e guardò l'ora: le sei e qualcosa. Aveva dormito meno di cinque ore.

«È troppo presto», disse, richiudendo gli occhi. «Tesoro, mi lasci ancora qualche minuto?»

«Non c'è tempo», insistette lui, sedendosi sul suo letto e scrollandole garbatamente una spalla. «Non hai letto nemmeno il primo capitolo.»

«Tu l'hai finito ieri sera?»

«Sì», rispose Kevin. «Il mio test è lì sopra, ma non devi copiarlo, okay? Non voglio finire nei guai.»

«Non credo che succederebbe», disse lei assonnata. «Sai com'è, conosciamo l'insegnante.»

«Ma non sarebbe giusto. E poi devi saperle queste cose, come ha detto il signor Blake... cioè Garrett... altrimenti potresti trovarti in difficoltà.»

«Va bene, va bene», disse Theresa mettendosi lentamente seduta. Si strofinò gli occhi. «Hai visto se c'è la macchinetta del caffè in bagno?»

«Non mi pare, ma se vuoi corro a prenderti una Coca Cola.»

«Ho degli spiccioli nella borsa...»

Kevin balzò giù dal letto e incominciò a frugare nella borsa della madre. Dopo avere trovato qualche moneta, uscì dalla camera, con i capelli ancora arruffati dal cuscino. Theresa udì i suoi passi affrettati mentre correva per il corridoio. Dopo avere allungato e stirato le braccia sopra la testa, si avvicinò al piccolo scrittoio. Prese il libro e lo aprì al primo capitolo, proprio mentre Kevin tornava con due Coca Cola. «Tieni», le disse offrendogliene una. «Io intanto faccio la doccia e mi vesto. Dove hai messo il mio costume?»

Ah, le inesauribili energie dell'adolescenza, pensò lei. «Nel primo cassetto, vicino ai calzini.»

«Bene», disse lui aprendo il cassetto. «Trovato.» Entrò in bagno e aprì l'acqua della doccia. Theresa stappò la Coca Cola e tornò al libro.

Per fortuna Garrett aveva ragione a dire che il contenuto non era difficile. Il testo era facile, con illustrazioni che mostravano l'attrezzatura, e Theresa riuscì a finirlo prima che Kevin fosse pronto. Dopo avere trovato il foglio con le domande, se lo pose davanti. Kevin si piazzò alle sue spalle, mentre lei leggeva la prima domanda. Ricordando il punto dove aveva letto quell'informazione, sfogliò le pagine per trovarlo.

«Ma è facile, mamma. Non serve il manuale per rispondere.»

«Alle sei del mattino ho bisogno di tutto l'aiuto possibile», brontolò Theresa, senza sentirsi minimamente in colpa. Garrett aveva detto che si poteva usare il libro, no?

Kevin continuò a osservarla mentre rispondeva alle altre domande, commentando: «No, guardi nel punto sbagliato», oppure: «Sei sicura di avere letto tutto?» finché Theresa gli disse di mettersi a guardare la televisione.

«Ma non c'è niente», protestò lui avvilito.

«Allora leggi qualcosa.»

«Non mi sono portato niente.»

«Allora sta' seduto tranquillo.»

«È quello che faccio.»

«Non è vero. Sei in piedi alle mie spalle.»

«Voglio solo aiutarti.»

«Siediti sul letto, okay? E zitto.»
«Ma non sto dicendo niente.»
«Adesso hai parlato.»
«Perché tu stai parlando con me.»
«Vuoi lasciarmi fare il test in pace?»
«Okay. Non parlo più. Me ne starò buono buono.»
Mantenne la promessa, almeno per un paio di minuti. Poi incominciò a fischiettare.
Theresa posò la penna sul tavolo e si voltò a guardarlo. «Perché fischi?»
«Mi annoio.»
«Allora accendi la TV.»
«Non c'è niente...»
Andò avanti così finché Theresa non ebbe terminato. Aveva impiegato quasi un'ora per una cosa che in ufficio le avrebbe richiesto la metà del tempo. Fece una lunga doccia calda e si vestì, indossando il costume sotto gli abiti. A quel punto Kevin, affamato, voleva tornare da *McDonald's*, ma Theresa fu categorica e propose di fare colazione nella pasticceria di fronte.
«Non mi piace quello che hanno.»
«Non ci sei mai stato.»
«Lo so.»
«Allora come fai a sapere che non ti piace?»
«Lo so e basta.»
«Sei onnisciente?»
«Che cosa significa?»
«Significa, giovanotto, che per una volta faremo colazione dove voglio io.»
«Sul serio?»
«Sì», rispose lei, desiderosa come non mai di una bella tazza di caffè.

***

Garrett bussò alla porta della loro camera alle nove in punto e Kevin si precipitò ad aprirgli.

«Siete pronti?» domandò.

«Certo», rispose Kevin. «Vado a prendere il mio test.»

Corse verso lo scrittoio mentre Theresa si alzava dal letto e dava il buongiorno a Garrett con un rapido bacio.

«Com'è stato il risveglio?» le domandò lui.

«Mi sembra già pomeriggio. Kevin mi ha svegliata all'alba per fare il test.»

Garrett sorrise mentre Kevin tornava con il suo foglio.

«Ecco, signor Blake... Garrett, cioè.»

Garrett prese il foglio e incominciò a esaminare le risposte.

«La mamma ha avuto qualche difficoltà con un paio di domande, ma l'ho aiutata io», proseguì Kevin, e Theresa alzò gli occhi al cielo. «Sei pronta, mamma?»

«Quando volete», disse lei, prendendo la chiave della stanza e la borsa.

«Allora andiamo», disse Kevin, precedendoli fuori e dirigendosi verso il furgone di Garrett.

Per tutta la mattinata e il primo pomeriggio, Garrett insegnò loro le nozioni basilari dell'immersione subacquea. Impararono come funzionava l'attrezzatura, come indossarla e verificarla e infine come respirare attraverso il boccaglio, prima sul bordo della piscina, poi sott'acqua. «La cosa più importante da ricordare», spiegò Garrett, «è che dovete respirare normalmente. Non trattenete il respiro, non respirate troppo in fretta o troppo piano. Lasciate che la respirazione segua il suo ritmo naturale.» Ovviamente Theresa non ci trovava nulla di naturale, e finì con l'avere più difficoltà di Kevin, il quale, sempre pronto all'avventura, dopo pochi minuti sott'acqua era già convinto di sapere tutto.

«È facile», disse a Garrett. «Penso che sarò pronto per l'oceano già questo pomeriggio.»

«Non ne dubito, ma dobbiamo rispettare l'ordine delle lezioni.»

«Come se la cava la mamma?»

«Bene.»

«Come me?»

«Andate tutti e due alla grande», rispose Garrett, e Kevin si rimise il boccaglio, immergendosi di nuovo proprio mentre Theresa tornava in superficie.

«C'è qualcosa di strano quando respiro», disse.

«Stai andando bene. Rilassati e respira normalmente.»

«È quello che mi hai detto l'ultima volta che sono venuta su annaspando.»

«Le regole non sono cambiate negli ultimi minuti, Theresa.»

«Lo so. La mia bombola non avrà qualche difetto?»

«La bombola è a posto. Stamattina l'ho controllata due volte.»

«Ma non sei tu che la stai usando, adesso.»

«Vuoi che la provi?»

«No», borbottò lei, irritata. «Ce la farò.» E tornò sott'acqua.

Kevin riemerse un'altra volta e si tolse il boccaglio. «La mamma ha qualche problema? L'ho vista tornare su.»

«No. Si sta abituando, come te.»

«Bene. Ci resterei davvero male se io prendessi il brevetto e lei no.»

«Non ti preoccupare. Continua a esercitarti.»

«Okay.»

Dopo diverse ore in acqua, Kevin e Theresa erano stanchi. Pranzarono insieme e Garrett raccontò di nuovo le sue avventure subacquee, questa volta a beneficio di Kevin, che gli fece almeno un centinaio di domande a occhi sgranati. Garrett rispose pazientemente a ciascuna di esse, e Theresa provò sollievo vedendo come andavano d'accordo.

Dopo essere passati al motel a prendere il manuale e il test per il giorno successivo, Garrett li portò a casa sua. Sebbene Kevin avesse deciso di incominciare subito a studiare i capitoli successivi, il fatto che Garrett abitasse sulla spiaggia cambiò radicalmente i suoi programmi.

Guardando l'oceano dal salotto, domandò alla madre: «Posso fare il bagno, mamma?»

«Non mi pare il caso», rispose lei dolcemente. «Abbiamo passato tutta la giornata in acqua.»

«Dài, mamma, per favore... Non c'è bisogno che tu venga con me. Puoi guardarmi dalla veranda.»

Lei esitò e Kevin capì di tenerla in pugno. «Ti prego», ripeté, rivolgendole il suo sorriso più disarmante.

«E va bene, vai. Ma non allontanarti troppo, d'accordo?»

«No, te lo prometto», rispose lui eccitato. Dopo avere preso l'asciugamano offertogli da Garrett, corse fino all'acqua. Garrett e Theresa sedettero in veranda e lo guardarono sguazzare.

«È proprio un bravo ragazzo», disse piano Garrett.

«Sì», confermò lei. «E credo che tu gli piaccia. A pranzo, quando sei andato alla toilette, ha detto che sei *tosto.*»

Garrett sorrise. «Ne sono felice. Anche a me piace. È uno degli allievi migliori che abbia mai avuto.»

«Lo dici solo per farmi contenta.»

«No, davvero, dico sul serio. Ho fatto lezione a un sacco di ragazzini, e lui è molto maturo e pieno di buon senso per la sua età. Ed è anche simpatico. Molti dei ragazzini di oggi sono viziati, ma Kevin non mi ha dato questa impressione.»

«Grazie.»

«Veramente, Theresa. Dopo che mi hai parlato delle tue apprensioni, non sapevo che cosa aspettarmi. Invece è un ragazzo eccezionale. L'hai tirato su bene.»

Theresa gli prese la mano e gliela baciò teneramente. Poi disse a bassa voce: «Per me è molto importante sentirti dire queste cose. Non ho conosciuto molti uomini che volessero parlare di lui, e tantomeno passare del tempo con lui».

«Peggio per loro.»

Lei sorrise. «Dove hai imparato a dire sempre la cosa giusta per farmi sentire bene?»

«Forse il merito è tuo perché tiri fuori il meglio di me.»

«Forse.»

Quella sera Garrett portò Kevin al videonoleggio per prendere un paio di cassette e ordinò pizza per tutti e tre. Guardarono insieme il primo film, mangiando in salotto. Dopo cena Kevin incominciò a dare segni di stanchezza. Alle nove dormiva davanti al televisore. Theresa lo scrollò dolcemente, dicendogli che era ora di tornare al motel.

«Non possiamo dormire qui stanotte?» bofonchiò lui, mezzo addormentato.

«No, dobbiamo andare», rispose piano Theresa.

«Se volete, potete dormire nel mio letto», propose Garrett. «Io mi sistemerò qui, sul divano.»

«Dài, mamma, restiamo qui. Sono stanchissimo.»

«Sei sicuro?» domandò lei, ma Kevin barcollava già verso la camera. Udirono il cigolio delle molle quando si lasciò cadere sul letto di Garrett. Seguendolo, infilarono la testa nella stanza. Dopo un attimo Kevin dormiva di nuovo.

«Non credo che ti resti molta scelta», bisbigliò Garrett.

«Continuo a dubitare che sia una buona idea.»

«Mi comporterò da perfetto gentiluomo... te lo prometto.»

«Non mi preoccupo per te. È solo che non voglio dare a Kevin l'impressione sbagliata.»

«Cioè non vuoi fargli sapere che ci vogliamo bene? Credo che lo sappia già.»

«Sai bene che cosa voglio dire.»

«Sì, lo so.» Lui alzò le spalle. «Senti, se vuoi che ti aiuti a portarlo sul furgone, lo faccio volentieri.»

Per un momento Theresa osservò Kevin, ascoltandone il respiro profondo e regolare. Era immerso nel mondo dei sogni.

«Forse per una notte non ci sarà niente di male», concesse, e Garrett ammiccò.

«Speravo che lo dicessi.»

«Adesso però non dimenticare che hai promesso di comportarti da gentiluomo.»

«Sta' tranquilla.»

«Sembri così sicuro.»

«Be'... una promessa è una promessa.»

Theresa chiuse piano la porta e mise le braccia intorno al collo di Garrett. Lo baciò, mordicchiandogli scherzosamente il labbro. «Meno male, perché se dipendesse soltanto da me non credo che riuscirei a controllarmi.»

Lui fece una smorfia. «Sembra che tu ce la metta tutta

a rendere la vita difficile a un bravo ragazzo come me.»

«Significa che mi ritieni una scocciatura?»

«No», disse sottovoce Garrett. «Significa che ti trovo perfetta.»

Invece di guardare il secondo film, Garrett e Theresa sedettero sul divano a sorseggiare vino e chiacchierare. Theresa controllò un paio di volte Kevin per assicurarsi che dormisse. Sembrava che non si fosse neanche mosso.

Verso mezzanotte incominciò a sbadigliare ripetutamente, e Garrett le suggerì di andare a dormire.

«Ma sono venuta qui per vedere te», protestò, assonnata.

«Ma se non dormi un po' mi vedrai tutto sfocato.»

«Sto bene, davvero», disse Theresa prima di sbadigliare di nuovo. Garrett si alzò e aprì l'armadio. Tirò fuori un lenzuolo, una coperta e un cuscino e li portò sul divano.

«Insisto. Devi dormire. Abbiamo i prossimi giorni per stare insieme.»

«Ne sei sicuro?»

«Certo.»

Theresa aiutò Garrett a fare il letto sul divano e si avviò verso la camera. «Se non vuoi dormire vestita ci sono delle magliette nel secondo cassetto», le disse.

Lei lo baciò di nuovo. «È stata una giornata splendida», disse.

«Anche per me.»

«Mi spiace di essere così stanca.»

«Oggi hai fatto molta attività fisica. È del tutto comprensibile.»

Abbracciandolo, Theresa gli sussurrò all'orecchio: «È sempre così facile andare d'accordo con te?»

«Io ce la metto tutta.»
«Bene, stai facendo un ottimo lavoro.»

Qualche ora dopo Garrett si svegliò con l'impressione che qualcuno lo stesse scrollando. Aprì gli occhi e vide Theresa seduta accanto a lui. Indossava una delle magliette alle quali aveva accennato prima.
«Tutto bene?» le chiese, mettendosi a sedere.
«Sì», mormorò lei, accarezzandogli un braccio.
«Che ore sono?»
«Le tre passate.»
«Kevin dorme ancora?»
«Come un sasso.»
«Perché ti sei alzata?»
«Ho fatto un sogno e non riuscivo a riaddormentarmi.»
Garrett si strofinò gli occhi. «Che cosa hai sognato?»
«Te», mormorò Theresa con voce vellutata.
«Era un bel sogno?»
«Oh, sì...» Lasciò la frase a metà. Si chinò a baciargli il petto e lui la strinse a sé. Garrett guardò verso la porta della camera da letto e vide che Theresa se l'era chiusa alle spalle.
«Non hai paura che Kevin ci senta?» domandò.
«Un po', ma confido che sarai il più silenzioso possibile.»
Infilò la mano sotto la coperta e gli accarezzò l'addome. Il suo tocco era elettrizzante.
«Sei proprio sicura?»
«Hm-hm», rispose lei.
Fecero l'amore teneramente, in silenzio, poi rimasero sdraiati l'uno accanto all'altra. Nessuno dei due parlò per diverso tempo. Quando le prime luci dell'alba incomincia-

rono a pennellare l'orizzonte, si diedero il bacio della buonanotte e Theresa tornò in camera da letto. Pochi minuti dopo dormiva profondamente, e Garrett rimase a guardarla dalla soglia.

Per qualche motivo gli fu impossibile riaddormentarsi.

Il mattino seguente Theresa e Kevin studiarono insieme la lezione, mentre Garrett usciva a prendere le focaccine fresche per colazione. Quindi andarono di nuovo in piscina. Questa volta la lezione fu un po' più complessa e dovettero imparare diverse tecniche subacquee. Theresa e Kevin si esercitarono nella «respirazione a due», indispensabile quando un sub finisce la scorta d'aria sott'acqua e deve dividere la bombola con un altro; Garrett li mise anche in guardia contro il pericolo di lasciarsi prendere dal panico e risalire troppo in fretta. «Rischiereste un'embolia, che non è soltanto dolorosa, ma anche pericolosa.»

Passarono parecchio tempo nella parte più profonda della piscina, nuotando per lunghi tratti sott'acqua per abituarsi all'attrezzatura ed esercitarsi a compensare la pressione sui timpani. Verso la fine della lezione Garrett mostrò loro come tuffarsi dal bordo della vasca senza perdere la maschera. Com'era facile prevedere, dopo qualche ora erano entrambi sfiniti e pronti a chiudere la giornata.

«Domani andremo in mare?» domandò Kevin mentre tornavano verso il furgone.

«Se vuoi. Credo che tu sia pronto, ma se preferisci passare un'altra giornata in piscina, si può fare.»

«No, sono pronto.»

«Sicuro? Non voglio forzarti.»

«Sono sicuro», si affrettò a rispondere lui.

«E tu, Theresa? Sei pronta ad affrontare l'oceano?»

«Se Kevin è pronto, lo sono anch'io.»

«Riuscirò ad avere il brevetto per martedì?» domandò Kevin.

«Se le immersioni in mare aperto andranno bene, sì.»

«Fantastico!»

«Qual è il programma per il resto della giornata?» chiese Theresa.

Garrett issò le bombole sul furgone. «Pensavo di uscire in vela. Il tempo è splendido.»

«Posso imparare anche ad andare in barca a vela?» chiese Kevin entusiasta.

«Certo, diventerai il mio nostromo.»

«Mi serve un brevetto anche per questo?»

«No, dipende dal capitano, e dato che il capitano sono io, ti nomino seduta stante.»

«Tutto qui?»

«Tutto qui.»

Kevin guardò Theresa con gli occhi sgranati, e lei gli lesse nel pensiero. *Prima ho imparato a fare il sub, poi sono diventato nostromo. Aspetta che lo dica ai miei amici!*

Garrett aveva previsto giusto, ed ebbero una splendida giornata sul mare. Garrett insegnò a Kevin i fondamenti della navigazione a vela, da come e quando cambiare bordo a prevedere la direzione del vento in base alle nuvole. Come la prima volta, avevano portato panini e insalate, e durante il pasto furono intrattenuti da una famiglia di delfini venuti a giocare intorno alla barca.

Era tardi quando rientrarono in porto, e dopo che Garrett ebbe insegnato a Kevin come chiudere la barca per proteggerla dai temporali improvvisi, tornarono insieme al motel. Tutti e tre erano esausti, e Theresa e Garrett si salutarono alla svelta. Madre e figlio erano già a letto prima ancora che Garrett arrivasse a casa.

Il giorno seguente Garrett li portò fuori per la prima immersione in mare. Superati i timori iniziali, incominciarono a prenderci gusto, e nel pomeriggio finirono con il consumare due bombole d'aria a testa. Grazie al tempo calmo e sereno, l'acqua era limpida, con un'ottima visibilità. Garrett scattò loro qualche foto mentre esploravano uno dei relitti che giacevano nelle acque basse lungo la costa. Promise di svilupparle quella settimana e di spedirgliele appena possibile.

Passarono di nuovo la serata a casa di Garrett. Quando Kevin si fu addormentato, Theresa e Garrett sedettero stretti stretti sulla veranda, lasciandosi accarezzare dall'aria tiepida e umida.

Dopo avere parlato della loro immersione, Theresa rimase in silenzio per un po'. «Non riesco ad abituarmi al pensiero che ce ne andremo domani sera», disse infine, con una nota di tristezza nella voce. «Questi ultimi giorni sono volati.»

«Perché abbiamo avuto molto da fare.»

Lei sorrise. «Adesso hai un'idea di com'è la mia vita a Boston.»

«Sempre di corsa?»

Lei annuì. «Esatto. Kevin è la cosa più bella che mi sia capitata nella vita, ma a volte mi sfinisce. Deve sempre fare qualcosa.»

«Però non lo cambieresti, vero? Voglio dire, non vorresti un figlio che resta tutto il giorno incollato alla TV o chiuso in camera ad ascoltare musica.»

«No.»

«Allora ritieniti fortunata. È un ragazzino fantastico. Mi sono davvero divertito con lui.»

«Ne sono felice. So che anche lui si è divertito.» Theresa fece una pausa. «Sai, anche se questa volta non abbiamo passato molto tempo insieme, mi sembra di conoscerti meglio di quando sono venuta qui da sola.»

«In che senso? Sono sempre lo stesso di prima.»

Theresa sorrise. «Sì e no. L'altra volta mi avevi tutta per te, e sai bene che è più facile lasciarsi prendere da qualcuno se passi tante ore in sua esclusiva compagnia. Adesso invece ti sei reso conto di come sarebbero le cose con Kevin tra i piedi... e hai affrontato la situazione meglio di quanto immaginassi.»

«Ti ringrazio, ma non è stato difficile. Fintanto che sei qui, quello che facciamo non importa. Mi basta stare con te.»

Garrett l'avvolse con un braccio, stringendola a sé. Theresa gli posò la testa sulla spalla. In silenzio ascoltarono le onde che si frangevano sulla spiaggia.

«Ti fermerai anche stanotte?» le chiese.

«Ci stavo pensando seriamente.»

«Vuoi che mi comporti di nuovo da gentiluomo?»

«Forse sì, forse no.»

Garrett inarcò le sopracciglia. «Che fai, provochi?»

«Ci provo», confessò lei, facendolo scoppiare a ridere. «Sai, Garrett, vicino a te sto davvero comoda.»

«Comoda? Mi fai sentire un divano.»

«Sai che cosa intendo. Mi sento bene con me stessa, quando siamo insieme.»

«Meno male. Anch'io sto abbastanza bene con te.»

«Abbastanza bene? Tutto qui?»

Lui scosse la testa. «No, non è tutto.» Per un attimo gli

venne un'aria quasi timida. «L'altra volta, quando sei andata via, papà è venuto a farmi la paternale.»

«Che cosa ti ha detto?»

«Che se sono felice con te, non devo lasciarti scappare.»

«E come pensi di riuscirci?»

«Dovrò sommergerti con il mio carisma.»

«Lo hai già fatto.»

Lui la guardò, poi si voltò verso il mare. Dopo un attimo parlò a bassa voce. «Allora immagino di doverti dire che ti amo.»

Ti amo.

Sopra di loro il cielo brillava, gremito di stelle. Qualche nuvola solcava in lontananza l'orizzonte, riflettendo la luce lunare. Theresa lasciò che quelle parole le echeggiassero più volte nella mente.

Ti amo.

Nessuna ambiguità, questa volta, nessun dubbio su quanto aveva detto.

«Davvero?» bisbigliò lei, piano piano.

«Sì», rispose Garrett, volgendosi a guardarla. «Sì.» Theresa vide nei suoi occhi qualcosa che non aveva mai notato.

«Oh, Garrett...» esordì incerta, prima che lui la interrompesse scuotendo il capo.

«Theresa, non pretendo che provi la stessa cosa per me. Volevo soltanto farti sapere ciò che sento.» Garrett rimase un attimo pensieroso, e gli tornò in mente il sogno che aveva fatto. «Nelle ultime due settimane sono accadute tante di quelle cose...» Tacque.

Theresa fece per dire qualcosa, ma Garrett scosse la testa. Ci volle un momento perché riuscisse a continuare.

«Non sono sicuro di capire tutto sino in fondo, ma so ciò che provo per te.»

Le accarezzò teneramente la guancia e le labbra con un dito. «Ti amo, Theresa.»

«Anch'io ti amo», rispose lei sottovoce, quasi titubante, sperando che le sue parole fossero vere.

Rimasero stretti a lungo, poi rientrarono e fecero all'amore sussurrando fra loro fino alle prime ore del mattino. Questa volta, dopo che Theresa fu andata in camera da letto, Garrett si addormentò come un sasso. Fu lei, invece, a rimanere sveglia, pensando al miracolo che li aveva fatti conoscere.

Il giorno seguente fu meraviglioso. Ogni volta che potevano, Garrett e Theresa si prendevano per mano, rubando qualche bacio furtivo quando Kevin era distratto.

Passarono la giornata ad addestrarsi come quella precedente, e quand'ebbero terminato anche l'ultima lezione, Garrett consegnò loro i brevetti provvisori direttamente in barca. «Adesso puoi fare immersioni quando e dove vuoi», disse a Kevin, che rigirava fra le mani il suo brevetto come se fosse d'oro. «Basta che spedisci questo foglio e avrai il brevetto definitivo in un paio di settimane. Ma ricordati, immergersi da soli non è mai sicuro. Vai sempre con qualcun altro.»

Essendo quello il loro ultimo giorno a Wilmington, Theresa pagò il motel e si trasferirono tutti a casa di Garrett. Kevin voleva passare le ultime ore in spiaggia, e Theresa e Garrett sedettero con lui in riva al mare. Per un po' Garrett e Kevin giocarono a frisbee, mentre Theresa, avvedendosi che era tardi, rientrò a preparare qualcosa da mangiare.

Cenarono rapidamente in veranda a base di hot-dog, poi Garrett li accompagnò all'aeroporto. Dopo che si furono imbarcati, indugiò ancora qualche istante, finché il velivolo non diede inizio alle manovre di decollo e incominciò a rullare sulla pista. Allora tornò a casa con il furgone, guardando l'ora per calcolare quanto tempo dovesse attendere prima di riudire al telefono la voce di Theresa.

Sull'aereo, Theresa e Kevin sfogliarono le riviste. A metà viaggio, Kevin si girò di scatto verso la madre e le chiese: «Mamma, ti piace Garrett?»

«Sì. Ma è molto più importante che piaccia a te.»

«Credo che sia tosto. Per essere un adulto, voglio dire.»

Theresa sorrise. «Mi sembravate molto affiatati. Sei contento di essere venuto?»

Kevin annuì. «Sì.» Indugiò un istante, giocherellando con la rivista. «Mamma, posso farti una domanda?»

«Chiedi pure.»

«Sposerai Garrett?»

«Non lo so. Perché?»

«Ma vorresti?»

Le occorse qualche minuto per rispondere. «Non ne sono sicura. Non voglio sposarlo subito. Dobbiamo ancora conoscerci bene.»

«Ma pensi che in futuro vorrai sposarlo?»

«Forse.»

Kevin apparve sollevato. «Sono contento. Sembravi proprio felice quando eri con lui.»

«Come fai a dirlo?»

«Mamma, ho dodici anni. So più cose di quanto credi.»

Theresa gli accarezzò una mano. «E allora che avresti detto se ti avessi risposto che volevo sposarlo subito?»

Kevin ci pensò su un attimo. «Mi sarei domandato dove saremmo andati ad abitare.»

Anche sforzandosi, Theresa non riuscì a trovare una risposta. Già, dove?

11

Quattro giorni dopo la partenza di Theresa da Wilmington, Garrett fece un altro sogno, ma questa volta sognò Catherine. Si trovavano su un prato che finiva con uno strapiombo sull'oceano. Camminavano insieme, tenendosi per mano e parlando, quando Garrett disse qualcosa che la fece ridere. D'un tratto Catherine si staccò da lui. Volgendo la testa e ridendo, sfidò Garrett a prenderla. Lui ubbidì, ridendo con lei e provando una sensazione molto simile a quella del giorno del loro matrimonio.

Guardandola correre, non poté fare a meno di notare quanto fosse bella. I suoi capelli al vento riflettevano la luce del sole, le gambe erano snelle e si muovevano ritmicamente, senza sforzo. Anche se correva, il suo sorriso era aperto e rilassato, come se fosse ferma.

«Prendimi, se ci riesci?» gli gridò.

La sua risata risuonò musicale nell'aria intorno a lui.

Garrett stava guadagnando lentamente terreno, quando vide che Catherine era diretta verso l'abisso. Eccitata e allegra, sembrava non essersene accorta.

Ma è ridicolo, pensò lui. *Deve saperlo.*

Garrett le gridò di fermarsi, ma Catherine accelerò ancora.

Si stava avvicinando al ciglio dello strapiombo.

In preda al panico, Garrett si rese conto di essere troppo lontano per afferrarla.

Corse più veloce che poteva, gridandole di tornare indietro. Ma sembrava che Catherine non lo udisse. L'adrenalina gli scorreva nel corpo, alimentata da una paura paralizzante. «Fermati, Catherine!» gridò, senza fiato. «La scogliera... non vedi dove vai?» Più gridava, più la sua voce si affievoliva, fino a ridursi a un sussurro.

Catherine continuava a correre, ignara. Il baratro era a pochi metri di distanza.

Garrett stava accorciando la distanza, ma era ancora troppo lontano.

«Fermati!» gridò di nuovo, pur sapendo che non poteva udirlo. La sua voce ormai era impercettibile. Il panico che lo attanagliava era più forte di qualsiasi altra sensazione mai provata. Raccogliendo le ultime forze, si costrinse a un ultimo scatto disperato, ma le gambe incominciarono a stancarsi, facendosi a ogni passo più pesanti.

Non ce la farò, pensò Garrett terrorizzato.

Poi, di colpo come si era messa a correre, Catherine si fermò. Voltandosi verso di lui, lo guardò come se non si fosse accorta del pericolo.

Era a pochi centimetri dal precipizio.

«Non muoverti», urlò Garrett, ma anche questa volta gli uscì soltanto un sussurro. Si fermò a pochi passi da lei e protese una mano, ansimando.

«Vieni verso di me», la supplicò. «Sei proprio sul ciglio.»

Lei sorrise e si guardò alle spalle. Vedendo quanto fosse vicina a cadere, tornò a guardarlo.

«Credevi di perdermi?»

«Sì», disse lui piano, «e giuro che non lascerò mai più che succeda».

Garrett si destò e balzò a sedere sul letto, rimanendo sveglio per ore. Quando infine ricadde nel sonno, dormì profondamente, ed erano quasi le dieci del mattino quando riuscì finalmente ad alzarsi. Esausto e depresso, non pensava ad altro. Non sapendo che fare, telefonò a suo padre e fece colazione con lui nel solito posto.

«Non so perché mi sento così», disse Garrett dopo i primi convenevoli. «Non riesco proprio a capirlo.»

Suo padre non rispose. Guardò in silenzio il figlio sopra l'orlo della tazza e lo lasciò continuare.

«Theresa non ha fatto nulla che potesse sconvolgermi», proseguì. «Abbiamo solo passato un lungo week-end insieme, e sento di volerle bene. Ho conosciuto anche suo figlio, ed è un bambino fantastico. Solo che... non so. Non so se riuscirò ad andare avanti con questa storia.»

Garrett fece una pausa. Gli unici rumori venivano dai tavoli intorno.

«Andare avanti con che cosa?» domandò infine Jeb.

Garrett mescolò distrattamente il caffè. «Non so se posso rivederla.»

Il padre alzò un sopracciglio, ma non disse niente. Garrett proseguì: «Forse è destino che sia così. Voglio dire, Theresa non abita nemmeno qui. È a mille chilometri di distanza, ha la sua vita, i suoi interessi. Mentre io sto qui, vivo quaggiù e ho un'esistenza del tutto diversa. Forse starebbe meglio con qualcun altro, qualcuno che possa vedere regolarmente».

Pensò a ciò che aveva appena detto, sapendo di non crederci nemmeno lui. Tuttavia non voleva raccontare al padre la storia del sogno.

«Come facciamo a costruire un rapporto se non ci vediamo spesso?»

Il padre continuava a rimanere zitto. Garrett proseguì come se parlasse da solo.

«Se vivesse qui e potessi vederla tutti i giorni, credo che non mi sentirei così. Ma adesso che se n'è andata...»

Si interruppe, cercando di dare un senso ai propri pensieri. Dopo un po' ricominciò a parlare.

«Non riesco a capire come potrebbe funzionare. Ci ho pensato molto, ma non vedo come sia possibile. Io non voglio trasferirmi a Boston, e lei non ha certamente voglia di venire qui; che si fa, allora?»

Garrett tacque e attese che suo padre dicesse qualcosa, una cosa qualsiasi, in risposta alle sue parole. Ma per un po' Jeb rimase in assoluto silenzio. Infine sospirò e distolse lo sguardo.

«A me sembra che tu stia solo cercando scuse», disse piano. «Stai tentando di convincere te stesso, e mi usi perché ascolti le tue ciance.»

«No, papà, non è vero. Sto cercando di capire.»

«Con chi credi di parlare, Garrett?» Jeb scrollò il capo. «Non sono nato ieri e ho imparato parecchie cose nella vita. So esattamente che cosa stai passando. Ti sei talmente abituato a stare solo che hai paura di quello che potrebbe succedere se davvero trovassi una donna in grado di strapparti alla tua solitudine.»

«Ma io non ho paura», protestò Garrett.

«Non riesci nemmeno ad ammetterlo con te stesso, vero?» lo interruppe bruscamente il padre.

La delusione nella sua voce era inequivocabile. «Sai, Garrett, quando è morta la mamma ho trovato anch'io delle scuse. Per anni mi sono detto ogni sorta di cose. E sai dove mi ha portato tutto questo?»

Guardò intensamente il figlio. «Sono vecchio e stanco, ma sono soprattutto solo. Se potessi tornare indietro, cambierei molte cose, e che io sia dannato se ti lascerò commettere i miei stessi errori.»

Jeb fece una pausa prima di riprendere, con voce meno dura: «Ho sbagliato, Garrett. Ho sbagliato a non cercare un'altra donna. Ho sbagliato a sentirmi in colpa per la mamma. Ho sbagliato a vivere come ho vissuto, soffrendo nell'intimo e chiedendomi che cosa avrebbe pensato lei. E sai una cosa? Probabilmente la mamma avrebbe voluto che mi trovassi un'altra. Avrebbe voluto vedermi felice. E sai perché?»

Garrett non rispose.

«Perché mi amava. E se tu credi di dimostrare il tuo amore per Catherine soffrendo come hai fatto finora, allora devo avere sbagliato qualcosa quando ti ho allevato.»

«Non hai sbagliato niente...»

«Sì, invece. Perché quando ti guardo vedo me stesso, e a essere sincero preferirei vedere un altro. Vorrei vedere qualcuno che ha imparato che non c'è niente di male ad andare avanti, che non è peccato trovare una donna in grado di farti felice. Adesso invece mi sembra di guardare nello specchio e di vedere me stesso vent'anni fa.»

Garrett trascorse il pomeriggio da solo, passeggiando sulla spiaggia e riflettendo su ciò che gli aveva detto il padre. Sapeva di non essere sincero fin dall'inizio della conversazione, e non si stupiva che suo padre se ne fosse accorto. Allora perché aveva voluto parlare con lui? Voleva farsi scrollare?

Con il passare delle ore la depressione lasciò il posto allo sconcerto, poi a una sorta di apatia. Tuttavia, quando verso sera telefonò a Theresa, i sensi di colpa causati dal sogno si erano affievoliti quanto bastava per permettergli di parlare con lei. C'erano ancora, ma non più così forti, e quando lei rispose al telefono Garrett sentì che diminuivano ancora. La sua voce gli ricordò ciò che provava quando erano insieme.

«Sono contenta che tu abbia chiamato», disse lei allegra. «Oggi ti ho pensato molto.»

«Anch'io», rispose lui. «Vorrei che fossi qui adesso.»

«Stai bene? Mi sembri un po' giù.»

«Sto bene... mi sento solo, tutto qui. Com'è andata oggi?»

«Una giornata come le altre. Un sacco da fare, in ufficio e a casa. Ma adesso che ti ho sentito va molto meglio.»

Garrett sorrise. «Kevin è lì?»

«È in camera sua che legge un libro sui sub. Mi ha detto che da grande vuole diventare istruttore.»

«Chissà da dove gli viene quest'idea.»

«Non saprei proprio», replicò lei divertita. «E tu? Che cosa hai fatto oggi?»

«Non molto, in verità. Non sono andato in negozio... mi sono preso un giorno di vacanza e sono andato a zonzo sulla spiaggia.»

«Sognandomi, spero?»

L'ironia di quelle parole non gli sfuggì. Non rispose direttamente.

«Oggi mi sei mancata tantissimo.»

«Sono partita da pochi giorni», disse dolcemente Theresa.

«Lo so. A proposito, quando riusciremo a vederci di nuovo?»

Theresa era seduta al tavolo del soggiorno e consultò l'agenda.

«Hm... che ne dici tra tre settimane? Magari questa volta potresti venire tu. Kevin va a un corso di calcio, e potremmo passare un po' di tempo da soli.»

«Non hai voglia di venire tu, invece?»

«Sarebbe meglio che venissi tu, se non ti crea problemi. Mi sono rimasti pochi giorni di ferie e vorrei tenerli. E poi mi pare che sia giunto il momento di uscire dal North Carolina per vedere che cosa ha da offrire il resto del paese.»

Mentre Theresa parlava, Garrett si sorprese a fissare la fotografia di Catherine sul comodino. Gli occorse qualche secondo per rispondere. «Certo... non vedo inconvenienti.»

«Non ne sembri tanto convinto.»

«Invece sì.»

«C'è qualcos'altro, allora?»

«No.»

Lei fece una pausa, incerta. «Stai bene, Garrett?»

Ci vollero diversi giorni e parecchie telefonate a Theresa perché Garrett tornasse a sentirsi quasi normale. Più di una volta la chiamò a tarda sera, solo per udire la sua voce.

«Ciao», le diceva, «sono ancora io.»

«Ciao, Garrett, che cosa c'è?» chiedeva lei assonnata.

«Niente. Volevo darti la buonanotte prima che andassi a letto.»

«Sono già a letto.»

«Che ore sono?»

Lei guardava l'ora. «Quasi mezzanotte.»

«Perché sei sveglia? A quest'ora dovresti dormire», scherzava lui, e lasciava che lei riattaccasse per tornare a dormire.

A volte, se non riusciva ad addormentarsi, pensava alla settimana trascorsa insieme, e, ricordando la sensazione della sua pelle sotto le mani, era sopraffatto dal desiderio di stringerla ancora.

Poi, entrando in camera da letto, vedeva la fotografia di Catherine sul comodino. E in quel momento il sogno riaffiorava con una chiarezza cristallina.

Sapeva di essere ancora turbato da quel sogno. In passato avrebbe scritto una lettera a Catherine, in modo da mettere le cose nella giusta prospettiva. Poi, salpando con la *Happenstance* e tenendo la stessa rotta della prima volta in cui Catherine e lui erano usciti con la barca appena restaurata, l'avrebbe chiusa in una bottiglia e affidata alle onde.

Stranamente, questa volta non gli riusciva. Si sedette al tavolo, ma le parole non gli venivano. Alla fine, irritato, si sforzò di ricordare.

«Ma che sorpresa», disse Garrett indicando il piatto di Catherine. Lei lo stava riempiendo di insalata di spinaci dal buffet davanti a loro.

Catherine alzò le spalle indifferente. «Che c'è di male nel mangiare un po' di verdura?»

«Niente», si affrettò a rispondere lui. «Solo che questa settimana è la terza volta che la mangi.»

«Lo so. Ne ho voglia e non so perché.»

«Se continui a mangiare in questo modo, finirai con il diventare un coniglio.»

Lei rise e si versò il condimento per l'insalata. «In questo caso», disse guardando il piatto di Garrett, «se tu continui a mangiare pesce, finirai con il diventare uno squalo.»

«Io sono uno squalo», replicò lui aggrottando la fronte.

«Può darsi, ma se continui a provocarmi non troverai mai l'occasione di dimostrarmelo.»

Garrett sorrise. «Che ne dici se te lo dimostro questo fine settimana?»

«E quando? Devi lavorare.»

«Non questo fine settimana. Che tu ci creda o no, ho già organizzato le cose in modo da poter passare un po' di tempo insieme. Non so da quanto tempo non passiamo un intero fine settimana per conto nostro.»

«Che cosa hai in mente?»

«Non saprei. Magari un'uscita in barca, magari qualcos'altro. Tutto quello che vuoi.»

Lei rise. «Ah, ma io avevo grandi progetti. Un viaggetto a Parigi per fare un po' di shopping, un paio di safari veloci... ma credo di poter cambiare programma.»

«Allora siamo intesi.»

Con il trascorrere dei giorni le immagini del sogno si fecero più sbiadite. Ogni volta che parlava con Theresa, Garrett si sentiva rinfrancato. Parlò un paio di volte anche con Kevin, e l'entusiasmo del ragazzino lo aiutò a tornare con i piedi per terra. Sebbene il caldo e l'afa di agosto sembrassero far passare il tempo ancora più lentamente, Garrett cercava di tenersi occupato, in modo da non pensare alla complessità della sua nuova situazione.

Due settimane dopo, pochi giorni prima di partire per Boston, Garrett stava cucinando quando squillò il telefono.

«Ehilà, straniero», lo salutò Theresa. «Hai un minuto?»

«Sempre, quando si tratta di parlare con te.»

«Ho telefonato per sapere a che ora atterra il tuo volo. L'ultima volta che ci siamo sentiti non lo sapevi ancora.»

«Aspetta», disse lui, frugando nel cassetto in cerca della prenotazione. «Ecco. Arriverò a Boston pochi minuti dopo l'una.»

«Perfetto. Io devo accompagnare Kevin qualche ora prima, così avrò il tempo di riordinare l'appartamento.»

«Grandi pulizie per me?»

«Trattamento completo. Toglierò addirittura la polvere.»

«Quale onore.»

«Infatti. Soltanto tu e i miei genitori godete di questo genere di attenzioni.»

«Devo portare un paio di guanti bianchi per verificare se hai fatto un buon lavoro?»

«In tal caso non sopravviveresti fino a sera.»

Garrett rise e cambiò discorso. «Muoio dalla voglia di rivederti», disse sincero. «Queste ultime tre settimane sono state molto più dure delle due precedenti.»

«Lo so. L'ho sentito dalla tua voce. Eri davvero giù i primi giorni e... ecco, incominciavo a preoccuparmi sul serio.»

Garrett si chiese se Theresa sospettasse il motivo della sua malinconia. Scacciando quel pensiero dalla mente, disse: «È vero, ma adesso è passato. Ho già fatto i bagagli».

«Non avrai riempito la valigia di cose inutili?»

«Per esempio?»

«Ma... non so... pigiami.»

Lui rise. «Non ne ho.»

«Bene. Perché, anche se ce li avessi, non ti servirebbero.»

***

Tre giorni dopo Garrett Blake atterrò a Boston.

Dopo essere andata a prenderlo all'aeroporto, Theresa gli fece fare un giro per la città. Pranzarono al *Faneuil Hall*, osservarono le canoe scivolare sul fiume Charles e fecero un rapido giro per il campus di Harvard. Come al solito, si tennero quasi sempre per mano, assaporando il piacere di essere di nuovo insieme.

Più di una volta Garrett si sorprese a chiedersi perché le settimane precedenti fossero state tanto dure. Sapeva che in parte il suo turbamento derivava dal sogno, ma quando era con Theresa le inquietudini legate al passato si facevano lontane e inconsistenti. Ogni volta che lei rideva o gli stringeva la mano, Garrett sentiva rafforzarsi i sentimenti provati durante la sua permanenza a Wilmington, e i pensieri neri che lo tormentavano in sua assenza svanivano.

Quando la temperatura si fece più fresca e il sole scese dietro gli alberi, Theresa e Garrett si fermarono in un locale messicano a comprare la cena da portare a casa. Seduto sul pavimento del salotto, a lume di candela, Garrett si guardò attorno.

«È un bel posto», disse, raccogliendo un po' di fagioli con un pezzo di tortilla. «Chissà perché, me lo immaginavo molto più piccolo. È più grande di casa mia.»

«Non di molto, ma sono contenta che ti piaccia. Per noi va benissimo. E poi nei paraggi c'è tutto ciò di cui si può avere bisogno.»

«Anche ristoranti?»

«Certo. Non scherzavo quando ti dicevo che non mi piace cucinare. In cucina sono una frana.»

Il rumore del traffico giungeva fin nell'alloggio. Si udì uno stridore di freni, poi un colpo di clacson, e d'un tratto l'aria si riempì di un frastuono indiavolato, non appena

le altre macchine si unirono al concerto.
«È sempre così tranquillo?» domandò lui.
Theresa fece un cenno verso le finestre. «La sera del venerdì e del sabato sono i momenti peggiori; di solito non è così terribile. Ma dopo un po' che si vive qui ci si abitua.»
I suoni della città erano incessanti. Si avvicinò una sirena, sempre più assordante.
«Ti spiacerebbe mettere su un po' di musica?» chiese Garrett.
«Ma certo. Che genere preferisci?»
«Mi piacciono *entrambi*», disse lui con una pausa a effetto. «Country e western.»
Lei scoppiò a ridere. «Non ho niente del genere qui.»
Garrett scosse il capo, contento della propria battuta. «Scherzavo. È una vecchia gag. Non troppo divertente, ma aspettavo da anni l'occasione giusta per pronunciarla.»
«Tornando alla domanda di prima, che musica ti piace?» insistette lei.
«Qualsiasi cosa va bene.»
«Del jazz?»
«Ottima scelta.»
Theresa si alzò, scelse un CD che secondo lei poteva piacergli e accese lo stereo. Pochi istanti dopo la musica iniziò, proprio mentre l'ingorgo in strada sembrava sciogliersi.
«Allora, che te ne pare di Boston?» domandò Theresa tornando a sedersi.
«Mi piace. Non è male per essere una grande città. Non sembra impersonale come credevo, ed è anche abbastanza pulita. Me l'immaginavo diversa: sai, folla, asfalto, grattacieli, niente alberi e mendicanti a ogni angolo. Invece non è affatto così.»

Lei sorrise. «Mica male, vero? Magari non sarà sul mare, ma ha il suo fascino. Soprattutto se penso a quello che offre. Ci sono concerti, musei, grandi magazzini, ce n'è per tutti i gusti. Persino un club velico.»

«Adesso capisco perché ti piace stare qui», commentò Garrett, chiedendosi perché Theresa facesse tanta pubblicità a quel posto.

«Infatti. E anche a Kevin piace molto.»

Lui cambiò discorso. «Hai detto che è a un corso di pallone?»

Theresa annuì. «Fanno le selezioni per una squadra under dodici. Non so se le passerà, ma è convinto di avere buone possibilità. L'anno scorso è entrato.»

«Dev'essere bravo.»

«Infatti», confermò lei. Spostò di lato i piatti ormai vuoti e gli si fece più vicina. «Ma adesso basta parlare di Kevin», disse piano. «Non c'è bisogno di parlare sempre di lui. Possiamo anche parlare di altre cose.»

«Per esempio?»

Theresa lo baciò sul collo. «Per esempio di quello che ho intenzione di fare adesso che ti ho tutto per me.»

«Sei sicura di volerne soltanto parlare?»

«Hai ragione», mormorò lei. «Chi ha voglia di parlare in un momento come questo?»

Il giorno dopo Theresa portò Garrett a fare un altro giro in città. Passarono quasi tutto il mattino nel quartiere italiano del North End, passeggiando lungo le vie strette e tortuose e fermandosi a consumare i classici cannoli con il caffè. Pur sapendo che lei scriveva sui giornali, Garrett non sapeva con precisione in che cosa consistesse il suo lavoro.

Glielo chiese mentre camminavano tranquilli per la città.

«Non puoi scrivere standotene a casa?»

«In futuro credo di sì. Ma per ora non posso.»

«Perché?»

«Ecco, prima di tutto il mio contratto non lo prevede. E poi non devo soltanto stare seduta al computer a scrivere. Spesso devo intervistare delle persone, e questo richiede tempo, a volte anche brevi viaggi. Inoltre ci sono ricerche da fare, soprattutto quando scrivo articoli medici o di psicologia, e in ufficio ho accesso a molte più fonti. Ho anche bisogno di un posto dove essere reperibile. Molti degli articoli che scrivo toccano argomenti molto sentiti, e ricevo telefonate tutto il giorno. Se lavorassi a casa, la gente mi telefonerebbe di sera, quando sono con Kevin, e non voglio rinunciare al tempo che passo con lui.»

«Adesso non ti chiamano a casa?»

«Qualche volta. Ma il mio numero non è sull'elenco, quindi succede di rado.»

«Ricevi anche telefonate strambe?»

Lei annuì. «Credo che succeda a tutti i giornalisti. Tanta gente telefona al giornale perché vuole vedere pubblicata la sua storia. Ho ricevuto telefonate da persone ingiustamente in carcere, altre di cittadini che si lamentano dei servizi pubblici, altre ancora su piccoli crimini di strada. In pratica mi telefonano per un po' di tutto.»

«Mi sembrava che scrivessi sui problemi dei genitori.»

«Infatti.»

«Allora perché chiamano te? Perché non si rivolgono a qualcun altro?»

Theresa alzò le spalle. «Lo fanno di sicuro, ma questo non gli impedisce di telefonare anche a me. Parecchi esordiscono dicendo: 'Nessun altro è disposto ad ascoltarmi.

Lei è la mia ultima speranza'.» Theresa lo guardò prima di continuare. «Evidentemente pensano che sia in grado di aiutarli.»

«Perché?»

«Vedi, i titolari di una rubrica fissa sono diversi dagli altri giornalisti. Le notizie pubblicate su un quotidiano sono per la maggior parte impersonali: cronaca, fatti, numeri e roba del genere. Ma la gente che legge tutti i giorni la mia rubrica alla fine crede di conoscermi. Incomincia a vedermi come una specie di amica. E quando si ha bisogno di aiuto ci si rivolge agli amici.»

«Questo ti avrà messo in qualche situazione imbarazzante.»

Lei alzò le spalle. «Sì, ma cerco di non pensarci. E poi nel mio lavoro ci sono anche i lati positivi: offrire informazioni utili alla gente, tenerla aggiornata sugli ultimi ritrovati medici cercando di spiegarli con parole semplici, persino raccontare aneddoti divertenti per rendere un po' più leggera la giornata.»

Garrett si fermò a un chiosco che vendeva frutta fresca. Scelse due mele dal cesto e ne porse una a Theresa.

«Qual è l'argomento di maggiore successo che hai affrontato nella tua rubrica?» chiese.

Theresa trattenne il fiato. *Quello di maggiore successo? Facile: ho trovato un messaggio in una bottiglia e ho ricevuto centinaia di lettere.*

Si sforzò di pensare a qualcos'altro. «Ecco... ricevo molte lettere quando scrivo sull'educazione dei bambini disabili», rispose infine.

«Dev'essere appagante», commentò Garrett pagando il fruttivendolo.

«Lo è.»

Prima di addentare la sua mela Garrett domandò ancora: «Potresti continuare a scrivere la tua rubrica anche se cambiassi giornale?»

Theresa rifletté un istante. «Sarebbe difficile, visto che sono ancora nuova in questo campo. Per farmi un nome è un grande aiuto avere alle spalle il *Boston Times*. Perché?»

«Semplice curiosità», rispose lui a bassa voce.

Il mattino dopo Theresa andò a lavorare qualche ora, ma tornò a casa poco dopo mezzogiorno. Passarono il pomeriggio al parco pubblico, dove fecero un picnic. Il pasto fu interrotto due volte da persone che riconobbero Theresa dalla sua foto sul giornale, e Garrett si rese conto che era più nota di quanto avesse immaginato.

«Non sapevo che fossi una simile celebrità», disse ironico, dopo che la seconda persona se ne fu andata.

«Non sono una celebrità. È solo che la mia foto compare a fianco della rubrica, e quindi la gente sa che faccia ho.»

«Ti succede spesso di essere riconosciuta per strada?»

«No. Solo un paio di volte la settimana.»

«È molto», disse Garrett, sorpreso.

Lei scosse il capo. «No, se pensi alle vere celebrità. Loro non possono neanche entrare in un negozio senza che qualcuno gli scatti una foto. Io faccio una vita abbastanza normale.»

«Non fa uno strano effetto essere fermati per strada da perfetti sconosciuti?»

«Se devo essere sincera ne sono lusingata. Quasi sempre si tratta di persone molto gentili.»

«In ogni caso, sono contento di averti conosciuta prima di sapere che eri così famosa.»

«Perché?»

«Mi sarei sentito troppo intimidito per chiederti di venire in barca con me.»

Lei lo prese per mano. «Non riesco a immaginare che qualcosa possa intimorirti.»

«Allora non mi conosci bene.»

Theresa rimase un momento in silenzio. «Davvero ti avrei intimorito?» chiese titubante.

«È probabile.»

«E perché?»

«Mi sarei chiesto che cosa potesse vedere in me una come te.»

Theresa si sporse a baciarlo. «Allora ti dirò che cosa vedo. Vedo l'uomo che amo, l'uomo che mi rende felice... un uomo che voglio continuare a vedere molto a lungo.»

«Come fai a sapere sempre qual è la cosa giusta da dire?»

«Ti conosco più di quanto tu possa immaginare», bisbigliò Theresa in un soffio.

«Davvero?»

Un lento sorriso le si disegnò sulle labbra. «Certo. Per esempio, so che vuoi che ti baci di nuovo.»

«Ah sì?»

«Assolutamente.»

Aveva ragione.

Più tardi, quella sera, Garrett disse: «Sai, Theresa, non riesco a trovarti neanche un difetto».

Erano insieme nella vasca da bagno, in una montagna di schiuma, e Theresa si appoggiava al petto di lui. Garrett la massaggiava con una spugna.

«Che cosa vorresti dire con questo?» domandò lei incuriosita, voltando il capo per guardarlo.

«Solo quello che ho detto. Che non riesco a trovarti un difetto. Sei perfetta.»

«Non sono perfetta, Garrett», replicò lei, pur sempre lusingata.

«Invece sì. Sei bella, gentile, mi fai ridere, sei intelligente e sei anche un'ottima madre. Aggiungi il fatto che sei famosa, e non credo esista nessuno che possa reggere il tuo confronto.»

Theresa gli accarezzò un braccio, abbandonandosi su di lui. «Mi vedi con gli occhiali rosa. Però mi piace...»

«Vuoi dire che non sono obiettivo?»

«No, però finora hai visto solo il mio lato buono.»

«Non sapevo che ne avessi un altro», rispose Garrett, stringendole contemporaneamente le braccia. «In questo momento mi sembrano entrambi ottimi.»

Lei rise. «Sai bene che cosa voglio dire. Non hai ancora visto il mio lato oscuro.»

«Non ce l'hai.»

«Eccome. Ce l'abbiamo tutti. Solo che quando ci sei tu rimane nascosto.»

«Bene, allora come lo descriveresti?»

Theresa stette un momento a pensare. «Ecco, tanto per incominciare sono testarda, e posso diventare cattiva, quando mi arrabbio. Ho la tendenza a essere impulsiva e a dire la prima cosa che mi passa per la testa, e, credimi, non è carino. Ho anche la tendenza a dire agli altri esattamente quello che penso, anche quando so che sarebbe meglio starmene zitta.»

«Non mi sembra così negativo.»

«Perché non ci sei ancora passato.»

«In ogni caso non lo trovo negativo.»

«Allora mettiamola così. La prima volta che ho rinfacciato a David il suo tradimento, l'ho chiamato con alcune tra le espressioni peggiori della lingua inglese.»

«Se lo meritava.»

«Ma non sono certa che meritasse di vedersi arrivare addosso un vaso.»

«Gli hai tirato un vaso?»

Lei annuì. «Avresti dovuto vedere la sua faccia. Non mi aveva mai vista così prima di allora.»

«E che cosa ha fatto?»

«Niente. Credo che il trauma lo abbia lasciato senza parole. Soprattutto quando ho incominciato a tirargli anche i piatti. Quella sera ho svuotato gran parte della credenza.»

Garrett ridacchiò ammirato. «Non ti immaginavo così focosa.»

«Dipende dalla mia educazione, vengo dalle grandi praterie. Attento a quello che fai, giovanotto!»

«D'accordo.»

«Bene. Ultimamente la mia mira è molto migliorata.»

«Me ne ricorderò.»

Si immersero di più nell'acqua calda. Garrett continuava a massaggiarla con la spugna.

«Io penso sempre che tu sia perfetta», disse a bassa voce.

Lei chiuse gli occhi. «Anche con il mio lato oscuro?» domandò Theresa.

«Soprattutto con quello: aggiunge un tocco di brivido.»

«Mi fa piacere, secondo me anche tu sei perfetto.»

Il resto della vacanza passò in un baleno. La mattina Theresa andava in ufficio per qualche ora, poi tornava a casa e trascorreva i pomeriggi e le serate con Garrett. Ordinavano qualcosa in casa, oppure cenavano in uno dei tanti ristorantini del quartiere. A volte noleggiavano un film, ma di solito preferivano stare insieme senza altre distrazioni.

Il venerdì sera Kevin telefonò. Tutto eccitato, spiegò di avere superato la selezione per la squadra. Anche se questo avrebbe significato spostamenti quasi tutti i fine settimana per le partite in trasferta, Theresa fu felice per lui. Poi, cogliendola di sorpresa, Kevin le chiese di parlare con Garrett. Garrett lo ascoltò mentre gli descriveva che cosa era accaduto quella settimana e si congratulò con lui. Dopo che ebbe riattaccato, Theresa stappò una bottiglia di vino e insieme festeggiarono i successi di Kevin fino alle prime ore del mattino.

La domenica, giorno della partenza di Garrett, andarono a pranzo con Deanna e Brian. Garrett capì immediatamente perché a Theresa piacesse tanto Deanna. Era una donna raffinata e allo stesso tempo divertente, e Garrett si ritrovò a ridere per tutto il pasto. Deanna gli fece domande sul nuoto subacqueo e la vela, mentre Brian osservò che se lui avesse avuto un'attività in proprio non avrebbe mai concluso niente, perché il golf lo avrebbe semplicemente fagocitato.

Theresa fu lieta di constatare che andavano d'accordo. Scusandosi alla fine del pasto, Deanna e Theresa si rifugiarono in bagno a scambiare due chiacchiere.

«Allora, che ne pensi?» domandò ansiosamente Theresa.

«È fantastico», ammise Deanna. «Persino meglio che in fotografia.»

«Lo so. Ogni volta che lo guardo ho un tuffo al cuore.»

Deanna si passò le dita nei capelli per renderli un po' più vaporosi. «La settimana è andata come speravi?»

«Anche meglio.»

Deanna era raggiante. «Dal modo in cui ti guarda posso affermare con sicurezza che anche lui ti vuole bene. Vedervi insieme mi fa pensare a me e Brian da giovani. Siete proprio una bella coppia.»

«Lo pensi davvero?»

«Altrimenti non lo direi.»

Deanna tirò fuori dalla borsa il rossetto e iniziò a mettersela. «Allora, gli è piaciuta Boston?» domandò distrattamente.

Anche Theresa prese il rossetto. «È diversa dal mondo al quale è abituato, ma mi pare che si sia divertito. Siamo stati in un sacco di posti interessanti.»

«Ti ha detto qualcosa di preciso?»

«No... perché?» Theresa rivolse all'amica uno sguardo interrogativo.

«Mi chiedevo», rispose Deanna in tono neutro, «se ha detto qualcosa che possa farti pensare che sarebbe disposto a trasferirsi qui.»

La sua osservazione costrinse Theresa a rammentare qualcosa che aveva cercato di evitare.

«Non ne abbiamo ancora parlato», disse infine.

«Avevate intenzione di farlo?»

La distanza tra di noi è un problema, ma c'è anche qualcos'altro, vero? udì mormorare una vocina dentro di sé.

Non volendoci pensare, Theresa scosse la testa. «Non credo che sia il momento giusto, o almeno non ancora.» Fece una pausa, per raccogliere le idee. «Cioè, so che prima o poi dovremo affrontare l'argomento, ma secondo me non ci conosciamo ancora a sufficienza per fare progetti per il futuro. Dobbiamo frequentarci ancora un po'.»

Deanna la squadrò con occhio maternamente sospettoso. «Però lo conosci abbastanza da esserti innamorata di lui... o no?»

«Sì», ammise Theresa.

«Allora sai che dovrete prendere una decisione, che tu lo voglia o no.»

Le occorse un attimo per rispondere. «Sì.»

Deanna le mise una mano sulla spalla. «E se dovessi decidere tra lui e Boston?»

Theresa rifletté sulla domanda e sulle sue conseguenze. «Non sono sicura», bisbigliò, guardando incerta Deanna.

«Posso darti un consiglio?» chiese quest'ultima.

Theresa annuì. Deanna la guidò fuori del bagno prendendola sottobraccio e chinandosi a parlarle all'orecchio, in modo che nessun altro udisse.

«Qualunque cosa tu decida di fare, ricorda che devi poter vivere senza rimpianti. Se sei sicura che Garrett possa darti il genere di amore di cui hai bisogno e che sarai felice, allora fai tutto il necessario per tenerlo. L'amore vero è una rarità, ed è l'unica cosa che dia un senso alla vita.»

«Ma lo stesso non vale anche per lui? Non dovrebbe essere pronto anche lui a sacrificarsi?»

«Certo.»

«E allora?»

«Allora ritorni daccapo allo stesso problema, Theresa; un problema su cui dovrai sicuramente riflettere.»

Nei due mesi successivi la loro relazione a distanza prese una piega che nessuno dei due aveva immaginato, ma che entrambi avrebbero dovuto prevedere.

Conciliando i rispettivi impegni di lavoro, riuscirono a vedersi altre tre volte, sempre per il fine settimana. Una volta Theresa andò a Wilmington per poter stare da soli, e passarono tutto il tempo chiusi in casa di Garrett, a eccezione di una sera in cui uscirono in barca. Garrett andò due volte a Boston, trascorrendo buona parte del tempo in viaggio per seguire le trasferte di Kevin, anche se la cosa non gli dispiacque. Erano le prime partite di calcio cui assisteva, e il gioco lo coinvolse più di quanto avrebbe creduto.

«Come mai non ti agiti come me?» aveva chiesto a Theresa durante un'azione particolarmente concitata.

«Aspetta di avere visto qualche centinaio di partite, e allora potrai risponderti da solo», aveva risposto lei scherzosamente.

In quei fine settimana, quando erano insieme, era come se al mondo non esistesse null'altro. Di solito Kevin dormiva almeno una notte a casa di un amico, in modo che loro potessero stare un po' soli. Passavano le ore a chiacchierare e a ridere, ad abbracciarsi e ad amarsi, cercando di fare il pieno per le settimane di lontananza. Ma nessuno dei due si azzardava ad affrontare l'argomento del loro futuro. Vivevano l'attimo, senza sapere con certezza che cosa aspettarsi l'uno dall'altra. E non certo perché non fossero innamorati. Di questo, se non altro, erano certi.

Tuttavia, non vedendosi molto spesso, il loro rapporto aveva più alti e bassi di quanto avessero sperimentato in precedenza. Visto che tutto era perfetto quando stavano insieme, di conseguenza niente lo era quando erano lontani. Era soprattutto Garrett a fare le spese della lontananza. Di solito l'ottimismo che provava quando si vedevano durava ancora qualche giorno, poi, quando pensava alle settimane che dovevano passare prima di rivedere Theresa, la depressione aveva il sopravvento.

Naturalmente Garrett voleva passare con lei più tempo

possibile. Ora che l'estate era finita, assentarsi dal lavoro diventava più facile per lui che per Theresa. Anche se quasi tutti i commessi stagionali se n'erano andati, in negozio non c'era molto da fare. Invece gli orari di Theresa erano completamente diversi, se non altro per via di Kevin. Era tornato a scuola, nei fine settimana aveva le partite del campionato, e per lei era difficile ritagliarsi anche pochi giorni. Sebbene Garrett fosse disposto ad andare a Boston per vederla più spesso, a lei mancava il tempo. Più di una volta le aveva proposto di venirla a trovare, ma per una ragione o per l'altra non era stato possibile.

Certo, Garrett sapeva che molte coppie devono affrontare situazioni ancora più difficili. Suo padre gli raccontava che a volte lui e sua madre non si parlavano per mesi interi. Jeb era stato due anni in Corea con i Marine, e quando la pesca dei gamberetti rendeva poco cercava un imbarco sui mercantili che facevano rotta per il Sudamerica, e certi viaggi duravano mesi. In quei periodi, l'unica cosa che restava ai suoi genitori erano le lettere, perlopiù alquanto saltuarie. Garrett e Theresa non avevano difficoltà del genere, ma non per questo le cose erano più facili.

Garrett sapeva che la distanza costituiva un problema, ma sembrava un ostacolo destinato a non risolversi nell'immediato futuro. Da come la vedeva lui, due sole erano le soluzioni: o si trasferiva lui, o si trasferiva lei. Comunque si rigirasse la cosa, a prescindere da quanto si amassero, alla fine le alternative restavano sempre quelle.

Fra sé e sé sospettava che anche Theresa avesse gli stessi pensieri; per questo motivo nessuno dei due voleva parlarne. Sembrava più facile lasciar perdere, non imboccare una strada che nessuno dei due era sicuro di essere disposto a percorrere.

Uno di loro avrebbe dovuto cambiare drasticamente la propria vita.

Ma chi?

Lui aveva la sua attività a Wilmington, un genere di vita che gli piaceva, l'unica che conoscesse. Boston era bella da visitare, ma non era casa sua. Non aveva mai neppure pensato di andare a vivere altrove. E poi c'era suo padre, che stava invecchiando: nonostante l'aspetto robusto, l'età cominciava a lasciare il segno, e Garrett era tutto ciò che aveva.

D'altro canto Theresa aveva forti legami con Boston. Sebbene i suoi genitori vivessero altrove, Kevin frequentava una scuola che gli piaceva, lei aveva davanti a sé un'ottima carriera in un giornale importante e una rete di amicizie cui avrebbe dovuto rinunciare. Si era impegnata a fondo per arrivare dov'era, e se avesse lasciato Boston probabilmente avrebbe dovuto abbandonare tutto. Sarebbe stata capace di farlo senza rinfacciarglielo in seguito?

Garrett non voleva pensarci. Preferiva concentrarsi sul fatto che amava Theresa, aggrapparsi alla convinzione che se il destino aveva deciso di unirli, una soluzione si sarebbe trovata.

Dentro di sé, tuttavia, sapeva che non sarebbe stato facile, e non solo a causa della distanza. Di ritorno dal suo secondo viaggio a Boston aveva fatto ingrandire e incorniciare una fotografia di Theresa. L'aveva sistemata sul comodino di fronte a quella di Catherine, ma, nonostante i suoi sentimenti per Theresa, gli sembrava fuori posto in camera da letto. Pochi giorni dopo l'aveva spostata, ma non era servito a nulla. Ovunque la posasse, era come se gli occhi di Catherine la seguissero. *È ridicolo*, si ripeteva Garrett ogni volta. Alla fine dovette ficcare la fotografia di Theresa nel cassetto e riprendere quella di Catherine. Si sedette sul letto con un sospiro e la tenne davanti a sé.

«Noi non avevamo questi problemi», mormorò, accarezzando il ritratto con il dito. «Per noi sembrava tutto così facile, vero?»

Quando si rese conto che la fotografia non poteva rispondergli, maledisse la propria stupidità e tirò fuori di nuovo quella di Theresa.

Fissandole entrambe, riuscì finalmente a comprendere il motivo di tutti i suoi problemi. Amava Theresa più di quanto avesse mai creduto possibile... però continuava ad amare anche Catherine.

Era possibile amarle entrambe contemporaneamente?

«Non sto nella pelle dalla voglia di vederti», disse Garrett. Era metà novembre, mancavano poche settimane al giorno del Ringraziamento. Theresa e Kevin sarebbero andati dai genitori di lei per la festa, e Theresa aveva organizzato le cose in modo da passare da Garrett il fine settimana precedente. Era passato un mese dall'ultima volta che si erano visti.

«Anch'io», disse lei. «E mi hai promesso che finalmente mi presenterai tuo padre, vero?»

«Ha intenzione di prepararci una cena del Ringraziamento in anticipo. Non fa che chiedermi che cosa ti piace. Credo che voglia fare bella figura.»

«Digli di non preoccuparsi. Andrà bene qualsiasi cosa.»

«È quello che gli ripeto di continuo. Ma posso capire la sua agitazione.»

«Perché?»

«Sarai la nostra prima ospite. Per anni siamo sempre stati soltanto lui e io.»

«Interrompo una tradizione di famiglia?»
«No; anzi, mi piace pensare che ne inauguri una nuova. E poi è stato lui a invitarti.»
«Pensi che gli piacerò?»
«Ne sono sicuro.»

Quando seppe che sarebbe venuta Theresa, Jeb Blake fece diverse cose che non aveva mai fatto. Innanzi tutto, pagò una donna per pulire la casetta dove abitava, un'impresa che richiese quasi due giorni, perché volle che la casa fosse immacolata. Poi si comprò anche una camicia e una cravatta nuova. Uscendo dalla camera da letto con indosso i nuovi acquisti, non poté fare a meno di notare la faccia stupita di Garrett.
«Come sto?» gli chiese.
«Benissimo, ma perché ti sei messo la cravatta?»
«Non è per te. È per la cena di questo fine settimana.»
Garrett guardò suo padre con un sorrisetto ironico sulle labbra. «Non credo di averti mai visto con la cravatta.»
«Ne ho già portate altre. Solo che non ci hai fatto caso.»
«Non c'è bisogno che tu metta la cravatta solo perché arriva Theresa.»
«Lo so», replicò lui, asciutto. «Però mi va di metterla per il pranzo di quest'anno.»
«L'idea di incontrarla ti rende nervoso, eh?»
«Per niente.»
«Papà, non devi diventare ciò che non sei. Sono sicuro che a Theresa piacerai comunque ti vesta.»
«Questo non significa che non possa mettermi elegante per la tua amica, giusto?»
«Certamente.»

«Allora il discorso è chiuso. Non mi sono fatto vedere da te per avere un consiglio, solo per sapere come stavo.»

«Sei a posto.»

«Bene.»

Jeb Blake si girò e tornò in camera sbottonandosi la camicia e slacciandosi la cravatta. Garrett lo seguì con gli occhi. Un attimo dopo si sentì chiamare.

«Che c'è adesso?»

La testa di suo padre fece capolino dalla porta. «Ti metterai anche tu la cravatta, vero?»

«Pensavo di no.»

«Allora cambia idea. Non voglio che Theresa scopra che ho allevato un figlio che non sa come vestirsi quando ci sono ospiti.»

Il giorno prima dell'arrivo di Theresa, Garrett aiutò suo padre a completare i preparativi. Falciò il prato mentre Jeb scartava e lavava il servizio di piatti di porcellana del corredo, che non era stato quasi mai usato. Dopo avere cercato le posate adatte, cosa più facile a dirsi che a farsi, Jeb scovò nell'armadio una tovaglia che gli piacque. La buttò in lavatrice proprio mentre Garrett rientrava dopo avere finito di tagliare l'erba. «A che ora arriva, domani?» chiese Jeb dal corridoio, mentre Garrett prendeva un bicchiere dalla credenza della cucina.

Garrett riempì d'acqua il bicchiere e rispose senza voltarsi. «L'aereo dovrebbe atterrare per le dieci. Saremo qui intorno alle undici.»

«A che ora pensi che vorrà mangiare?»

«Non lo so.»

Jeb entrò in cucina. «Non gliel'hai chiesto?»

«No.»

«Allora come faccio a sapere quando mettere in forno il tacchino?»

Garrett bevve un sorso d'acqua. «Calcola di farci mangiare nel primo pomeriggio. Qualsiasi ora andrà bene, sono sicuro.»

«Non credi che sarebbe meglio telefonarle per chiederglielo?»

«Non mi pare necessario. Non è una cosa di vitale importanza.»

«Non per te, forse. Ma è la prima volta che ci incontriamo, e se avete intenzione di sposarvi non voglio diventare l'argomento di future barzellette.»

Garrett alzò le sopracciglia. «Chi ha detto che ci sposeremo?»

«Nessuno.»

«Allora perché ti è venuto in mente?»

«Perché», si affrettò a rispondere Jeb, «ho pensato che qualcuno doveva tirare fuori l'argomento, e non ero affatto sicuro che l'avresti fatto tu.»

Garrett guardò il padre. «E allora credi che dovrei sposarla?»

Jeb strizzò l'occhio. «Non importa che cosa credo io, conta come la pensi tu, no?»

Più tardi, quella sera, Garrett aprì la porta d'ingresso proprio mentre squillava il telefono. Corse a rispondere e udì la voce che si era aspettato.

«Garrett?» chiese Theresa. «Sembri senza fiato.»

Lui sorrise. «Oh, ciao, Theresa. Sono arrivato proprio in questo momento. Mio padre mi ha tenuto tutto il giorno da lui a fare gli ultimi preparativi. È entusiasta all'idea di conoscerti.»

Ci fu una pausa imbarazzata. «A proposito di domani...» disse infine Theresa.

Garrett si sentì un nodo alla gola. «Che cosa c'è?»

Le occorse qualche istante prima di riuscire a rispondere. «Non sai quanto mi spiace, Garrett... non so come dirtelo, ma non posso venire a Wilmington.»

«È successo qualcosa?»

«No, è tutto a posto. Ma è saltata fuori una cosa dell'ultimo minuto, una conferenza importante cui devo partecipare.»

«Che genere di conferenza?»

«È per il mio lavoro.» Theresa fece un'altra pausa. «Lo so che sembra terribile, ma non ci andrei se non fosse veramente importante.»

Garrett chiuse gli occhi. «Di che cosa si tratta?»

«È un incontro fra grossi editori e gente dei media; si terrà a Dallas questo fine settimana. Deanna pensa che sarebbe bene che ne conoscessi qualcuno.»

«E lo hai scoperto solo adesso?»

«No... cioè, sì. Sapevo di questo incontro, ma non pensavo di andarci. Di solito i giornalisti come me non vengono invitati, ma Deanna ha fatto in modo che potessi accompagnarla.» Theresa esitò. «Mi spiace davvero, Garrett, ma come ti ho detto è un'occasione irripetibile per farmi conoscere.»

Lui rimase per un momento in silenzio. Poi disse semplicemente: «Capisco».

«Sei arrabbiato, vero?»

«No.»

«Sicuro?»

«Sì.»

Dal tono di voce Theresa intuiva che Garrett non diceva la verità, ma non c'era niente che potesse dire per farlo sentire meglio.

«Dirai a tuo padre che mi spiace?»

«Certo.»

«Posso chiamarti questo fine settimana?»

«Se vuoi.»

Il giorno dopo Garrett andò a pranzo da suo padre, che cercò in tutti i modi di sdrammatizzare la cosa.

«Se è come ti ha detto», spiegò Jeb, «aveva un valido motivo. Non può mica mettere il suo lavoro in un angolino. Ha un figlio da mantenere, e deve fare del suo meglio per dargli tutto il possibile. E poi si tratta solo di un fine settimana, ben poco nel grande disegno delle cose.»

Garrett annuì, ascoltando suo padre ma ancora turbato dal contrattempo.

Jeb proseguì: «Sono sicuro che supererete l'incomprensione. Probabilmente Theresa farà qualcosa di speciale la prossima volta che vi vedrete».

Garrett rimase in silenzio. Jeb mangiò un paio di bocconi prima di aggiungere: «Devi capirla, Garrett. Ha le sue responsabilità, esattamente come te, e a volte queste responsabilità vengono prima di tutto il resto. Sono sicuro che se in negozio succedesse qualcosa che richiedesse la tua presenza, faresti lo stesso».

Garrett si appoggiò allo schienale, scostando il piatto ancora mezzo pieno. «Capisco tutto, papà. Ma non la vedo da un mese e aspettavo con ansia questa sua visita.»

«Non credi che anche lei volesse vederti?»

«Così ha detto.»

Jeb si sporse e spinse di nuovo il piatto davanti al figlio.

«Mangia», disse. «Ho passato tutto il giorno a cucinare e non voglio che vada sprecato.»

Garrett guardò il piatto. Pur non avendo fame, prese la forchetta e mangiò un boccone.

«Sai», disse il padre continuando a mangiare, «non sarà l'ultima volta che capiterà, quindi non prendertela tanto.»

«Che cosa vuoi dire?»

«Che finché vivrete a mille chilometri di distanza, cose di questo genere continueranno a capitare, e non riuscirete a vedervi tanto spesso quanto desiderate.»

«Credi che non lo sappia?»

«Al contrario. Ma non so se uno di voi due avrà il coraggio di porci rimedio.»

Garrett guardò il padre pensando: *Dài, papà, dimmi quello che pensi sul serio. Non fingere.*

«Quando ero giovane», proseguì Jeb ignorando la faccia di suo figlio, «le cose erano molto più semplici. Quando un uomo amava una donna, le chiedeva di sposarlo e andavano a vivere insieme. Tutto qui. Voi due, invece, è come se non sapeste che cosa fare.»

«Te l'ho già detto... non è così semplice.»

«Invece lo è. Se l'ami, trova il modo di stare con lei. Tutto qui. Così, se salta fuori un contrattempo che vi impedisce di vedervi per un fine settimana, non cascherà il mondo.»

Jeb fece una pausa, prima di continuare: «Quello che tentate di fare voi due non è naturale, e alla lunga non funzionerà. Lo sai, vero?»

«Sì», rispose Garrett, sperando che suo padre smettesse di parlare di quell'argomento.

Jeb inarcò un sopracciglio, aspettando. Poi, vedendo che il figlio non diceva niente, proseguì: «Sì? È tutto quello che hai da dire?»

Garrett alzò le spalle. «Che altro potrei dire?»

«Per esempio, che la prossima volta che vi vedrete, risolverete la situazione. Ecco che cosa potresti dire.»

«Bene. Cercheremo di trovare una soluzione.»

Jeb posò la forchetta sul piatto e fissò il figlio. «Non ho detto cercare, Garrett, ho detto *risolvere* la situazione.»

«Perché ti scaldi tanto?»

«Perché», rispose Jeb, «se non troverete una soluzione, tu e io continueremo a mangiare da soli per i prossimi vent'anni.»

Il giorno dopo Garrett uscì di mattina presto con la *Happenstance* e non rientrò fino al tramonto. La sera prima, sebbene Theresa gli avesse lasciato un messaggio con le indicazioni dell'hotel in cui alloggiava a Dallas, non l'aveva chiamata, dicendosi che era troppo tardi e senza dubbio lei dormiva già. Era una bugia e lo sapeva, ma non se la sentiva ancora di parlare con lei.

In realtà non aveva voglia di parlare con nessuno. Era ancora adirato per ciò che lei aveva fatto, e il posto migliore per riflettere era il mare aperto, dove nessuno poteva venire a disturbarlo. Passò gran parte del mattino a chiedersi se Theresa si rendesse conto di quanto lo avesse turbato quella faccenda. Probabilmente no, altrimenti non l'avrebbe fatto.

Sempre ammesso che gli volesse bene.

Tuttavia, quando il sole fu quasi a picco, la sua irritazione incominciò a placarsi. Pensandoci su con maggiore obiettività, Garrett decise che suo padre aveva ragione... come sempre. Il motivo per cui non era venuta non dipendeva tanto da lui, quanto dalle differenze nel loro modo di vivere. Theresa aveva delle responsabilità che non poteva trascurare, e finché fossero vissuti separati le cose sarebbero continuate così.

Sebbene la cosa non lo rendesse affatto felice, Garrett si chiese se tutte le relazioni attraversassero momenti del genere. A dire il vero, non lo sapeva. L'unica altra relazione che aveva avuto era quella con Catherine, e non era facile fare paragoni. In primo luogo Catherine e lui erano sposati e vivevano sotto lo stesso tetto. Inoltre, si conoscevano in pratica da una vita, ed essendo più giovani, non avevano le stesse responsabilità che Theresa e lui avevano adesso. Erano freschi di college, non avevano una casa, non avevano figli da allevare. No, allora le cose erano completamente diverse, e non era giusto fare paragoni.

Restava tuttavia una cosa che Garrett non poteva ignorare, una cosa che continuò a tormentarlo per tutto il pomeriggio. È vero, c'erano delle differenze, non era giusto paragonare le due situazioni, ma, alla fin fine, l'innegabile evidenza era che Catherine e lui formavano una *squadra*. Garrett non aveva mai avuto occasione di discutere con lei sul futuro, né mai gli era passato per la mente che uno dei due non fosse pronto a sacrificare tutto per l'altro. Anche quando discutevano su dove andare ad abitare, se avviare il negozio, persino su che cosa fare il sabato sera, il loro rapporto non veniva mai messo in dubbio. C'era qualcosa di duraturo nel loro modo di interagire, qualcosa che stava a dimostrare che sarebbero rimasti insieme per sempre.

Lui e Theresa, d'altra parte, non erano ancora a quel punto.

Verso il tramonto Garrett si rese conto che non era giusto pensare in quel modo. Theresa e lui si conoscevano da poco, non era realistico aspettarsi un rapporto del genere così presto. Con il tempo, e nelle giuste circostanze, sarebbero diventati una squadra anche loro.

Oppure no?

Scuotendo il capo, Garrett dovette ammettere di non esserne del tutto sicuro.

C'erano tante cose di cui non era sicuro.

Una però la sapeva: non aveva mai analizzato il suo rapporto con Catherine come stava analizzando quello con Theresa, e anche questo non era giusto. Inoltre, nella sua situazione, analizzare non serviva a nulla. Tutte le analisi di questo mondo non avrebbero cambiato il fatto che non si vedevano quanto volevano, né quanto avevano bisogno.

No, ciò che occorreva adesso era agire.

Garrett telefonò a Theresa quella sera stessa, appena rincasato.

«Pronto», rispose lei, assonnata.

«Ciao, sono io», disse Garrett sottovoce.

«Garrett?»

«Mi spiace di averti svegliata, ma ho trovato i tuoi messaggi sulla segreteria.»

«Sono contenta che tu abbia telefonato. Temevo che non l'avresti fatto.»

«Per un po' non ne ho avuto voglia.»

«Sei ancora arrabbiato?»

«No», disse con calma Garrett. «Triste, forse, ma non arrabbiato.»

«Perché non sono lì questo fine settimana?»

«No. Perché non sei qui quasi mai.»

Quella notte Garrett sognò di nuovo.

Nel sogno lui e Theresa erano a Boston e camminavano

per una strada affollata, in mezzo al solito assortimento di individui, uomini e donne, giovani e vecchi, alcuni eleganti, altri infagottati nel tipico abbigliamento dei ragazzi. Per un po' guardarono le vetrine come avevano fatto in una delle sue visite precedenti. La giornata era limpida e tersa, senza una nuvola, e Garrett era felice di trascorrerla con lei.

Theresa si fermò davanti alla vetrina di un negozietto di artigianato e chiese a Garrett se voleva entrare. Scuotendo il capo, lui rispose: «Va' pure. Ti aspetto qui fuori». Theresa insistette un momento, poi entrò. Garrett attendeva all'ombra degli alti edifici, quando a un tratto vide con la coda dell'occhio qualcosa di familiare.

Era una donna, che camminava sul marciapiede poco lontano, con i capelli biondi lunghi fino alle spalle.

Garrett sbatté le palpebre, distolse un istante lo sguardo, poi tornò a posarlo su di lei. Qualcosa nel suo modo di muoversi colpì la sua attenzione, tanto che si voltò a guardarla mentre si allontanava. Alla fine la donna si fermò e si girò, come se avesse dimenticato qualcosa. Garrett trattenne il respiro.

Catherine.

Non poteva essere.

Scrollò il capo. Da quella distanza non era in grado di dire se si fosse sbagliato.

La donna si avviò di nuovo, proprio mentre Garrett la chiamava. «Catherine... sei tu?»

Il frastuono della strada coprì la sua voce. Garrett guardò nel negozio e scorse Theresa indaffarata a curiosare. Quando si girò di nuovo, Catherine, o chiunque fosse, stava sparendo dietro l'angolo.

La seguì a passo rapido, poi incominciò a correre. Il marciapiede si fece sempre più gremito, come se la metropolitana avesse aperto di colpo le porte, e Garrett fu costretto a scansare diversi gruppi di persone prima di raggiungere l'angolo.

Svoltò anche lui.

Dietro l'angolo, la strada si faceva più scura e minacciosa. Garrett riprese a camminare. Anche se non era piovuto, sentiva i piedi sguazzare nelle pozzanghere. Si fermò un istante a riprendere fiato, con il cuore che gli martellava nel petto. In quel mentre, come un'ondata impalpabile, incominciò a diffondersi la nebbia, che ben presto ridusse la visibilità a pochi passi.

«Catherine... sei qui?» chiamò di nuovo. «Dove sei?»

Garrett udì una risata in lontananza, ma non riuscì a individuarne la provenienza.

Si incamminò di nuovo, lentamente. Di nuovo quella risata, infantile, gioiosa. Si fermò di scatto.

«Dove sei?»

Silenzio.

Guardò in ogni direzione.

Niente.

La nebbia si andava infittendo, mentre incominciava a cadere una pioggia leggera. Garrett riprese a muoversi, senza sapere dove andare.

Qualcosa saettò nella nebbia, e lui scattò in quella direzione.

La donna si allontanava, a pochi passi di distanza.

La pioggia si fece più fitta, e di colpo tutto parve muoversi al rallentatore. Lui si mise a correre... piano... piano... la vedeva proprio davanti a sé... la nebbia era sempre più fitta... la pioggia cadeva a rovesci... per un attimo vide balenare i suoi capelli...

Poi la donna scomparve. Garrett si arrestò di nuovo. La

pioggia e la nebbia impedivano ogni visibilità.

«Dove sei?» gridò.

Niente.

«Dove sei?» ripeté, ancora più forte.

«Sono qui», disse una voce tra la nebbia e la pioggia.

Lui si asciugò le gocce dal viso. «Catherine?... Sei proprio tu?»

«Sono io, Garrett.»

Ma non era la sua voce.

Theresa sbucò dalla nebbia. «Sono qui.»

Garrett si svegliò e balzò a sedere sul letto, madido di sudore. Asciugandosi il viso con il lenzuolo, rimase a lungo immobile.

Più tardi, quello stesso giorno, Garrett incontrò suo padre.

«Credo di volerla sposare, papà.»

Stavano pescando insieme all'estremità del molo, circondati da una dozzina di persone, gran parte delle quali sembravano assorte nei loro pensieri. Jeb alzò lo sguardo sorpreso.

«Due giorni fa sembrava che non volessi nemmeno più vederla.»

«Da allora ho riflettuto molto.»

«Già», disse piano Jeb. Riavvolse la lenza, controllò l'esca e la gettò di nuovo. Benché dubitasse di riuscire a prendere qualcosa che valesse la pena, considerava la pesca uno dei massimi piaceri della vita.

«L'ami?» domandò a Garrett.

Garrett lo guardò stupito. «Certo. Te l'ho già detto diverse volte.»

Jeb scosse il capo. «No... non l'hai mai detto. Abbiamo parlato molto di lei, mi hai detto che ti rende felice, che ti sembra di conoscerla da sempre e che non vuoi perderla, ma non mi hai mai detto di amarla.»

«È la stessa cosa.»

«Ne sei sicuro?»

Dopo essere tornato a casa, Garrett non riuscì a togliersi dalla mente la conversazione con suo padre.

«Ne sei sicuro?»

«Ma certo», aveva replicato subito. «E anche se non fosse la stessa cosa, io l'amo.»

Jeb aveva fissato per un attimo il figlio, poi si era girato. «Vuoi sposarla?»

«Sì.»

«Perché?»

«Perché l'amo, ecco perché. Non basta?»

«Chissà.»

Garrett aveva riavvolto la lenza, spazientito. «Non sei stato tu il primo a dire che dovevamo sposarci?»

«Sì.»

«Allora perché adesso hai tutti questi dubbi?»

«Perché voglio essere sicuro che lo fai per le ragioni giuste. Due giorni fa non sapevi nemmeno se volevi rivederla. Adesso sei pronto a sposarla. A me sembra un grandissimo voltafaccia, e voglio essere sicuro che dipenda dai tuoi sentimenti per Theresa... e che non ci sia di mezzo Catherine.»

Sentire quel nome gli aveva fatto male.

«Catherine non c'entra niente», si era affrettato a replicare Garrett. Poi aveva scosso il capo con un profondo sospiro. «Sai, papà, a volte non ti capisco. Non hai fatto altro che insistere perché prendessi questa decisione. Hai continuato a dirmi che dovevo gettarmi il passato alle spalle, che dovevo trovare un'altra donna. E adesso che l'ho fatto, sembra quasi che tu voglia dissuadermi.»

Jeb aveva posato la mano libera sulla spalla del figlio. «Non voglio dissuaderti, Garrett. Sono contento che tu abbia trovato Theresa, sono contento che tu l'ami, e spero che prima o poi finisca con lo sposarla. Ho solo detto che, se la sposerai, bisogna che tu lo faccia per i motivi giusti. Il matrimonio coinvolge due persone, non tre. Non sarebbe giusto per lei se fosse diversamente.»

A Garrett era occorso qualche istante per rispondere.

«Papà, voglio sposarla perché l'amo. Voglio passare la mia vita con lei.»

Il padre era rimasto a lungo in silenzio, osservandolo. Poi aveva detto qualcosa che aveva costretto Garrett a distogliere lo sguardo.

«In altre parole, hai chiuso definitivamente con Catherine?»

Pur sentendosi addosso il peso dello sguardo paterno, pieno di attesa, Garrett non aveva saputo che cosa rispondere.

«Sei stanca?» domandò Garrett.

Era sdraiato sul letto, con la sola luce del comodino accesa.

«Sì, sono rientrata da pochissimo. È stato un fine settimana molto lungo.»

«È andato tutto come speravi?»

«Mi auguro di sì. Per ora non si può dire, ma ho conosciuto tanta gente che prima o poi potrebbe essermi utile.»

«Allora hai fatto bene ad andare.»

«Bene e male. Ho passato quasi tutto il tempo a rimpiangere di non essere venuta da te.»

Garrett sorrise. «Quando partirai per andare dai tuoi?»

«Mercoledì mattina. Resterò da loro fino a domenica.»

«Saranno ansiosi di vederti.»

«Infatti. È quasi un anno che non vedono Kevin, e non stanno nella pelle all'idea di averlo lì per qualche giorno.»

«Bene.»

Ci fu una breve pausa.

«Garrett?»

«Sì?»

«Volevo solo dirti che mi spiace davvero per questo fine settimana», disse Theresa a bassa voce.

«Lo so.»

«Posso rimediare?»

«Che cosa hai in mente?»

«Ecco... puoi venire da me non questo ma il prossimo fine settimana?»

«Penso di sì.»

«Bene, perché organizzerò un fine settimana speciale, per noi due soli.»

Furono giorni che nessuno dei due avrebbe dimenticato facilmente.

Nelle due settimane precedenti Theresa gli aveva telefonato più spesso del solito. Abitualmente era Garrett a chiamare, ma sembrava quasi che Theresa lo anticipasse ogni volta che lui provava il desiderio di parlarle. Già due volte, mentre si accingeva a fare il suo numero, il telefono si era messo a squillare, e la seconda volta Garrett aveva risposto semplicemente con un «Ciao, Theresa». Lei ne era rimasta sorpresa, e prima di mettersi a chiacchierare avevano scherzato per un po' sulle sue facoltà paranormali.

Quando Garrett giunse a Boston due settimane dopo, Theresa andò a prenderlo all'aeroporto. Gli aveva detto di mettersi qualcosa di elegante, e lui scese dall'aereo indossando un blazer che lei non aveva mai visto.

«Ehi!» esclamò.

Garrett si sistemò la giacca con aria d'importanza. «Vado bene?»

«Sei stupendo.»

Dall'aeroporto andarono direttamente al ristorante. Theresa aveva prenotato un tavolo nel locale più raffinato della città. Dopo la magnifica cena, Theresa lo portò a teatro a vedere *I Miserabili.* I biglietti erano già tutti esauriti, ma siccome Theresa conosceva il direttore si ritrovarono seduti nei posti migliori.

Quando rincasarono era tardi, e a Garrett la giornata successiva apparve non meno frenetica. Theresa lo portò in ufficio, dove gli presentò qualche collega, poi passarono il resto del pomeriggio al Museo d'Arte Moderna. La sera andarono a cena con Deanna e Brian da *Anthony's*, un ristorante in cima al Prudential Building, che offriva uno spettacolare panorama su tutta la città.

Garrett non aveva mai visto niente di simile.

Il loro tavolo era accanto alla vetrata, e Deanna e Brian si alzarono a salutarli. «Vi ricordate di Garrett, no?» domandò Theresa, cercando di non sembrare ridicola.

«Certo. È un piacere rivederti, Garrett», disse Deanna, abbracciandolo e baciandolo sulla guancia. «Mi spiace di avere costretto Theresa a venire con me, due settimane fa. Spero che non te la sia presa troppo.»

«È tutto a posto», replicò Garrett, annuendo impacciato.

«Mi fa piacere, perché credo che ne sia valsa la pena.»

Garrett la guardò incuriosito. Theresa domandò: «Che cosa vuoi dire, Deanna?»

Gli occhi di Deanna brillavano. «Ieri, dopo che sei uscita, ho avuto ottime notizie.»

«E cioè?» chiese Theresa.

«Ecco», rispose Deanna con finta indifferenza, «ho parlato per una ventina di minuti con Dan Mandel, il capo della Media Information Inc., e ho scoperto che è rimasto molto colpito da te. Gli è piaciuto il tuo modo di comportarti e ti giudica una vera professionista. Ma soprattutto...»

Deanna fece una pausa a effetto, sforzandosi di trattenere un sorriso.

«Sì?»

«Vuole pubblicare la tua rubrica su tutti i suoi giornali, a partire da gennaio.»

Theresa si portò una mano alla bocca per soffocare il grido, che tuttavia risuonò abbastanza forte perché tutte le persone ai tavoli vicini si voltassero. Poi si avvicinò a Deanna parlando concitatamente. Garrett fece un passetto indietro.

«Stai scherzando?» esclamò Theresa incredula.

Deanna scrollò il capo, con un ampio sorriso. «No. Ti ripeto solo ciò che mi ha detto Dan Mandel. Vuole parlarti di nuovo martedì. Ho fissato un incontro per le dieci.»

«Sei proprio sicura? Vuole la mia rubrica?»

«Esatto. Gli ho mandato per fax il tuo curriculum professionale e qualche articolo, e lui mi ha ritelefonato. Vuole te, non ci sono dubbi. Ha già deciso.»

«Non riesco a crederci.»

«Fai male. E poi mi è giunta voce che anche un paio di altri pezzi grossi si interessano a te.»

«Oh... Deanna...»

Theresa abbracciò impulsivamente Deanna, con il viso raggiante di eccitazione. Brian diede una gomitata amichevole a Garrett.

«Grandi notizie, eh?»

Garrett impiegò qualche attimo per rispondere.

«Già... grandi.»

Quando si furono seduti al tavolo, Deanna ordinò una bottiglia di champagne per brindare al brillante futuro di Theresa. Per il resto della serata le due donne non cessarono un istante di chiacchierare. Garrett rimase in silenzio, non sapendo che cosa dire. Come se intuisse il suo imbarazzo, Brian si chinò verso di lui.

«Sembrano due scolarette, vero? Deanna non ha fatto altro che andare avanti e indietro per casa tutto il giorno, impaziente di darle la notizia.»

«Vorrei solo capirci qualcosa di più. Non so bene che cosa dire.»

Brian bevve un sorso, scuotendo il capo. Le parole gli uscirono di bocca leggermente biascicate.

«Non ti preoccupare. Anche se capissi, probabilmente non riusciresti lo stesso a dire la tua. Parlano sempre così. A volte mi viene da pensare che in una vita precedente fossero gemelle.»

Garrett osservò Theresa e Deanna, sedute di fronte a lui. «Forse hai ragione.»

«E poi», aggiunse Brian, «capirai meglio quando avrai che farci a tempo pieno. Lo so per esperienza.»

La sua osservazione non sfuggì a Garrett. *Quando avrai che farci a tempo pieno?*

Vedendo che Garrett non rispondeva, Brian cambiò discorso. «Quanto tempo ti fermerai?»

«Fino a domani sera.»

Brian annuì. «Dev'essere difficile vivere lontani, vero?»

«A volte.»

«Posso immaginarlo. So che anche Theresa ne soffre.»

Theresa sorrise a Garrett. «Di che cosa state parlando, voi due?» domandò allegramente.

«Del più e del meno», rispose Brian, «ma soprattutto del tuo successo.»

Garrett annuì brevemente senza rispondere, e Theresa lo vide agitarsi sulla sedia. Era chiaro che si sentiva a disagio – sebbene non ne capisse il motivo – e si chiese perché.

«Come sei taciturno, stasera», disse Theresa.

Erano tornati nel suo appartamento e sedevano sul divano con la radio accesa in sottofondo.

«Credo di non avere molto da dire.»

Lei gli prese la mano e parlò a bassa voce. «Ero felice che fossi con me quando Deanna mi ha dato la notizia.»

«Sono felice anch'io per te, Theresa. So che significa molto.»

Lei sorrise incerta. Cambiando discorso, domandò: «Ti sei trovato bene a chiacchierare con Brian?»

«Sì... è un tipo alla mano.» Garrett fece una pausa. «Ma non sono granché in mezzo alla gente, soprattutto se mi sento un po' estraneo al loro giro. Io... » Si fermò, riflettendo se fosse il caso di aggiungere altro, e decise che era meglio di no.

«Che cosa?»

Lui scrollò la testa. «Niente.»

«No, che cosa volevi dire?»

Garrett rispose dopo un attimo, scegliendo le parole con cura: «Volevo dire che questo fine settimana è stato piuttosto insolito per me. Il teatro, le cene raffinate, uscire con i tuoi amici...» Alzò le spalle. «Non era quello che mi aspettavo.»

«Non ti sei divertito?»

Lui si passò le mani tra i capelli, con un gesto imbarazzato. «Non è questo il problema. È solo che...» Di nuovo fece spallucce. «Non è roba per me. Sono cose che normalmente non farei.»

«Proprio per questo ho organizzato così il fine settimana. Volevo farti provare cose nuove.»

«Perché?»

«Per la stessa ragione per la quale hai voluto insegnarmi ad andare sott'acqua: perché è eccitante, perché è diverso.»

«Non sono venuto qui per fare qualcosa di diverso. Sono venuto per stare un po' tranquillo con te. Non ci vediamo da molto tempo, e da quando sono arrivato non abbiamo fatto altro che correre da un posto all'altro. Non abbiamo ancora avuto nemmeno il tempo per parlare, e io parto domani.»

«Non è vero. Ieri sera abbiamo cenato da soli, e oggi al museo eravamo soli. Abbiamo avuto un sacco di tempo per parlare.»

«Sai che cosa voglio dire.»

«No, non lo so. Che cosa volevi fare, restartene qui in casa?»

Garrett non rispose e rimase in silenzio per un po'. Poi si alzò dal divano, si avvicinò alla radio e la spense.

«È da quando sono arrivato che voglio dirti una cosa importante.» Parlò senza voltarsi.

«Che cosa?»

Lui chinò il capo. *Adesso o mai più,* mormorò tra sé. Alla fine si girò, e con un profondo respiro si fece coraggio.

«Quest'ultimo mese senza vederti è stato davvero duro, e non credo di avere più voglia che le cose continuino in questo modo.»

Per un secondo Theresa trattenne il fiato.

Vedendo la sua espressione, lui le si avvicinò, provando una strana oppressione al petto al pensiero di ciò che stava per dire. «Non è come pensi», si affrettò ad aggiungere. «Non fraintendermi. Non sto dicendo che non voglio più vederti. Voglio vederti sempre.» Quando fu accanto al divano, si inginocchiò davanti a lei. Theresa lo guardò stupita. Garrett le prese una mano.

«Voglio che ti trasferisca a Wilmington.»

Pur sapendo che prima o poi quel momento sarebbe arrivato, Theresa non se lo aspettava proprio ora, e certo non in quel modo. Garrett proseguì: «So che è un grande passo, ma se ti trasferisci, non dovremo più passare questi lunghi periodi di lontananza. Potremmo vederci tutti i giorni». Le accarezzò la guancia. «Voglio camminare sulla spiaggia con te, voglio andare in barca con te. Voglio che quando torno a casa dal negozio tu sia lì ad aspettarmi. Voglio avere la sensazione che ci conosciamo da una vita...»

Garrett parlava a precipizio, e Theresa cercava di trovare un senso nelle sue parole.

«Mi manchi troppo quando non siamo insieme... Mi rendo conto che il tuo lavoro è qui, ma sono sicuro che il giornale locale ti assumerebbe...»

Quanto più Garrett parlava, tanto più le girava la testa. Le sembrava quasi che cercasse di ricreare il suo rapporto con Catherine. «Aspetta un momento», gli disse infine, interrompendolo. «Non posso andarmene così. C'è Kevin, che va a scuola...»

«Non dico subito», ribatté lui. «Puoi aspettare la fine della scuola, se credi che sia meglio. Ce l'abbiamo fatta finora, qualche mese in più non cambierà le cose.»

«Ma lui è felice qui, questa è casa sua. Ha i suoi amici, il calcio...»

«Può averli anche a Wilmington.»

«Come fai a saperlo? Per te è facile dire che sarà così, ma non puoi saperlo con certezza.»

«Non hai visto come andiamo d'accordo?»

Theresa gli lasciò la mano, sentendo crescere la propria irritazione. «Ma non c'entra niente, non lo capisci? So che siete andati d'accordo, ma non gli stavi chiedendo di cambiare la sua vita. *Io* non gli stavo chiedendo di cambiare la sua vita.» Fece una pausa. «E poi non è solo questione di Kevin. A me non pensi, Garrett? C'eri anche tu questa sera, sai bene che cosa è successo. Ho appena avuto notizie fantastiche per il mio lavoro, e vorresti che rinunciassi a tutto?»

«Io non voglio rinunciare a noi. C'è una bella differenza.»

«Allora perché non ti trasferisci tu a Boston?»

« E che cosa farei?»

«Le stesse cose che fai a Wilmington. Insegnare ai sub, andare in barca a vela, quello che ti pare. Per te un trasferimento è molto più facile che per me.»

«Non posso. Tutto questo», con un gesto indicò la stanza e le finestre, «non fa per me. Mi sentirei perso.»

Theresa si alzò e prese a camminare nervosamente per la stanza. Si passò una mano tra i capelli. «Non è giusto.»

«Che cosa?»

Lei si voltò a guardarlo. «Tutta questa faccenda. Chiedermi di trasferirmi, chiedermi di cambiare completamente la mia vita. È come se volessi dettare le condizioni: 'Possiamo stare insieme, ma dev'essere come voglio io'. E i miei sentimenti? Non contano niente?»

«Ma certo che contano. Tu sei importante... noi siamo importanti.»

«Da come parli non sembrerebbe proprio. È come se pensassi soltanto a te stesso. Vuoi che rinunci a tutto quello per cui ho lavorato, ma non sei disposto a rinunciare a nulla.» I suoi occhi non lasciavano un attimo quelli di lui.

Garrett si alzò e le andò vicino. Quando le fu accanto, Theresa si ritrasse, alzando le braccia come una barriera.

«Garrett... non voglio che mi tocchi adesso.»

Lui lasciò ricadere le mani lungo i fianchi. Per un lungo momento nessuno dei due parlò. Theresa incrociò le braccia e guardò altrove.

«Allora immagino che la tua risposta sia negativa», disse lui infine, con rabbia.

Lei scelse attentamente le parole. «No. La mia risposta è che ne dobbiamo parlare.»

«Vuoi provare a convincermi che ho torto?»

Quel commento non meritava risposta. Scuotendo la testa, Theresa andò al tavolo del soggiorno, prese la borsetta e si diresse verso l'ingresso.

«Dove vai?»

«A comprare del vino. Ne ho bisogno.»

«Ma è tardi.»

«C'è un supermercato in fondo all'isolato. Torno tra pochi minuti.»

«Perché non possiamo parlarne adesso?»

«Perché devo rimanere qualche minuto da sola a pensare», rispose lei in fretta.

«Scappi?» Sembrava un'accusa.

Theresa aprì la porta e disse: «No, Garrett, non scappo. Fra qualche minuto sarò di ritorno. E non mi piace che mi parli in questo modo. Non è giusto che tu mi faccia sentire in colpa. Mi hai appena chiesto di cambiare radicalmente la mia vita, e mi prendo qualche minuto per pensarci».

Uscì. Garrett rimase qualche istante a fissare la porta, sperando di vederla tornare indietro. Poi si maledisse in silenzio. Gli era andato tutto storto. Le aveva chiesto di trasferirsi a Wilmington, e tutto quello che aveva ottenuto era che Theresa uscisse per restare un po' da sola. Come aveva fatto a sfuggirgli di mano la situazione?

Non sapendo che fare, si aggirò per casa. Guardò in cucina, poi in camera di Kevin e quando giunse davanti alla camera da letto di Theresa esitò un attimo prima di entrare. Quindi sedette sul letto e si prese la testa fra le mani.

Era giusto chiederle di andarsene? È vero, qui Theresa aveva la sua vita, una bella vita, ma Garrett era convinto che avrebbe potuto avere le stesse cose anche a Wilmington. Da qualunque punto di vista si esaminasse la questione, era meglio che si trasferisse lei. Guardandosi intorno, Garrett capì che non si sarebbe mai abituato a vivere in un appartamento. E se si fossero trasferiti in una casa, ci sarebbe stato un bel panorama? Oppure sarebbero andati ad abitare nei sobborghi, circondati da decine di villette identiche alla loro?

Bel guaio. Per qualche motivo, ogni parola gli era uscita storta. Non aveva alcuna intenzione di darle un ultimatum, ma, ripensandoci, si accorse che lo aveva fatto.

Con un gemito, si chiese che cosa fare. Aveva la sensazione che qualunque cosa avesse detto al ritorno di Theresa avrebbe provocato un altro litigio. Non era ciò che voleva. Raramente le liti risolvono le cose, e ciò di cui avevano bisogno adesso era una soluzione.

Ma se doveva tenere la bocca chiusa, che altro poteva fare? Rimase qualche istante a pensare, prima di decidersi finalmente a scriverle una lettera per spiegare i propri sentimenti. Scrivere lo aiutava sempre a pensare con maggiore chiarezza, soprattutto negli ultimi anni, e forse Theresa sarebbe riuscita a comprendere le sue ragioni.

Guardò sul comodino. C'era il telefono, ma nessuna traccia di carta o penna. Aprì il cassetto, frugò e trovò una biro.

Cercando un foglio di carta, continuò a rovistare, tirando fuori riviste, un paio di libri tascabili, portagioie vuoti, finché la sua attenzione fu attirata da qualcosa di familiare.

Una barca a vela.

Era impressa su un foglio di carta infilato tra una sottile agenda e una vecchia copia del *Ladies' Home Journal*. Garrett lo prese, convinto che fosse una delle lettere che le aveva scritto negli ultimi mesi, ma di colpo si gelò.

Com'era possibile?

Quella carta da lettere gliel'aveva regalata Catherine, e la usava soltanto per scrivere a lei. Le lettere a Theresa erano su una carta diversa, comperata da lui stesso.

Trattenne il respiro. In fretta e furia sgombrò il cassetto e tirò fuori non uno, bensì cinque, cinque! fogli della stessa carta. Ancora confuso, sbatté le palpebre prima di guardare la prima lettera dove, scritte di suo pugno, trovò le seguenti parole:

Mia carissima Catherine...

Oh, mio Dio. Garrett passò al secondo foglio, che era una fotocopia.

Mia adorata Catherine...

La lettera successiva.

Cara Catherine...

«Che cos'è questa storia», borbottò, incapace di credere ai suoi occhi. «Non è possibile...» Guardò nuovamente i fogli, per maggiore sicurezza.

Non c'erano dubbi. La prima era un originale, le altre due erano fotocopie, ma tutte erano lettere sue: le lettere che scriveva a Catherine dopo i sogni, che gettava dalla *Happenstance*, e che mai si sarebbe aspettato di rivedere.

D'impulso incominciò a leggerle, e a ogni parola, a ogni frase, sentì riaffiorare vecchi sentimenti che lo aggredirono tutti insieme. I sogni, i ricordi, la perdita, la sofferenza. Si fermò.

Aveva la bocca secca e serrò le labbra. Invece di continuare a leggere, rimase a fissare i fogli sconvolto. Quasi non si accorse del rumore della porta d'ingresso che veniva aperta e richiusa. «Garrett, sono tornata», lo chiamò Theresa. Tacque, e Garrett udì i suoi passi attraversare l'appartamento. Poi: «Dove sei?»

Non rispose. In quel momento la sua mente era completamente presa dal tentativo di capire come fosse potuta accadere una cosa simile. Com'erano finite in mano di Theresa? Erano le sue lettere... le sue lettere *personali.*

Le lettere a sua *moglie.*

Lettere che non riguardavano *nessun altro.*

Theresa entrò in camera e lo guardò. Garrett non se ne rendeva conto, ma era cereo in volto, con le nocche delle mani bianche a furia di stringere convulsamente i fogli.

«Non ti senti bene?» domandò lei, senza accorgersi di ciò che aveva in mano.

Per un attimo fu come se Garrett non l'avesse neppure udita. Poi, alzando lentamente la testa, la fissò gelido.

Sbigottita, Theresa fece per parlare di nuovo, ma in quel momento la comprensione la investì con la violenza di un'ondata: il cassetto aperto, i fogli nelle mani di Garrett, il suo viso.

«Garrett... ti posso spiegare», si affrettò a dire, a bassa voce. Ma sembrava che Garrett non la sentisse.

«Le mie lettere...» mormorò lui, guardandola con un misto di confusione e di rabbia.

«Io...»

«Dove le hai prese?» chiese, con un tono di voce che la fece rabbrividire.

«Una l'ho trovata sulla spiaggia e...»

«L'hai trovata?» l'interruppe lui.

Theresa annuì e tentò di spiegare: «Ero in vacanza a Cape Cod. Stavo correndo sulla spiaggia e ho trovato la bottiglia...»

Lui guardò la prima pagina, l'unica originale. Era quella che aveva scritto all'inizio dell'anno. Ma le altre...

«E queste?» chiese, mostrando le fotocopie. «Da dove vengono?»

«Mi sono state mandate», rispose Theresa a bassa voce.

«Da chi?» Garrett si alzò dal letto sbalordito.

Lei fece un passo verso di lui, con la mano tesa. «Da altre persone che le avevano trovate. Una di loro aveva letto il mio articolo...»

«Hai pubblicato la mia lettera?» domandò Garrett con voce strozzata, come se avesse ricevuto un pugno nello stomaco.

Theresa rimase un attimo in silenzio. «Non sapevo...» incominciò.

«Non sapevi che cosa?» esclamò lui, palesemente ferito. «Che fosse sbagliato farlo? Che forse non mi sarebbe piaciuto che fosse sbandierata ai quattro venti?»

«Si era arenata sulla spiaggia, dovevi immaginare che qualcuno l'avrebbe trovata», si affrettò a dire lei. «E poi non ho usato i vostri nomi.»

«Ma l'hai pubblicata...» Garrett non poté continuare, incredulo.

«Garrett... io...»

«Non dire niente», la interruppe lui adirato. Tornò a guardare le lettere, poi di nuovo lei, come se la vedesse per la prima volta. «Mi hai mentito», disse, come se fosse una rivelazione.

«Non è vero...»

Non l'ascoltava neppure. «Mi hai mentito», ripeté, quasi a se stesso. «E poi sei venuta a cercarmi. Perché? Per scrivere un altro articolo per la tua rubrica.... È così?»

«No... non è affatto così...»

«E allora perché?»

«Dopo avere letto le tue lettere... volevo conoscerti.»

Garrett non capiva che cosa stesse dicendo. Il suo sguardo continuava ad andare dalle lettere a lei, e viceversa. Aveva un'aria sofferente.

«Mi hai mentito», ripeté per la terza volta. «Mi hai usato.»

«Non è vero...»

«Sì!» gridò Garrett, e la sua voce rimbombò nella camera. Ricordando Catherine, strinse a sé le lettere con un gesto protettivo, come se Theresa non le avesse ancora lette. «Erano mie, i miei sentimenti, i miei pensieri, il mio modo di affrontare la perdita di mia moglie. Mie, non tue.»

«Non volevo offenderti.»

Lui la fissò duramente, senza parlare. I muscoli della mascella erano tesi.

«Tutto questo non è altro che una messa in scena», disse infine, senza attendersi una risposta. «Hai preso i miei sentimenti per Catherine e hai cercato di manipolarli per trasformarli in qualcosa che andasse bene per te. Pensavi che, amando Catherine, avrei amato anche te, non è così?»

Suo malgrado Theresa impallidì. Si era ritrovata improvvisamente incapace di parlare.

«Hai architettato tutto fin dall'inizio, eh?» Garrett fece un'altra pausa, passandosi una mano tra i capelli. Quando riprese a parlare, la sua voce s'incrinò. «Era tutto organizzato...»

Per un attimo rimase come paralizzato, e Theresa cercò di toccarlo.

«Garrett... sì, lo ammetto, volevo incontrarti. Le lettere erano bellissime, e volevo vedere che genere di persona poteva scrivere queste cose. Ma non sapevo fino a che punto sarei arrivata. Da quel momento in poi non c'è stato più nulla di organizzato.» Gli prese una mano. «Io ti amo, Garrett. Mi devi credere.»

Quando tacque, lui liberò la mano e si scostò.

«Che razza di persona sei?»

Quella domanda le fece male, e Theresa, sulla difensiva, rispose: «Non è come pensi tu...»

«Ti sei fatta prendere la mano da una fantasia bacata...» la incalzò Garrett, incurante della sua reazione

Questo era troppo. «Smettila, Garrett!» gridò Theresa irata, ferita dalle sue parole. «Non ascolti nemmeno quello che ti dico!» Gli occhi le si riempirono di lacrime.

«Perché dovrei ascoltarti? Mi hai mentito fin da quando ci siamo conosciuti.»

«Non ti ho mentito! Ho solo evitato di parlarti delle lettere!»

«Perché sapevi di essere nel torto!»

«No, perché sapevo che non avresti capito», rispose lei, lottando per riprendere il controllo di sé.

«Capisco eccome. Capisco che genere di persona sei!»

Gli occhi di Theresa si strinsero. «Non fare così.»

«Così come? Arrabbiato? Offeso? Ho appena scoperto che il nostro amore è tutto una finzione e vuoi che non me la prenda?»

«Sta' zitto!» urlò lei, lasciando di colpo esplodere un'ira che fino ad allora aveva soffocato dentro di sé.

Garrett parve allibito dalla sua reazione e la guardò senza parole. Alla fine, con voce rotta, protese di nuovo le lettere.

«Tu credi di capire quello che c'era tra me e Catherine, ma non è così. Puoi leggere tutte le lettere che vuoi, puoi conoscermi finché vuoi, ma non capirai mai. Quello che avevamo era *vero*. Era vero, e anche lei era vera...»

Fece una pausa per raccogliere le idee, fissandola come una sconosciuta. Poi, irrigidendosi, le disse qualcosa che le fece più male di tutto ciò che aveva detto fino a quel momento.

«Il nostro rapporto non si è mai nemmeno avvicinato a quello che c'era tra me e Catherine.»

Non attese una risposta. Le passò accanto, diretto verso la sua valigia. La riempì e la chiuse. Per un attimo Theresa pensò di fermarlo, ma le sue parole l'avevano lasciata stordita.

Garrett si alzò, con la valigia in mano. «Questa», disse agitando i fogli che stringeva in pugno, «è roba mia, e me la porto via.»

Rendendosi improvvisamente conto di ciò che aveva intenzione di fare, Theresa domandò: «Perché te ne vai?»

Lui la fissò. «Non so neppure chi sei.»

Senza dire altro, si voltò, attraversò il salotto e uscì.

12

Non sapendo dove andare, Garrett prese un taxi e si fece portare all'aeroporto. Sfortunatamente non c'erano voli disponibili, e dovette passare il resto della notte al terminal, ancora in collera e incapace di dormire. Camminando su e giù per ore, passò davanti a negozi ormai chiusi fino al giorno dopo, fermandosi di tanto in tanto a guardare oltre le transenne che delimitavano l'area riservata ai viaggiatori.

Il mattino successivo prese il primo volo e arrivò a casa poco dopo le undici. Andò difilato in camera e si gettò sul letto, ma gli avvenimenti della notte continuavano a rigirargli nel cervello, tenendolo sveglio. Alla fine rinunciò ai tentativi di dormire. Fece una doccia e si vestì, poi tornò a sedersi sul letto. Guardò la foto di Catherine, la prese e la portò in salotto. Sul tavolino accanto al divano trovò le lettere dove le aveva lasciate arrivando. A casa di Theresa era troppo sconvolto per analizzarle, ma ora, di fronte alla fotografia di Catherine, le rilesse lentamente, quasi con riverenza, avvertendo la sua presenza nella stanza.

***

«Ehi, pensavo che ti fossi dimenticata del nostro appuntamento», disse osservando Catherine avanzare lungo il molo con un sacchetto della spesa.

Sorridendo Catherine si fece aiutare a salire a bordo. «Non me n'ero dimenticata, ho solo fatto una piccola deviazione per strada.»

«Dove?»

«Sono stata dal dottore.»

Lui le prese la borsa di mano e la posò in un angolo. «Tutto a posto? Ultimamente non sei stata bene...»

«La salute è ottima», disse lei interrompendolo dolcemente. «Ma stasera non credo di avere voglia di uscire in barca.»

«C'è qualcosa che non va?»

Catherine sorrise di nuovo, poi si chinò e tirò fuori un pacchetto dalla borsa. Garrett la guardò mentre lo scartava.

«Chiudi gli occhi», gli ordinò, «e ti dico tutto.»

Ancora perplesso, Garrett ubbidì e udì il rumore della carta da pacchi che veniva strappata. «Adesso puoi aprirli.»

Catherine gli teneva davanti una tutina da neonato.

«Che cos'è?» chiese lui, senza capire.

Lei aveva un'espressione raggiante. «Sono incinta», disse eccitata.

«Incinta?»

«Sì. Ufficialmente di otto settimane.»

«Otto settimane?»

Lei annuì. «Penso di essere rimasta incinta l'ultima volta che siamo usciti in mare.»

Stordito dalla notizia, Garrett prese la tutina e la tenne delicatamente in mano, poi abbracciò Catherine. «Non riesco a crederci...»

«È vero.»

Un sorriso radioso gli illuminò il viso, mentre il significato della notizia si faceva sempre più chiaro. «Sei incinta!»

Catherine chiuse gli occhi, mormorandogli all'orecchio: «E tu diventerai padre».

I pensieri di Garrett furono interrotti dal cigolio della porta. Suo padre mise la testa dentro la stanza.

«Ho visto il furgone fuori. Volevo assicurarmi che stessi bene», spiegò. «Non ti aspettavo prima di stasera.» Dato che Garrett non rispondeva, il padre entrò e scorse la fotografia di Catherine sul tavolino. «Tutto a posto, figliolo?» chiese con prudenza.

Rimasero seduti in salotto mentre Garrett raccontava ogni cosa dal principio: i sogni che l'avevano accompagnato nel corso degli anni, le lettere sigillate nelle bottiglie, giungendo infine al litigio della sera precedente. Non tralasciò nulla. Quando ebbe finito, suo padre prese le lettere.

«Dev'essere stato un trauma», disse, dando un'occhiata ai fogli, stupito che Garrett non gli avesse mai detto niente di quelle lettere. Fece una pausa. «Ma non credi di essere stato un po' duro con lei?»

Garrett scosse stancamente il capo. «Sapeva tutto di me, papà, e non mi ha mai detto niente. Aveva progettato tutto.»

«No, non è vero», replicò Jeb con garbo. «Può darsi che sia venuta qui per incontrarti, ma non è stata lei a farti innamorare. Lo hai fatto da solo.»

Garrett distolse lo sguardo prima di tornare a fissare la foto sul tavolino. «Ma non credi che abbia sbagliato a tenermelo nascosto?»

Jeb sospirò senza rispondere, ben sapendo che, se l'avesse fatto, Garrett avrebbe tirato di nuovo fuori le sue ragioni. Cercò invece un altro modo per indurre il figlio a riflettere obiettivamente. «Un paio di settimane fa, mentre parlavamo sul molo, hai detto che volevi sposare Theresa perché l'amavi. Ricordi?»

Garrett annuì distrattamente.

«Che cosa è cambiato da allora?»

Confuso Garrett guardò il padre. «Ti ho già detto che...»

«Sì, mi hai spiegato le tue ragioni, ma non sei stato sincero», lo interruppe Jeb prima che terminasse. «Né con me, né con Theresa, nemmeno con te stesso. Può anche darsi che ti abbia nascosto le lettere, mentre avrebbe fatto meglio a parlartene, ma non è questo il motivo per cui sei ancora arrabbiato. Sei così perché ti ha costretto a prendere atto di qualcosa che non volevi ammettere.»

Garrett guardò suo padre senza rispondere. Poi, alzatosi dal divano, andò in cucina, spinto da un improvviso impulso di sfuggire a quel discorso. Trovò una caraffa di tè freddo in frigorifero e se ne versò un bicchiere. Poi prese dal freezer la vaschetta del ghiaccio per staccarne un paio di cubetti. In un improvviso impeto di rabbia usò troppa forza, spargendo i cubetti di ghiaccio sul bancone e sul pavimento.

Mentre Garrett borbottava e imprecava in cucina, Jeb fissò la fotografia di Catherine, ripensando alla moglie persa tanto tempo prima. Posò le lettere e andò alla porta a vetri che dava sul retro. L'aprì e osservò i gelidi venti di dicembre infrangere con violenza le onde sulla spiaggia, mentre il loro fragore rimbombava per la casa. Rimase a contemplare l'oceano tempestoso e agitato finché udì bussare alla porta d'ingresso.

Si voltò, chiedendosi chi potesse essere. Stranamente, si rese conto che in tutte le sue visite, nessuno aveva mai bussato alla porta.

In cucina Garrett non aveva sentito niente. Jeb andò ad aprire. Alle sue spalle, le campanelle per il vento appese in veranda tintinnavano sonoramente.

«Arrivo», disse.

Quando aprì la porta d'ingresso, una folata di vento irruppe in salotto, facendo volare qua e là le lettere di Catherine, ma Jeb non se ne accorse. La visitatrice attirò tutta la sua attenzione. Non riusciva a toglierle gli occhi di dosso.

Davanti a lui c'era una giovane donna dai capelli castani che non aveva mai visto prima. Rimase immobile, sapendo benissimo chi era, ma senza trovare parole. Si fece da parte per cederle il passo.

«Avanti», disse piano.

Mentre lei entrava richiudendosi la porta alle spalle, il vento di colpo si placò. Theresa guardò Jeb imbarazzata. Per un istante nessuno dei due parlò.

«Lei dev'essere Theresa», disse infine Jeb. Dalla cucina giungevano i brontolii di Garrett ancora alle prese con il ghiaccio. «Ho sentito parlare molto di lei.»

Theresa incrociò le braccia sul petto, incerta. «So di non essere attesa...»

«Non importa», la incoraggiò Jeb.

«È qui?»

Jeb fece un cenno in direzione della cucina. «Sì. Si sta preparando qualcosa da bere.»

«Come sta?»

Jeb scrollò le spalle e sorrise mesto. «Dovrà parlargli...»

Theresa annuì, di colpo assalita dal dubbio. Aveva fatto bene a venire? Si guardò intorno, notando immediatamente le lettere sul pavimento. Notò anche la valigia di Garrett vicino alla porta della camera da letto, ancora chiusa. Per il resto, la casa aveva l'aspetto consueto.

Tranne, ovviamente, per la fotografia.

La scorse alle spalle di Jeb. Di solito era in camera di Garrett, ma per qualche motivo adesso era bene in vista, e lei non riusciva a distoglierne lo sguardo. La fissava ancora quando Garrett rientrò in salotto.

«Papà, ma che cosa è successo...»

Si bloccò. Theresa lo guardò incerta. Per lunghi secondi nessuno parlò. Poi Theresa trasse un profondo respiro.

«Ciao, Garrett», disse.

Lui non rispose. Jeb prese le chiavi dal tavolo, sapendo che era giunto il momento di andarsene.

«Avete molte cose da dirvi, voi due, perciò tolgo il disturbo.»

Si diresse verso la porta d'ingresso, gettando uno sguardo a Theresa. «È stato un piacere», mormorò. Mentre parlava, però, inarcò le sopracciglia e alzò leggermente le spalle, come per augurarle buona fortuna. Un attimo dopo era fuori.

«Perché sei qui?» domandò Garrett con voce atona quando rimasero soli.

«Volevo venire», sussurrò lei. «Volevo rivederti.»

«Perché?»

Theresa non rispose, ma dopo un attimo di esitazione andò verso di lui senza cessare di guardarlo negli occhi. Quando gli fu vicina, gli posò un dito sulle labbra e scosse il capo, come per impedirgli di parlare. «Shh», mormorò, «niente domande... per ora. Ti prego...» Cercò di sorridere, ma guardandola meglio Garrett si accorse che aveva pianto.

Non c'era nulla che potesse dire. Non c'erano parole per descrivere ciò che aveva passato.

Invece di parlare lo strinse fra le braccia. Riluttante, lui la cinse a sua volta, mentre Theresa gli posava la testa sul petto. Gli baciò il collo e lo attrasse più forte a sé. Passandogli una mano tra i capelli, gli posò la bocca esitante sulla guancia, poi sulle labbra. Lo baciò, dapprima lievemente, sfiorandogli soltanto le labbra, poi con più passione. Senza riflettere, Garrett incominciò a rispondere ai suoi inviti. Le sue mani le risalirono lentamente lungo la schiena, facendo aderire i due corpi.

In salotto, mentre il rombo dell'oceano riecheggiava nella casa, si strinsero l'uno all'altra, abbandonandosi alla vampa del desiderio. Alla fine Theresa si staccò e lo prese per mano, conducendolo verso la camera da letto.

Poi, mentre lui indugiava sulla soglia, attraversò la stanza. Dal salotto la luce entrava di sbieco, riempiendola di ombre. Dopo un istante d'esitazione, Theresa si voltò verso di lui e incominciò a spogliarsi. Garrett accennò a chiudere la porta, ma lei lo fermò con una mossa del capo. Questa volta voleva vederlo, ed essere vista da lui. Voleva che Garrett sapesse che era lì con lei e con lei soltanto.

Con la massima lentezza si liberò degli indumenti. La camicetta... i jeans... il reggiseno... le mutandine. Si spogliò con intenzione, le labbra lievemente socchiuse, senza mai staccare gli occhi da quelli di lui. Quando fu nuda, gli rimase di fronte immobile, lasciando che lo sguardo di Garrett scorresse sulla sua pelle.

Infine gli si avvicinò e lo accarezzò: il petto, le spalle, le braccia, toccandolo teneramente come se volesse imprimersi per sempre nella mente i contorni del suo corpo. Facendo un passo indietro per consentirgli di spogliarsi, rimase a osservarlo, impadronendosi con lo sguardo di ogni particolare mentre gli abiti cadevano sul pavimento. Poi gli baciò le spalle e gli girò lentamente intorno, senza staccare la bocca dalla sua pelle, lasciandovi una traccia umida con le labbra. Infine lo condusse al letto e vi si adagiò, attirandolo a sé.

Si amarono furiosamente, avvinghiandosi con la forza della disperazione. La loro passione era diversa dalle altre volte che avevano fatto all'amore; ciascuno era dolorosamente consapevole del piacere dell'altro, ogni carezza era più inebriante di quella che l'aveva preceduta. Come impauriti da ciò che il futuro aveva in serbo per loro, celebrarono un reciproco rito di adorazione, con un'intensità così assoluta da lasciare un'impronta indelebile nella loro memoria. Quando infine raggiunsero insieme l'orgasmo, Theresa gettò all'indietro la testa gridando forte, senza nemmeno provare a soffocare la propria voce.

Dopo, sedette sul letto cullando in grembo la testa di Garrett. Gli accarezzava ritmicamente i capelli, ascoltando il suo respiro farsi sempre più profondo.

Più tardi, Garrett si svegliò solo. Notando che anche i vestiti di Theresa erano scomparsi, afferrò jeans e camicia. Uscì dalla camera da letto abbottonandosi e la cercò.

La casa era fredda.

La trovò in cucina. Era seduta al tavolo, con la giacca addosso. Davanti a lei c'era una tazza di caffè quasi vuota, come se fosse lì da tempo. La caffettiera era già nel lavandino. Guardando l'orologio, Garrett si rese conto di avere dormito quasi due ore.

«Ciao», mormorò, incerto.

Theresa si voltò e lo guardò. Con un filo di voce, disse: «Oh, ciao... non ti avevo sentito.»

«Stai bene?»

Lei rispose indirettamente. «Vieni a sederti. Ho molte cose da raccontarti.»

Garrett sedette al tavolo, con un sorriso imbarazzato. Theresa giocherellò per un attimo con la tazza, a occhi bassi. Lui allungò la mano, scostandole dalla guancia una ciocca di capelli. Vedendo che non reagiva, la ritrasse.

Infine, senza guardarlo, Theresa sollevò le lettere che teneva in grembo e le posò sul tavolo. Doveva averle prese mentre lui dormiva.

«Ho trovato la bottiglia quest'estate, mentre correvo sulla spiaggia», incominciò, con voce ferma ma distante, come se ricordasse qualcosa di doloroso. «Non avrei mai immaginato il contenuto della lettera, ma dopo averla letta mi sono messa a piangere. Era così bella... Sapevo che veniva dritta dal cuore, e il modo in cui era scritta... Credo di essermi commossa perché anch'io mi sentivo sola.»

Lo guardò. «Quella mattina l'ho mostrata a Deanna. L'idea di pubblicarla è stata sua. All'inizio io ero contraria... pensavo che fosse troppo personale, ma lei non ci vedeva nulla di male. Pensava che fosse bello che anche altre persone potessero leggerla. Così ho ceduto, convinta che la cosa sarebbe finita lì. Ma mi sbagliavo.»

Sospirò. «Dopo essere tornata a Boston, ho ricevuto la telefonata di una donna che aveva letto l'articolo. Mi ha spedito la seconda lettera, che aveva trovato qualche anno prima. Dopo averla letta ne sono rimasta affascinata, ma di nuovo ho pensato che non mi sarei spinta oltre.»

Fece una pausa. «Conosci la rivista *Yankee*?»

«No.»

«È un giornale regionale. Non è molto conosciuto fuori dal New England, ma pubblica buoni articoli. È lì che ho trovato la terza lettera.»

Garrett la guardò sorpreso. «Era stata pubblicata anche quella?»

«Sì. Sono risalita all'autore dell'articolo e lui mi ha inviato la terza lettera, e... ecco, la curiosità ha avuto il sopravvento. Avevo tre lettere, Garrett, non una, ma tre, e tutte mi avevano colpita come la prima. Così, con l'aiuto di Deanna, ho scoperto dove vivevi e sono venuta qui per incontrarti.»

Theresa sorrise con tristezza. «Lo so che può sembrare come dici tu, soltanto una fantasia... ma non lo è. Non sono venuta qui per innamorarmi di te. Non sono venuta qui per scrivere un articolo. Ma per scoprire chi eri, e nient'altro. Volevo conoscere la persona che aveva scritto quelle lettere. Sono andata al porto e ti ho trovato. Abbiamo parlato un po', poi, se ricordi, sei stato tu a invitarmi in barca. Se non l'avessi fatto, probabilmente sarei ripartita il giorno stesso.»

Garrett non sapeva che cosa dire. Theresa allungò il braccio e posò dolcemente una mano sulla sua.

«Invece quella sera mi sono trovata bene con te, e mi sono resa conto che volevo rivederti. Non per via delle lettere, ma per come mi avevi trattata. Da allora, tutto è avvenuto con naturalezza. Dopo il primo incontro, niente di ciò che è accaduto fra noi faceva parte di un piano. È accaduto e basta.»

Garrett rimase per un po' in silenzio, fissando le lettere. «Perché non me ne hai mai parlato?» domandò.

Lei non rispose subito. «A volte avrei voluto farlo... ma, non so... credo di essermi convinta che il modo in cui ci eravamo incontrati non fosse importante. L'unica cosa che contava era che andavamo d'accordo.» Fece una pausa, sapendo che non era tutto. «E poi, pensavo che non avresti capito. Non volevo perderti.»

«Se me l'avessi detto prima, avrei capito.»

Theresa lo fissò con intensità. «Davvero, Garrett? Sei proprio convinto che avresti capito?»

Garrett sapeva che quello era il momento della verità. Vedendo che non le rispondeva, Theresa scosse la testa, voltandosi dall'altra.

«L'altra sera, quando mi hai chiesto di venire a vivere qui, non ti ho detto subito di sì perché avevo paura del motivo che ti aveva spinto a chiedermelo.» Esitò. «Avevo bisogno di essere sicura che volessi *me*, Garrett. Avevo bisogno di essere sicura che me lo chiedessi per *noi* e non perché volevi fuggire da qualcos'altro. E probabilmente speravo che tu riuscissi a convincermi non appena fossi tornata dal supermercato... invece, hai trovato queste...»

Alzò le spalle, proseguendo con voce ancora più bassa: «In fondo al cuore l'ho sempre saputo. Ma mi costringevo a credere che tutto si sarebbe risolto».

«Di che cosa parli?»

Lei non rispose direttamente. «Garrett, io non ho il minimo dubbio che tu mi ami, perché so che mi vuoi bene. È proprio questo a rendere la cosa tanto difficile. So che mi ami e anch'io ti amo... e in circostanze diverse forse potremmo superare tutto. Ma adesso non lo ritengo possibile. Non credo che tu sia ancora pronto.»

Per Garrett fu come un pugno nello stomaco. Theresa lo guardò negli occhi.

«Non sono cieca, Garrett. So perché a volte eri tanto depresso, quando non eravamo insieme. So perché volevi che venissi qui.»

«Perché mi mancavi», l'interruppe lui.

«In parte, certo... ma non solo», disse Theresa, fermandosi per ricacciare indietro le lacrime. La sua voce s'incrinò. «Anche per via di Catherine.»

Si strofinò l'angolo di un occhio, lottando contro il pianto ma risoluta a non cedere.

«Quando mi hai parlato per la prima volta di lei, ho visto la tua espressione... era chiaro che l'amavi ancora. E l'altra sera, nonostante la rabbia, ho rivisto la stessa espressione. Anche dopo tutto il tempo passato con me, non riesci ancora a staccarti da lei. E poi... le cose che hai detto...» Ebbe un respiro profondo, spezzato. «Non eri in collera solo perché avevo trovato le lettere, ma perché sentivi che costituivo una minaccia per il ricordo idealizzato del tuo rapporto con Catherine... e lo sono ancora.»

Garrett distolse lo sguardo, sentendo riecheggiare nelle orecchie le accuse di suo padre. Theresa gli accarezzò di nuovo la mano.

«Tu sei quello che sei, Garrett. Un uomo che ama intensamente, ma anche un uomo che ama per sempre. Per quanto tu possa amarmi, non credo che potrai mai dimenticare Catherine, e io non posso passare la vita a chiedermi se reggo il confronto con lei.»

«Possiamo provarci», incominciò bruscamente Garrett. «Cioè... posso provare a cambiare. So che il mio modo di vedere non è l'unico possibile...»

Theresa lo interruppe stringendogli la mano. «Sono convinta che ci credi davvero, e anche una parte di me vorrebbe crederlo. Se adesso mi abbracciassi e mi implorassi di restare, sono sicura che lo farei, perché hai portato nella mia vita qualcosa che mi mancava da tempo. E continueremmo entrambi in questo modo, convinti che tutto vada bene... Ma non sarebbe così, non capisci? Perché al prossimo litigio...» Si fermò. «Non posso competere con lei. E per quanto desideri che la nostra storia continui, non posso permetterlo, perché *tu* non lo permetteresti.»

«Ma io ti amo.»

Lei sorrise teneramente. Lasciandogli la mano, gli accarezzò una guancia. «Anch'io ti amo, Garrett. Ma a volte l'amore non basta.»

Garrett rimase in silenzio, pallido in viso. Nella lunga pausa successiva, Theresa incominciò a piangere.

Chinandosi verso di lei, Garrett la cinse con un braccio, ma debolmente. Posò la guancia sui suoi capelli, mentre Theresa nascondeva il viso sul suo petto, il corpo scosso dai singhiozzi. Passò parecchio tempo prima che si asciugasse le guance e si staccasse da lui. Si guardarono in silenzio. Negli occhi di Garrett c'era una muta supplica. Lei scosse il capo.

«Non posso restare, Garrett. Per quanto entrambi lo vogliamo, non posso.»

Erano parole che facevano male. Garrett provò un improvviso capogiro.

«No...» disse, affranto.

Theresa si alzò, sapendo di doversene andare prima di perdere la sua determinazione. Fuori i tuoni rombavano fragorosamente. Pochi secondi dopo incominciò a cadere un'acquerugiola leggera, mista a nebbia.

«Devo andare.»

Si mise la borsa a tracolla e si avviò verso la porta. Per un attimo Garrett fu troppo sbigottito per muoversi.

Infine, stordito, si alzò e la seguì fuori, mentre la pioggia s'infittiva. L'auto noleggiata era parcheggiata sul vialetto. Garrett la guardò aprire la portiera, senza trovare nulla da dire.

Seduta al volante, Theresa armeggiò qualche istante con la chiave, poi la inserì nell'accensione. Con un sorriso forzato richiuse la portiera. Nonostante la pioggia, abbassò il finestrino per vederlo meglio. Girò la chiave e sentì il motore partire. Si guardarono mentre la macchina girava al minimo.

L'espressione di lui fece crollare tutte le sue difese, la sua fragile determinazione. Per un attimo, uno solo, ebbe l'impulso di tornare indietro. Avrebbe voluto dirgli che non pensava sul serio ciò che aveva detto, che lo amava ancora, che la loro storia non doveva finire in quel modo. Sarebbe stato così facile, sarebbe stato così giusto...

Ma per quanto lo desiderasse, non si risolse a pronunciare quelle parole.

Garrett fece un passo verso la macchina. Theresa scosse la testa per fermarlo. Era già abbastanza doloroso così.

«Mi mancherai, Garrett», mormorò, dubitando che lui potesse sentirla. Ingranò la retromarcia.

La pioggia cadeva sempre più forte: erano le gocce grosse e gelide di un temporale d'inverno.

Garrett rimase immobile. «Per favore», disse sconvolto, «non andartene.» La sua voce era bassa, quasi coperta dallo scroscio della pioggia.

Lei non rispose.

Sapendo che avrebbe ricominciato a piangere se fosse rimasta un minuto di più, alzò il finestrino. Si voltò indietro e iniziò la manovra per immettersi in strada. Garrett posò una mano sul cofano quando l'auto si mosse, ma le sue dita scivolarono sul metallo bagnato. Un istante dopo la macchina era in strada, pronta a partire, con il tergicristallo che andava e veniva.

Assalito da un'urgenza improvvisa, Garrett si sentì sfuggire l'ultima occasione. «Theresa», gridò, «aspetta!»

Il rumore della pioggia le impedì di udirlo. L'auto aveva già superato la casa. Garrett corse lungo il marciapiede, agitando le braccia per farsi vedere, ma Theresa non parve fargli caso.

«Theresa!» chiamò di nuovo. Adesso era in mezzo alla strada e correva dietro l'auto, con i piedi che sguazzavano nelle pozzanghere. Le luci degli stop ammiccarono un attimo, poi di nuovo, stavolta più a lungo, mentre la macchina rallentava fino a fermarsi. Pioggia e foschia la circondarono, facendola apparire simile a un miraggio. Garrett sapeva che lei lo guardava nello specchietto, che lo vedeva avvicinarsi. *C'è ancora una possibilità...*

Le luci degli stop si spensero di colpo, la macchina ripartì accelerando e prese velocità. Garrett continuò a correrle dietro, inseguendola. La vide allontanarsi, facendosi di momento in momento più piccola. I polmoni gli bruciavano, ma lui continuò a correre, gareggiando contro un senso di inutilità. La pioggia cadeva a scrosci, inzuppandogli la camicia e ostacolandogli la vista.

Alla fine Garrett rallentò l'andatura fino a fermarsi. L'aria era densa di pioggia, e lui non aveva più fiato. La camicia gli si era appiccicata al corpo, i capelli gli erano finiti negli occhi. Mentre la pioggia continuava a investirlo, rimase a guardare l'auto che svoltava e scompariva dalla vista.

Ma neppure allora si mosse. Restò a lungo in mezzo alla strada, cercando di riprendere fiato, sperando che Theresa facesse marcia indietro e tornasse da lui, rimpiangendo di averla lasciata andare via. Rimpiangendo di non avere un'altra possibilità.

Se n'era andata.

Qualche istante dopo una macchina suonò il clacson alle sue spalle, e Garrett provò un tuffo al cuore. Si voltò di scatto, asciugandosi la pioggia dagli occhi, quasi aspettandosi di scorgere dietro il parabrezza il viso di lei; ma subito si avvide di essersi illuso. Si spostò sul ciglio della strada per lasciar passare l'auto, e, sentendo su di sé lo sguardo incuriosito del guidatore, si accorse di non essere mai stato tanto solo.

Sull'aereo, Theresa sedeva con la borsa in grembo. Era stata tra gli ultimi a salire, pochi istanti prima del decollo.

Volse lo sguardo verso il finestrino e osservò la pioggia battente. Sotto di lei, sulla pista, gli ultimi bagagli venivano caricati in fretta, per evitare che si bagnassero. Gli inservienti terminarono il loro lavoro mentre il portello principale si chiudeva e la scaletta veniva allontanata dall'aereo.

Era il tramonto, e non rimanevano che pochi minuti di luce grigia e soffusa. Le hostess fecero l'ultimo giro di controllo tra i passeggeri, poi presero posto. Le luci di cabina ammiccarono e il velivolo iniziò a muoversi lentamente, allontanandosi dal terminal e imboccando la pista di rullaggio.

L'aereo si arrestò di fianco al terminal, in attesa dell'autorizzazione al decollo.

Distrattamente Theresa guardò l'edificio dell'aeroporto. Con la coda dell'occhio vide una figura solitaria in piedi accanto alla vetrata, con le mani premute contro il vetro.

Guardò meglio. *Possibile?*

Non ne era sicura. I vetri azzurrati del terminal e la fitta pioggia le impedivano di vedere bene. Se l'uomo non fosse stato tanto vicino al vetro, non si sarebbe nemmeno accorta della sua presenza.

Theresa continuò a fissare quella figura con il respiro strozzato in gola.

Chiunque fosse, non si muoveva.

I motori ruggirono, poi il loro fragore si affievolì mentre l'aereo muoveva lentamente in avanti. Theresa sapeva che le restavano pochi attimi. Il terminal rimase indietro, mentre l'aereo acquistava gradualmente velocità.

Avanti... verso la pista... lontano da Wilmington...

Si girò per dare un'ultima occhiata, ma ormai era impossibile dire se la persona fosse ancora lì.

Mentre l'aereo rullava sempre più veloce, Theresa continuò a guardare fuori del finestrino, chiedendosi se non si fosse ingannata. L'aereo virò bruscamente, ruotando in posizione di decollo, e Theresa avvertì l'accelerazione dei motori che lo spingevano sulla pista, con il carrello che rumoreggiava sull'asfalto, finché non si staccò dal suolo. Con le lacrime agli occhi, osservò Wilmington sotto di lei. Scorse le spiagge deserte... i moli... il porticciolo...

Inclinandosi leggermente sull'ala, il velivolo incominciò una virata in direzione nord, verso casa. Adesso dal finestrino si vedeva soltanto l'oceano, lo stesso oceano che li aveva fatti incontrare.

Dietro le pesanti nubi, il sole tramontava, scendendo sull'orizzonte.

Poco prima che l'aereo penetrasse nelle nuvole che avrebbero oscurato ogni cosa sotto di loro, Theresa appoggiò il palmo al finestrino, sfiorandolo dolcemente e immaginando ancora una volta il contatto della mano di lui.

«Arrivederci», mormorò.

E scoppiò a piangere in silenzio.

13

L'anno seguente l'inverno arrivò presto. Seduta sulla spiaggia vicino al punto dove aveva scoperto la bottiglia, Theresa notò che la brezza marina si era rinforzata dopo il suo arrivo quel mattino. Nubi grigie e minacciose solcavano il cielo, e le onde, ingrossatesi, si frangevano con maggiore frequenza. Era evidente che la tempesta si stava avvicinando.

Theresa era rimasta lì gran parte della giornata, rivivendo la loro storia fino al giorno in cui si erano salutati, setacciando i ricordi come in cerca di un grano di buon senso che potesse esserle sfuggito. Per tutto l'anno era stata ossessionata dal ricordo del volto di Garrett sul vialetto, dalla sua immagine riflessa nello specchietto mentre inseguiva la macchina. Lasciarlo in quel momento era stata la cosa più difficile della sua vita. Spesso sognava di riportare indietro il tempo e di rivivere quel giorno.

Alla fine si alzò e si incamminò in silenzio lungo la spiaggia, desiderando che lui fosse lì. Una giornata tranquilla e nuvolosa come quella gli sarebbe piaciuta, e lo immaginò camminare al suo fianco, con gli occhi fissi sull'orizzonte. Si fermò, incantata dal ribollire e dallo spumeggiare delle acque, e quando infine volse il capo, si rese conto che anche l'immagine di Garrett l'aveva abbandonata. Rimase così a lungo, cercando di richiamarla indietro, ma, vedendo che non tornava, capì che era tempo di andarsene. Si incamminò di nuovo, questa volta più piano, chiedendosi se Garrett avrebbe capito il motivo che l'aveva spinta fin lì.

Suo malgrado, la mente tornò ai giorni immediatamente successivi al loro addio. *Passiamo così tanto tempo a cercare di rimediare a ciò che non abbiamo detto*, pensò. *Se solo...* si ripeté per l'ennesima volta, mentre le immagini di quelle giornate balenavano davanti ai suoi occhi come una serie di diapositive impossibile da arrestare.

Se solo...

Dopo essere arrivata a Boston, Theresa andò a prendere Kevin di ritorno dall'aeroporto. Il figlio, che aveva trascorso la giornata da un amico, le raccontò entusiasta il film che avevano visto, senza accorgersi che la madre lo ascoltava a malapena. Giunti a casa, ordinarono una pizza e la mangiarono insieme in salotto, davanti al televisore acceso. Quando ebbero finito, Theresa stupì Kevin chiedendogli di stare un po' con lei invece di andare nella sua stanza a fare i compiti. Il figlio si sedette sul divano, gettandole di tanto in tanto uno sguardo ansioso, ma lei gli accarezzò i capelli in silenzio, sorridendogli distratta, come se fosse molto lontana con la mente.

Più tardi, dopo che Kevin fu andato a letto, Theresa indossò un comodo pigiama e si versò un bicchiere di vino. Prima di andare in camera spense la segreteria telefonica.

Il lunedì pranzò con Deanna, raccontandole quanto era accaduto. Cercò di apparire forte. Deanna tuttavia le tenne la mano per tutta la durata dell'incontro, ascoltandola quasi senza parlare.

«È la cosa migliore», dichiarò Theresa convinta, quando ebbe finito. «È giusto così.» Deanna la scrutò intensamente, con occhi pieni di compassione. Ma non disse nulla, limitandosi ad annuire alle fiere affermazioni di Theresa.

Nei giorni seguenti Theresa fece del suo meglio per evitare di pensare a Garrett. Lavorare alla sua rubrica era confortante. Concentrarsi sulle ricerche e trasformarle in parole richiedeva tutte le sue energie mentali. Anche l'atmosfera frenetica della redazione l'aiutava, e, dato che l'incontro con Dan Mandel si era rivelato promettente come Deanna aveva previsto, Theresa affrontò il lavoro con rinnovato entusiasmo, preparando due o tre articoli al giorno, più in fretta di quanto avesse mai fatto prima.

Di sera, però, quando Kevin andava a letto e lei rimaneva sola, le era difficile tenere lontana l'immagine di Garrett. Adottando anche in casa le abitudini del lavoro, Theresa si cercò allora altre occupazioni. Nelle sere seguenti pulì la casa da cima a fondo, strofinando i pavimenti, lavando il frigorifero, spolverando tutto l'appartamento, riordinando gli armadi. Non trascurò nulla. Mise ordine anche nei cassetti, eliminando gli indumenti che non portava più, con l'idea di regalarli ai poveri. Dopo averli impacchettati, li caricò in macchina. Quella sera camminò su e giù per l'appartamento in cerca di altre cose da fare. Alla fine, accorgendosi di avere esaurito le possibilità, ma ancora incapace di andare a dormire, accese la televisione. Saltando da un canale all'altro si fermò su un'intervista a Lisa Ronstadt. A Theresa era sempre piaciuta la sua musica, ma quando Linda prese il microfono e cantò una ballata romantica, Theresa scoppiò in lacrime e pianse per quasi un'ora.

Quel fine settimana lei e Kevin andarono a vedere i New England Patriots che giocavano contro i Chicago Bears. Kevin aveva incominciato a tormentarla dalla conclusione del campionato di calcio, e alla fine Theresa aveva acconsentito ad accompagnarlo, anche se non capiva nulla del gioco. Erano seduti in tribuna, con il fiato che si condensava in nuvolette, bevendo cioccolata calda e facendo il tifo per la squadra di casa.

Più tardi, a cena, Theresa annunciò con riluttanza a Kevin che lei e Garrett non si sarebbero più rivisti.

«Mamma, è successo qualcosa l'ultima volta che sei stata da Garrett? Ha fatto qualcosa che ti ha fatto arrabbiare?»

«No», rispose dolcemente Theresa, «assolutamente.» Esitò, poi distolse lo sguardo. «Ma non era destino che funzionasse.»

Sebbene la sua risposta avesse lasciato Kevin chiaramente confuso, in quel momento non era riuscita a trovare una spiegazione più plausibile.

La settimana dopo, mentre era seduta al computer, squillò il telefono.

«Parlo con Theresa?»

«Sì», rispose lei, senza riconoscere la voce.

«Sono Jeb Blake... il padre di Garrett. So che le sembrerà strano, ma vorrei parlarle.»

«Oh, salve», balbettò lei. «Dica pure... adesso ho qualche minuto.»

Lui fece una pausa. «Vorrei parlarle di persona, se possibile. Si tratta di una cosa che non riesco a dire per telefono.»

«Posso chiederle di che si tratta?»

«Riguarda Garrett», rispose lui a voce bassa. «So che le sto chiedendo molto, ma crede di poter venire quaggiù? Non glielo chiederei, se non fosse importante.»

Dopo avere acconsentito, Theresa lasciò l'ufficio, passò a prendere Kevin da scuola in anticipo e lo lasciò da un'amica di cui si fidava, spiegando che probabilmente sarebbe stata via qualche giorno. Kevin cercò di chiederle il motivo di quel viaggio improvviso, ma il suo comportamento strano, distante, gli fece capire che la madre gli avrebbe spiegato tutto in seguito.

«Salutalo da parte mia», disse, dandole un bacio di commiato.

Theresa annuì in silenzio, poi andò all'aeroporto e prese il primo volo disponibile. Dopo essere atterrata a Wilmington, andò direttamente a casa di Garrett, dove trovò Jeb ad aspettarla.

«Sono contento che sia qui», la salutò Jeb.

«Che cosa è successo?» domandò lei, scrutando attentamente la casa in cerca di tracce della presenza di Garrett.

Jeb sembrava più vecchio di quanto ricordasse. La portò al tavolo della cucina e le indicò una sedia. Parlando a bassa voce, le raccontò ciò che sapeva.

«Da quello che mi hanno detto diverse persone», mormorò, «Garrett è uscito con la *Happenstance* più tardi del solito...»

Era una cosa che doveva fare e basta. Garrett sapeva che le nubi scure e pesanti all'orizzonte annunciavano burrasca imminente. Però sembravano abbastanza lontane da concedergli il tempo che gli serviva. E poi, avrebbe fatto solo poche miglia. Sarebbe rimasto sotto costa e, anche se fosse scoppiato il fortunale, sarebbe riuscito a tornare in porto. Dopo essersi infilato i guanti, governò la *Happenstance* attraverso i flutti agitati, con le vele al vento.

Per tre anni, ogni volta che usciva guidato dall'istinto e dai ricordi, Garrett aveva seguito la stessa rotta. Era stata di Catherine l'idea di puntare direttamente a est quella notte, la prima volta che erano usciti con la *Happenstance*. Nella sua fantasia veleggiavano verso l'Europa, un posto dove sarebbe sempre voluta andare. A volte tornava a casa con riviste di viaggi e le sfogliava sul divano accanto a lui. Voleva visitare tutto: i famosi castelli della Loira, il Partenone, gli Highlands scozzesi, San Pietro, tutti i posti di cui aveva letto. La sua vacanza ideale spaziava dal consueto all'esotico, mutando ogni volta che esaminava una rivista diversa.

Ma, naturalmente, non erano mai riusciti a raggiungere l'Europa.

Era uno dei suoi principali rimpianti. Quando riandava con il ricordo alla sua vita con Catherine, Garrett sapeva che la sola cosa che avrebbe dovuto fare era quella. Sapeva che sarebbe stato possibile. Dopo un paio d'anni di risparmi, avevano raggranellato la somma necessaria e si erano crogiolati nell'ipotesi di un viaggio, ma alla fine avevano usato i soldi per comperare il negozio. Quando Catherine si era resa conto che gli impegni lavorativi non avrebbero mai lasciato loro il tempo per andare in Europa, il suo sogno aveva incominciato a sbiadire. Era sempre più raro che portasse a casa le riviste. Dopo un po' aveva smesso quasi completamente di parlare dell'Europa.

La prima sera che erano usciti con la *Happenstance*,

tuttavia, Garrett aveva capito che il suo sogno era ancora vivo. Lei stava in piedi a prua, con lo sguardo rivolto all'orizzonte, tenendo la mano di Garrett. «Ci andremo mai?» gli aveva chiesto piano, e quella era l'immagine di Catherine destinata a rimanergli impressa per sempre nella mente: i capelli mossi dal vento, l'espressione raggiante e colma di speranza, come un angelo.

«Sì», aveva promesso, «appena ne avremo il tempo.»

Meno di un anno dopo, con il loro bambino in grembo, Catherine era morta in ospedale.

In seguito, quando erano incominciati i sogni, Garrett non aveva saputo che cosa fare. Per un po' si era sforzato di allontanare quelle sensazioni tormentose. Poi una mattina, in un impeto di disperazione, aveva cercato sollievo traducendo i propri sentimenti in parole. Aveva scritto in fretta, senza fermarsi, e la prima lettera gli era venuta lunga quasi cinque pagine. L'aveva portata con sé quando era uscito con la barca, e rileggendola gli era venuta un'idea. Dato che la Corrente del Golfo, che lambisce la costa degli Stati Uniti diretta a nord, piega a levante non appena raggiunge le acque più fredde dell'Atlantico, Garrett si era detto che con un po' di fortuna la bottiglia sarebbe giunta fino in Europa e si sarebbe arenata su quelle rive sconosciute, che Catherine avrebbe sempre voluto visitare. Presa la decisione, aveva chiuso la lettera in una bottiglia e l'aveva gettata in mare, nella speranza di mantenere in questo modo la promessa fatta. Poi la cosa si era trasformata in una consuetudine che non aveva più abbandonato.

Da allora aveva scritto altre sedici lettere, anzi diciassette, contando quella che aveva in mano in quel momento. Mentre era al timone e puntava verso est, Garrett toccò distrattamente la bottiglia che teneva nella tasca della giacca. Aveva scritto la lettera quel mattino, appena sveglio.

Il cielo si stava facendo plumbeo, ma Garrett mantenne con fermezza la sua rotta verso l'orizzonte. Accanto a lui la radio gracchiava avvisi sull'imminente burrasca. Dopo un attimo di esitazione la spense e si mise a studiare il cielo. C'era ancora tempo, decise. I venti erano forti e tesi, ma non ancora imprevedibili.

Dopo avere scritto la lettera a Catherine ne aveva scritta un'altra. Di quella si era già occupato. Ma proprio per questo sapeva di dover spedire la missiva a Catherine entro quel giorno. Sull'Atlantico c'erano una serie di perturbazioni che si spostavano lentamente verso ovest, in direzione della costa orientale degli Stati Uniti. Dalle previsioni che aveva visto in televisione, era probabile che non sarebbe riuscito a uscire in mare per almeno una settimana, ed era un'attesa troppo lunga. A quell'epoca lui non ci sarebbe stato più.

Il moto ondoso andava aumentando, le creste dei flutti si frangevano più alte, le depressioni erano più profonde. Il vento, forte e tempestoso, incominciava a mettere alla prova la velatura. Garrett valutò la propria posizione. In quel punto il mare era profondo, ma non abbastanza. La Corrente del Golfo, un fenomeno estivo, non c'era più e l'unica possibilità per la bottiglia di attraversare l'oceano era che venisse lanciata sufficientemente al largo. Altrimenti la tempesta poteva risospingerla a riva dopo pochi giorni, e di tutte le lettere che le aveva scritto, voleva che almeno questa raggiungesse l'Europa, visto che sarebbe stata l'ultima.

Le nubi si addensavano minacciose sull'orizzonte.

Garrett infilò la cerata e l'abbottonò stretta. Sperava che lo proteggesse almeno per un po' quando si fosse messo a piovere.

La *Happenstance* incominciò a beccheggiare, mentre si avventurava sempre più in alto mare. Garrett reggeva il timone con entrambe le mani per tenerla in rotta. Quando i venti cambiarono direzione e rinforzarono, indicando il fronte della burrasca, incominciò a bordeggiare, avanzando diagonalmente sulle onde nonostante i rischi. Tenere il bordo era difficile in quelle condizioni, che rallentavano l'andatura, ma preferiva andare di bolina ora, piuttosto che tentare di farlo al ritorno, quando la burrasca l'avrebbe raggiunto.

Manovrare era faticosissimo. Ogni volta che regolava le vele, doveva usare tutte le forze per non perdere il controllo. Nonostante i guanti le mani gli bruciavano quando le scotte gli scorrevano fra le dita. Due volte, a causa di raffiche improvvise, rischiò di perdere l'equilibrio, e si salvò solo perché la ventata si spense rapidamente com'era nata.

Continuò a risalire il vento per quasi un'ora, senza perdere di vista la burrasca davanti a sé. Sembrava essersi fermata, ma Garrett sapeva che era un'illusione. Avrebbe raggiunto la terraferma nel giro di poche ore. Appena avesse toccato acque meno profonde, la sua velocità si sarebbe accresciuta e sarebbe stato impossibile governare la barca. Adesso stava solo accumulando potenza, come una miccia a fuoco lento, preparandosi a esplodere.

Garrett si era trovato già altre volte in mezzo a violente burrasche e sapeva che non bisognava sottovalutarne la potenza. Una sola mossa avventata, e l'oceano l'avrebbe inghiottito, e lui era deciso a evitarlo. Era testardo, ma non sciocco. Nell'attimo in cui avesse avvertito un pericolo autentico, avrebbe virato di bordo e sarebbe corso verso il porto.

Sopra la sua testa le nubi continuavano ad addensarsi,

rotolando e rigirandosi in forme sempre nuove. Incominciò a cadere una pioggia leggera. Garrett alzò lo sguardo, sapendo che quello era solo l'inizio. «Pochi minuti ancora», borbottò tra sé. Gli bastavano pochi minuti ancora...

Un lampo fiammeggiò attraverso il cielo, e Garrett contò i secondi. Due minuti e mezzo più tardi, udì il tuono rimbombare sulla vasta distesa dell'oceano. L'epicentro della tempesta era approssimativamente a venticinque miglia da lui. Con l'attuale velocità del vento, calcolò, gli restava più di un'ora prima di esserne colpito in pieno. Ma di lì a un'ora lui contava di essere già lontano.

Intanto continuava a piovere.

L'oscurità aumentava, mentre la *Happenstance* avanzava tra i flutti. A mano a mano che il sole scendeva sull'orizzonte, una cortina di nubi impenetrabili ne inghiottivano la luce, abbassando repentinamente la temperatura dell'aria. Dieci minuti dopo, la pioggia si fece più intensa e più fredda.

Dannazione! Gli restava pochissimo tempo, e non era ancora arrivato.

Le onde si gonfiavano, l'oceano ribolliva, mentre la *Happenstance* fendeva i flutti. Per tenersi in equilibrio, Garrett si mise a gambe larghe. Il timone rispondeva bene, ma le onde cominciarono ad arrivare di traverso, facendo rollare lo scafo come una culla instabile. Garrett tirò dritto, risoluto.

Qualche minuto dopo ci fu un altro lampo... pausa... tuono. Venti miglia, ormai. Garrett guardò l'ora. Se la burrasca procedeva a quella velocità, l'avrebbe sfiorata. Poteva ancora riuscire a rientrare in tempo, purché i venti continuassero a soffiare nella stessa direzione.

Ma se fossero cambiati...

La sua mente fece un rapido calcolo. Era in mare da due ore e mezzo; con quel vento, ne avrebbe impiegate al massimo una e mezzo per rientrare, se tutto andava come previsto. La burrasca avrebbe raggiunto la costa insieme con lui.

«Dannazione», disse, questa volta ad alta voce. Doveva lanciare la bottiglia adesso, anche se non era al largo come avrebbe voluto. Ma non poteva rischiare oltre.

Strinse con una mano il timone che sussultava, mentre con l'altra estraeva la bottiglia dalla tasca. Premette con forza il tappo per fissarlo meglio, poi sollevò la bottiglia contro la luce fioca. Vide la lettera all'interno, arrotolata stretta.

Guardandola, avvertì un senso di appagamento, come se un lungo viaggio fosse infine giunto al termine.

«Grazie», mormorò, e la sua voce fu coperta dal frastuono delle onde.

Scagliò la bottiglia il più lontano possibile e la guardò volare, perdendola di vista solo quando toccò l'acqua. Fatto.

Adesso doveva invertire la rotta.

In quel momento due lampi squarciarono il cielo. Quindici miglia. Garrett esitò, preoccupato.

Non poteva essere così veloce, pensò di colpo. Ma il fortunale sembrava acquistare velocità e forza, gonfiandosi come un pallone, diretto proprio su di lui.

Bloccò il timone mentre tornava a poppa. Perdendo minuti preziosi, lottò disperatamente per spostare il boma. Le cime gli bruciavano tra le mani, tagliandolo attraverso i guanti. Finalmente riuscì a cambiare bordo, e la barca si inclinò con forza quando prese il vento. Mentre tornava al timone un'altra raffica fredda lo colpì da una direzione diversa.

L'aria calda va verso quella fredda.

Accese la radio giusto in tempo per captare un avviso di pericolo per i piccoli natanti. Alzò il volume, ascoltando attentamente la trasmissione annunciare condizioni atmosferiche in rapido deterioramento. «Ripetiamo... avviso ai naviganti... è prevista la formazione di venti pericolosi... pioggia forte.»

La burrasca acquistava potenza.

Con il repentino abbassamento della temperatura, i venti si erano pericolosamente rinforzati. Negli ultimi tre minuti avevano raggiunto una velocità costante di venticinque nodi.

Garrett strinse il timone con un crescente senso di apprensione.

La barca non rispose.

Di colpo si rese conto che le onde sollevavano la poppa dall'acqua, impedendo al timone di funzionare. La barca sembrava bloccata nella direzione sbagliata e oscillava pericolosamente. Si avventò contro un altro maroso e lo scafo colpì l'acqua con forza, mentre la prua quasi si immergeva.

«Avanti... rispondi», mormorò Garrett, avvertendo i primi morsi del terrore allo stomaco. Stava impiegando troppo tempo. Il cielo si faceva sempre più nero e la pioggia incominciava a cadere obliqua, a scrosci densi e impenetrabili.

Dopo un minuto il timone finalmente pescò di nuovo e la barca ricominciò ad accostare...

Piano... piano... con lo scafo ancora troppo sbandato...

Con crescente orrore Garrett vide l'oceano sollevarsi intorno a lui, formando un'ondata enorme e spumeggiante, diretta proprio nella sua direzione.

Non ce l'avrebbe fatta.

Si aggrappò al timone, mentre l'acqua piombava sullo scafo con mille spruzzi bianchi. La *Happenstance* si inclinò ancora di più e Garrett sentì che le gambe gli cedevano, ma la presa sul timone era salda. Si rimise in piedi proprio mentre un'altra ondata colpiva la barca.

L'acqua invase la coperta.

La barca lottava per mantenersi diritta tra le raffiche di vento, mentre continuava a imbarcare acqua. Per quasi un minuto l'onda si riversò sulla coperta con la violenza di un fiume in piena. Poi, per un istante, i venti si placarono di colpo e miracolosamente la *Happenstance* incominciò a raddrizzarsi, con l'albero che si levava verso il cielo d'ebano. Il timone pescò di nuovo e Garrett ne girò la ruota con forza, sapendo che doveva accostare velocemente.

Un altro lampo. Sette miglia di distanza, ormai.

La radio gracchiava. «Ripetiamo... avviso ai naviganti... previsti venti a quaranta nodi... ripetiamo... venti a quaranta nodi con punte di cinquanta...»

Garrett sapeva di essere in pericolo. Non c'era modo di governare la *Happenstance* con venti così forti.

La barca continuava a girare, ostacolata dalle enormi onde e appesantita dall'acqua imbarcata: ai suoi piedi ce n'erano quasi quindici centimetri. C'era quasi...

Un vento fortissimo prese a soffiare dalla direzione opposta, arrestando la manovra e scrollando la *Happenstance* come un giocattolo. Proprio nel momento in cui la barca era più vulnerabile, una grande ondata si abbatté sullo scafo. L'albero si inclinò sempre di più, puntando verso il mare.

Questa volta la raffica non si fermò.

Una pioggia gelida scrosciava di lato, accecando Garrett. Invece di risollevarsi, la *Happenstance* continuò a piegarsi, con le vele appesantite dall'acqua piovana. Garrett perse di nuovo l'equilibrio, e l'inclinazione dello scafo ostacolò i suoi sforzi per rimettersi in piedi. Se fosse arrivata un'altra ondata...

Non la vide neppure arrivare.

Come la scure di un boia, il maroso piombò sulla barca con determinazione micidiale, abbattendo la *Happenstance* su un fianco, mentre vele e albero finivano in acqua. La barca era perduta. Garrett rimase aggrappato al timone, sapendo che, se l'avesse lasciato, sarebbe stato trascinato via dalle onde.

La *Happenstance* iniziò a imbarcare rapidamente acqua, sussultando come un grande animale che affoga.

Garrett doveva arrivare all'attrezzatura di salvataggio, che comprendeva un canotto, la sua unica possibilità di salvezza. Avanzò centimetro dopo centimetro verso la porta della cabina, reggendosi a tutto ciò che trovava, lottando contro la pioggia accecante, lottando per la vita.

Di nuovo un lampo e un tuono, questa volta quasi simultanei.

Alla fine raggiunse la porta e afferrò la maniglia. Non voleva cedere. Disperato, Garrett puntò i piedi per fare più leva e tirò di nuovo. Quando la porta si aprì, l'acqua incominciò a riversarsi all'interno, e di colpo Garrett si rese conto di avere commesso un terribile errore.

Il mare invase la barca, oscurando in un attimo l'interno della cabina. Garrett vide subito che l'attrezzatura di salvataggio, di solito agganciata alla parete, era già sott'acqua. Alla fine comprese che non c'era più niente da fare per impedire che la barca fosse inghiottita dall'oceano.

In preda al panico, fece di tutto per richiudere la porta della cabina, ma l'impeto dell'acqua e la mancanza di un appiglio glielo impedirono. La *Happenstance* incominciò ad affondare rapidamente. In pochi secondi metà dello scafo fu sommerso. D'un tratto la mente di Garrett scattò di nuovo.

I giubbotti di salvataggio...

Erano sistemati sotto i sedili di poppa.

Guardò. Erano ancora fuori dell'acqua.

Lottando furiosamente, si aggrappò al parapetto, l'unico appiglio rimasto fuori dell'acqua che ormai gli arrivava al petto, mentre i suoi piedi scalciavano in mare. Si maledisse, sapendo che avrebbe dovuto indossare il giubbotto molto tempo prima.

Tre quarti della barca erano sott'acqua.

Garrett avanzò verso i sedili aggrappandosi con una mano dopo l'altra, lottando contro il peso delle onde e dei suoi muscoli sfiniti. A metà strada, l'oceano gli lambì il collo, e si rese conto dell'inutilità dei suoi sforzi.

Non ce l'avrebbe mai fatta.

L'acqua gli arrivava ormai al mento quando abbandonò ogni tentativo. Alzò gli occhi, esausto, rifiutandosi di credere che sarebbe morto così.

Abbandonò il parapetto e prese a nuotare lontano dalla barca. Giacca e scarpe lo appesantivano. Si dimenò nell'acqua, salendo con le onde mentre osservava la *Happenstance* scomparire nell'oceano. Poi, con le membra già in parte intorpidite dal freddo e dalla stanchezza, si girò e intraprese la lenta, impossibile nuotata verso riva.

Theresa era seduta al tavolo con Jeb. Parlando con frequenti interruzioni, il vecchio aveva impiegato molto tempo per raccontarle ciò che sapeva.

In seguito, Theresa avrebbe ricordato di avere ascoltato quella storia provando non tanto paura, quanto curiosità. Sapeva che Garrett se la sarebbe cavata. Era un uomo di mare esperto, e un ottimo nuotatore. Era troppo abile, troppo vitale per essere sopraffatto da una cosa del genere. Se qualcuno poteva farcela, questo era lui.

Toccò la mano di Jeb, confusa. «Non capisco... Perché ha preso la barca se sapeva che stava per arrivare una burrasca?»

«Non so», rispose in un soffio Jeb. Non riusciva a guardarla negli occhi.

Theresa aggrottò la fronte, confusa, con l'impressione di vivere in un sogno. «Le ha detto qualcosa prima di salpare?»

Jeb scrollò la testa. Era cereo, e teneva gli occhi bassi come se nascondesse qualcosa. Distrattamente Theresa si guardò intorno. Nella cucina tutto era al suo posto, come se qualcuno avesse riordinato poco prima del suo arrivo. Attraverso la porta aperta della camera vide la trapunta di Garrett sistemata con cura sul letto. Stranamente, vi erano stati deposti sopra due grandi mazzi di fiori.

«Non capisco... Sta bene, vero?»

«Theresa», disse infine Jeb con le lacrime agli occhi, «l'hanno trovato ieri mattina.»

«È in ospedale?»

«No», rispose piano il vecchio.

«Allora dov'è?» si domandò lei, rifiutandosi di accettare qualcosa che in fondo sapeva già.

Jeb non rispose.

Fu allora che il suo respiro si fece affannoso. A partire dalle mani il suo corpo prese a tremare. Garrett! pensò. Che cos'è successo? Perché non sei qui? Jeb chinò la testa perché non vedesse le sue lacrime, ma Theresa udì i singhiozzi strazianti.

«Theresa...» disse il vecchio.

«Dov'è?» esclamò lei, balzando in piedi in un impeto di frenesia. Udì la sedia cadere per terra alle sue spalle, ma le parve che il rumore venisse da molto lontano.

Jeb la guardò in silenzio. Poi, con un unico gesto deciso, si asciugò le lacrime con il dorso della mano. «Hanno trovato il suo corpo ieri mattina.»

Lei provò una stretta al petto, come se dovesse soffocare.

«Se n'è andato, Theresa.»

Sulla spiaggia dove tutto era cominciato, Theresa si abbandonò al ricordo degli avvenimenti di un anno prima.

Lo avevano seppellito accanto a Catherine, nel piccolo cimitero vicino a casa sua. Jeb e Theresa avevano assistito alla funzione l'uno vicino all'altra, circondati dalle persone che avevano conosciuto Garrett: compagni di scuola, ex allievi d'immersioni, impiegati del negozio. Era stata una cerimonia semplice, e, sebbene fosse incominciato a piovere subito dopo il sermone, la folla si era trattenuta a lungo.

La veglia era stata allestita a casa di Garrett. A uno a uno erano sfilati i conoscenti, offrendo le loro condoglianze e rievocando ricordi comuni. Quando anche gli ultimi erano usciti, lasciando soli Theresa e Jeb, quest'ultimo aveva preso dall'armadio una scatola e le aveva chiesto di sedersi accanto a lui mentre ne guardavano insieme il contenuto.

Nella scatola erano conservate centinaia di foto. Nelle ore seguenti Theresa vide passare davanti ai suoi occhi l'infanzia e l'adolescenza di Garrett, tutti i pezzi mancanti della sua vita, che lei aveva solo immaginato. Poi c'erano le foto degli anni recenti, il diploma superiore e la laurea; il restauro della *Happenstance*; Garrett davanti al negozio ristrutturato prima dell'inaugurazione. In ognuna di esse, notò Theresa, il suo sorriso era sempre uguale. Sorridendo con lui, notò che anche il suo guardaroba non era cambiato. A parte le foto scattate in occasioni speciali, sembrava che dall'infanzia in poi si fosse sempre vestito nello stesso modo: jeans o bermuda, una camicia sportiva e scarpe da ginnastica senza calzini.

C'erano dozzine di foto di Catherine. Al principio Jeb parve a disagio nel mostrargliele, ma, stranamente, non la colpirono in misura eccessiva. Non provava né collera né tristezza, perché erano soltanto parte di un altro periodo della sua vita.

Più tardi, quella sera, mentre esaminavano le ultime fotografie, vide il Garrett di cui si era innamorata. Un'istantanea in particolare catturò la sua attenzione, e la tenne a lungo davanti agli occhi. Notando la sua espressione, Jeb le spiegò che era stata scattata poche settimane prima che la bottiglia si arenasse sulla spiaggia di Cape Cod. Garrett era in piedi sulla veranda, quasi identico a come l'aveva veduto la prima volta che era stata a casa sua.

Quando infine riuscì a posarla, Jeb gliela prese gentilmente di mano.

Il mattino seguente le porse una busta. Aprendola, Theresa vide che il vecchio gliel'aveva ridata, insieme con altre. Accanto alle foto c'erano le tre lettere che avevano permesso a Theresa e Garrett di conoscersi.

«Penso che lui avrebbe voluto che le tenessi tu.»

Troppo commossa per rispondere, Theresa annuì in tacito ringraziamento.

***

Theresa non ricordava molto dei primi giorni dopo il suo ritorno a Boston e, retrospettivamente, sapeva di non volerlo neanche fare. Ricordava che Deanna l'aspettava all'aeroporto. Dopo averle dato un'occhiata, l'amica aveva telefonato immediatamente al marito, dicendogli di portarle qualche vestito a casa di Theresa, perché aveva intenzione di fermarsi un paio di giorni da lei. Theresa passava gran parte del tempo a letto, senza alzarsi neppure quando Kevin tornava da scuola.

«La mamma guarirà?» chiedeva Kevin.

«Ha solo bisogno di un po' di tempo», rispondeva Deanna. «So che è difficile anche per te, ma andrà tutto a posto.»

I sogni di Theresa, quando riusciva a ricordarli, erano frammentari e confusi. Stranamente Garrett non vi compariva mai. Non sapeva se fosse un indizio di qualche genere, né se dovesse attribuirgli qualche significato. Nel suo stato confusionale le riusciva difficile pensare lucidamente; andava a letto presto, restandovi il più a lungo possibile, protetta dall'oscurità confortante.

A volte al risveglio provava un attimo di confusa irrealtà, nella quale l'intera vicenda le appariva un errore terribile, troppo assurdo per essere avvenuto sul serio. In quella frazione di secondo, tutto tornava come prima. Si ritrovava a tendere l'orecchio per captare i rumori di Garrett, convinta che il letto vuoto significasse soltanto che lui era già in cucina, a bere il caffè leggendo il giornale. Lo avrebbe raggiunto di lì a poco e avrebbe scosso la testa: *Ho avuto un incubo tremendo...*

L'unico altro ricordo di quella settimana era il bisogno

impellente di capire come fosse potuto accadere. Prima di lasciare Wilmington si era fatta promettere da Jeb di chiamarla, nel caso avesse scoperto qualcos'altro sul giorno in cui Garrett era salpato con la *Happenstance*. Era convinta che conoscendo i particolari, il *perché*, il suo dolore sarebbe stato in qualche misura alleviato. Ciò che rifiutava di credere era che Garrett fosse uscito in mare senza pensare di tornare. Ogni volta che il telefono squillava, sperava di udire la voce di Jeb. «Capisco», immaginava di dire. «Sì... capisco. Adesso ha un senso...»

Naturalmente, in fondo al cuore sapeva che ciò non sarebbe mai avvenuto. Jeb non l'aveva mai chiamata per darle una spiegazione, né la risposta le era giunta in un momento di contemplazione. No, la risposta era arrivata infine da dove non si sarebbe mai aspettata.

Sulla spiaggia di Cape Cod un anno dopo, Theresa rifletteva senza amarezza sulle circostanze che l'avevano condotta in quel luogo. Finalmente pronta, prese la borsa. Dopo averne estratto l'oggetto che aveva portato con sé, lo osservò, rivivendo il momento in cui aveva finalmente trovato la risposta. A differenza degli altri ricordi successivi al suo ritorno a Boston, questo era ancora indelebilmente nitido.

Dopo che Deanna se n'era andata, Theresa aveva cercato di ripristinare una specie di normalità quotidiana. In quella settimana di confusione aveva trascurato gli aspetti pratici della vita. Deanna aveva badato a Kevin e tenuto in ordine la casa, limitandosi a radunare in un angolo del salotto la posta in arrivo. Dopo cena, una sera che Kevin era al cinema, Theresa si mise a scorrerla distrattamente.

C'erano alcune dozzina di lettere, tre riviste e due pacchi. Uno lo riconobbe come un regalo ordinato su un catalogo per il compleanno di Kevin. Il secondo però era imballato in semplice carta da pacchi marrone e non recava l'indirizzo del mittente.

Era un pacco lungo, rettangolare, sigillato con il nastro adesivo. C'erano due etichette con la scritta «Fragile», l'una vicino all'indirizzo, l'altra sul lato opposto, e una terza che avvertiva: «Maneggiare con cura». Incuriosita, decise di aprirlo per primo.

Fu allora che vide il timbro postale di Wilmington, North Carolina, risalente a due settimane prima. Riesaminò in fretta l'indirizzo.

La calligrafia era di Garrett.

«No...» Theresa posò il pacco, con un improvviso nodo allo stomaco.

Trovò un paio di forbici nel cassetto, e con mano tremante tagliò il nastro adesivo, strappando con cautela la carta. Sapeva già che cosa avrebbe trovato dentro.

Dopo avere sollevato l'oggetto e controllato il resto del pacco per assicurarsi che non contenesse altro, cominciò a strappare l'imballaggio protettivo di plastica. Era sigillato con cura in cima e in fondo, e Theresa fu costretta a ricorrere di nuovo alle forbici. Infine, dopo avere eliminato anche gli ultimi ritagli di plastica, posò l'oggetto sulla scrivania e lo osservò a lungo, immobile. Quando lo sollevò verso la luce, vide riflessa la propria immagine.

La bottiglia era tappata e la lettera vi era arrotolata dentro in verticale. Dopo averla stappata (il sughero non era troppo duro), la rovesciò e la lettera scivolò fuori senza difficoltà. Come quella che aveva trovato solo pochi mesi prima, era legata con uno spago. La srotolò con cura, facendo attenzione a non strapparla.

Era scritta con la penna stilografica. Nell'angolo in alto a destra c'era il disegno di una vecchia nave, con le vele spiegate al vento.

Cara Theresa,
puoi perdonarmi?

Posò la lettera sulla scrivania. Le doleva la gola, respirava a fatica. La luce sopra di lei creava strani riflessi sulle lacrime indesiderate. Theresa prese un fazzoletto di carta e si strofinò gli occhi. Ricomponendosi, affrontò di nuovo la lettura.

Puoi perdonarmi?

In un mondo che comprendo di rado, i venti del destino soffiano quando meno ce lo aspettiamo. A volte hanno la furia di un uragano, a volte sono lievi come brezze. Ma non si possono negare, perché spesso portano un futuro impossibile da ignorare. Tu, mia cara, sei il vento che non mi aspettavo, il vento che ha soffiato più forte di quanto potessi immaginare. Tu sei il mio destino.

Mi sbagliavo, eccome, ignorando ciò che era ovvio, e ti supplico di perdonarmi. Come un viaggiatore prudente, cercavo di proteggermi dal vento, e invece perdevo la mia anima. Sono stato uno sciocco a ignorare il mio destino, ma anche gli sciocchi hanno dei sentimenti, e mi sono accorto che sei la cosa più importante che ho al mondo.

So di non essere perfetto. Negli ultimi mesi ho commesso più errori di quanti ne facciano altri in una vita intera. Ho sbagliato, agendo come ho fatto quando ho trovato le lettere, come pure ho sbagliato nascondendo la verità su ciò che provavo riguardo al mio passato. Mentre ti rincorrevo lungo la strada e di nuovo quando ti ho vista partire dall'aeroporto, ho compreso che avrei dovuto tentare di fermarti con più energia. Ma soprattutto ho sbagliato a negare ciò che nel mio cuore era ovvio: che non posso restare senza di te.

Avevi ragione su tutto. Quando eravamo seduti in cucina, ho cercato di negare le cose che dicevi, anche se sapevo che erano vere. Come un uomo che durante un viaggio si guarda solo alle spalle, ignoravo ciò che mi stava davanti. Mi mancava la bellezza di un'alba, lo stupore e l'aspettativa che rendono meravigliosa la vita. Mi sbagliavo, era solo un prodotto della mia confusione e me ne sarei voluto rendere conto prima.

Adesso, però, con lo sguardo fisso al futuro, vedo il tuo viso e sento la tua voce, sicuro che questa è la via che devo seguire. Il mio desiderio più profondo è che tu mi dia un'altra possibilità. Come forse avrai immaginato, mi auguro che questa bottiglia compia la sua magia, come fece già una volta, e ci riporti insieme.

Nei primi giorni dopo la tua partenza, volevo convincermi di poter andare avanti come prima. Ma non era possibile. Ogni volta che guardavo tramontare il sole, pensavo a te. Ogni volta che passavo accanto al telefono, anelavo a chiamarti. Anche quando uscivo in barca non potevo fare altro che pensare a te e ai momenti meravigliosi passati insieme. Nel mio cuore sapevo che la mia vita non sarebbe più stata la stessa. Ti volevo di nuovo con me, più di quanto credessi possibile, ma, ogni volta che ti ricordavo, continuavo a sentire le tue parole durante la nostra ultima conversazione.

Per quanto ti amassi, sapevo che la cosa non avrebbe funzionato, se tutti e due non avessimo avuto la certezza che avrei integralmente seguito il cammino che avevo di fronte. Continuavo a essere tormentato da questi pensieri, finché ieri notte ho trovato la risposta. Spero che, dopo avertela spiegata, abbia anche per te la stessa importanza che ha avuto per me.

Nel mio sogno ero sulla spiaggia con Catherine, nello stesso punto dove ti ho portato dopo il nostro pranzo da Hank's. *Il sole splendeva, riflettendosi scintillante sulla sabbia. Camminavamo l'uno di fianco all'altra, e lei ascoltava attenta mentre le parlavo di te, di noi, dei momenti meravigliosi che avevamo vissuto insieme. Infine, dopo un attimo di esitazione, ho ammesso di amarti, ma di sentirmi in colpa per questo. Lei non ha risposto subito, ma ha continuato a camminare finché, voltandosi verso di me, mi ha domandato: «Perché?»*

«Per amor tuo.»

Di fronte alla mia risposta lei ha sorriso con paziente divertimento, come era solita fare prima di morire. «Oh, Garrett», ha detto infine, accarezzandomi dolcemente il viso, «chi credi che sia stato a portare la bottiglia fino a lei?»

Theresa smise di leggere. Il flebile ronzio del frigorifero sembrava riecheggiare le parole della lettera.

Chi credi che sia stato a portare la bottiglia fino a lei?

Appoggiandosi allo schienale, Theresa chiuse gli occhi, sforzandosi di trattenere le lacrime.

«Garrett», mormorò, «Garrett... » Fuori della finestra giungeva il frastuono del traffico in strada. Lentamente ricominciò a leggere.

Quando mi sono svegliato mi sentivo vuoto e solo. Il sogno non mi aveva dato conforto. Al contrario, mi faceva stare male per quello che avevo fatto a noi due, e mi sono messo a piangere. Quando infine mi sono ripreso, sapevo ciò che dovevo fare. Con mano tremante, ho scritto due lettere: quella che hai in mano ora e una a Catherine, in cui la salutavo definitivamente. Oggi uscirò con la Happenstance *per mandargliela, come ho fatto con tutte le altre. Sarà la mia ultima lettera; a modo suo Catherine mi ha detto di andare avanti, e ho deciso di dare ascolto non solo alle sue parole, ma anche al mio cuore, che mi riporta da te.*

Oh, Theresa, mi spiace, mi spiace tanto di averti fatto del male. Verrò a Boston la settimana prossima nella speranza che tu possa trovare il modo di perdonarmi. Forse è troppo tardi. Non lo so.

Theresa, ti amo e ti amerò sempre. Sono stanco di essere solo. Vedo i bambini piangere e ridere mentre giocano sulla sabbia e mi rendo conto di volere dei figli da te. Voglio guardare Kevin crescere e diventare un uomo. Voglio tenerti la mano e vederti piangere quando infine si sposerà, voglio baciarti quando i suoi sogni si realizzeranno. Se vorrai mi trasferirò a Boston, perché non posso andare avanti così. Senza di te sono stanco e triste. Mentre sto seduto qui in cucina, prego che tu mi permetta di tornare da te, questa volta per sempre.

Garrett

Scendeva la sera, e il cielo grigio si faceva rapidamente più scuro. Pur avendola riletta un migliaio di volte, la lettera continuava a suscitare in lei i medesimi sentimenti della prima volta. L'anno prima, quei sentimenti avevano accompagnato ogni istante della sua vita.

Seduta sulla spiaggia, Theresa provò ancora una volta a immaginare Garrett mentre scriveva la lettera. Passò un dito sulle parole, sfiorando la carta e sapendo che la sua mano si era posata anche in quel punto. Lottando contro le lacrime esaminò la lettera, come faceva sempre dopo averla letta. In alcuni punti c'erano dei baffi, come se la penna perdesse inchiostro, e questo dava alla lettera un aspetto caratteristico, quasi precipitoso. Sei parole erano state cancellate, e Theresa le esaminò con particolare attenzione, chiedendosi che cosa nascondessero. Ma non riuscì a capirlo neppure questa volta. Come molte cose del suo ultimo giorno, anche quello era un segreto che Garrett aveva portato con sé. Notò che in fondo al foglio la scrittura si era fatta quasi illeggibile, come se stringesse la penna con forza.

Quando ebbe finito, arrotolò la lettera e vi legò lo spago intorno, in modo che avesse sempre lo stesso aspetto. La infilò di nuovo nella bottiglia e la mise da parte, accanto alla borsa. Tornata a casa, l'avrebbe messa sullo scrittoio, al suo posto di sempre. Di notte, quando il chiarore dei lampioni entrava nella sua stanza, la bottiglia riluceva nell'oscurità, e di solito era l'ultima cosa che vedeva prima di addormentarsi.

Prese quindi le fotografie che le aveva dato Jeb. Ricordava che, dopo essere tornata a Boston, le aveva esaminate a una a una. Quando le mani avevano incominciato a tremarle, le aveva messe nel cassetto e non le aveva più guardate.

Ma adesso le sfogliò fino ad arrivare a quella scattata sulla veranda. Tenendola davanti a sé, ricordò tutto di lui, il suo aspetto e il suo modo di muoversi, il suo sorriso spontaneo, le rughe agli angoli degli occhi. Forse domani, si disse, avrebbe preso il negativo per farsene fare un ingrandimento, da mettere sul comodino proprio come lui con la foto di Catherine. Poi sorrise con tristezza, sapendo già che non l'avrebbe mai fatto. Le fotografie sarebbero tornate come prima nel cassetto, sotto le calze, accanto agli orecchini di perle che le aveva regalato sua nonna. Avrebbe sofferto troppo a vedere il suo viso tutti i giorni, e non era ancora pronta.

Dopo il funerale si era tenuta sporadicamente in contatto con Jeb, telefonandogli di tanto in tanto per sapere come stava. La prima volta che lo aveva chiamato, gli aveva spiegato il motivo per cui Garrett era uscito quel giorno con la *Happenstance*, ed entrambi avevano finito con il piangere al telefono. Con il passare dei mesi, tuttavia, avevano imparato a fare il suo nome senza piangere, e Jeb parlava dei suoi ricordi di Garrett da bambino, o ripeteva più e più volte a Theresa le cose che Garrett aveva detto di lei durante le loro lunghe separazioni.

In luglio Theresa e Kevin erano andati in Florida e avevano fatto immersioni nei Keys. L'acqua, come nel North Carolina, era calda, ma molto più limpida. Vi avevano passato otto giorni, immergendosi tutte le mattine e rilassandosi sulla spiaggia il pomeriggio. Di ritorno a Boston avevano entrambi deciso che l'anno seguente avrebbero ripetuto l'esperienza. Per il suo compleanno Kevin aveva chiesto l'abbonamento a una rivista di sub. Per ironia della sorte, il primo numero comprendeva un servizio sui relitti al largo della costa del North Carolina, compreso quello che avevano visitato con Garrett.

Anche se riceveva parecchi inviti, dopo la morte di Garrett Theresa non era più uscita con nessuno. A eccezione di Deanna, le colleghe avevano ripetutamente cercato di presentarla a diversi uomini. Tutti venivano descritti come attraenti e disponibili, ma Theresa declinava educatamente ogni proposta. Di tanto in tanto le capitava di udire dei mormorii in ufficio: «Non capisco perché si butti giù così», oppure: «È ancora giovane e attraente». Altri, più comprensivi, osservavano semplicemente che con il tempo si sarebbe ripresa.

Era stata una telefonata di Jeb, tre settimane prima, a riportarla a Cape Cod. Mentre ascoltava la sua voce gentile suggerirle indirettamente che era venuto il momento di guardare al futuro, i muri che aveva costruito intorno a sé avevano incominciato a crollare. Theresa aveva pianto quasi tutta la notte, ma il mattino successivo sapeva che cosa doveva fare. Aveva organizzato il viaggio senza difficoltà, dato che si era fuori stagione. E da quel momento aveva avuto inizio la sua guarigione.

Mentre era sulla spiaggia, si chiese se qualcuno potesse vederla. Guardò da una parte e dall'altra, ma la distesa di sabbia era deserta. L'unica cosa che si muoveva era il mare, e Theresa si sentì attratta dalla sua furia. Le acque apparivano incollerite e pericolose; non erano più il luogo romantico dei suoi ricordi. Rimase a guardarle a lungo, pensando a Garrett, finché udì il rombo del tuono echeggiare nel cielo invernale.

Il vento si fece più forte, e Theresa sentì la propria mente volare via con le prime raffiche. Perché, si chiese, era finita così? Non lo sapeva. Un'altra raffica, e sentì Garrett accanto a sé, che le scostava i capelli dal viso. Lo aveva fatto quando si erano salutati, e avvertì di nuovo la sua carezza. C'erano tante cose che avrebbe voluto cambiare di quella giornata, tanti rimpianti...

Adesso, sola con i propri pensieri, lo amava. L'avrebbe amato sempre. L'aveva saputo fin dal momento in cui l'aveva visto sul molo e lo sapeva adesso. Né il trascorrere del tempo, né la sua morte potevano cambiare i suoi sentimenti. Chiuse gli occhi, parlandogli sottovoce.

«Mi manchi, Garrett Blake», disse piano. Poi, per un attimo, le parve che lui l'avesse udita, perché il vento si placò e l'aria tornò quieta.

Incominciavano a cadere le prime gocce di pioggia quando stappò la semplice bottiglia trasparente che teneva stretta ed estrasse la lettera che gli aveva scritto il giorno prima. La lettera che era venuta a spedirgli. Dopo averla srotolata, la tenne davanti a sé, esattamente come aveva fatto con la prima che aveva trovato. La poca luce che rimaneva era appena sufficiente per distinguere le parole, ma intanto le conosceva a memoria. Con mani tremanti prese a leggere.

Mio adorato,

è passato un anno da quando mi sono seduta con tuo padre in cucina. È notte fonda, e anche se scrivere mi riesce difficile, sento che è venuto il momento di dare finalmente risposta alla tua domanda.

Certo che ti perdono. Ti perdono ora e ti ho perdonato appena ho letto la tua lettera. Nel mio cuore non avevo altra scelta. Lasciarti una volta è stato difficile; doverlo fare una seconda, sarebbe stato impossibile. Ti amavo troppo per lasciarti andare di nuovo. Anche se ancora soffro al pensiero di come sarebbe potuta essere la nostra vita, ti sono grata di essere entrato nella mia anche solo per un breve periodo. Agli inizi pensavo che il destino ci avesse uniti per aiutarti a superare il tuo dolore. Ma adesso, a un anno di distanza, sono giunta alla conclusione che fosse esattamente l'opposto.

Per ironia della sorte mi trovo nella tua stessa situazione la prima volta che ci siamo incontrati. Mentre scrivo combatto con il fantasma di qualcuno che ho amato e perduto. Adesso comprendo meglio le difficoltà che dovevi affrontare, e mi rendo conto di quanto fosse duro per te. A volte il dolore mi annienta, e sebbene sia consapevole che non ci rivedremo più, una parte di me vorrebbe rimanere aggrappata a te per sempre. Sarebbe facile farlo, perché amando un altro il mio ricordo di te potrebbe affievolirsi. Ma è proprio questo il paradosso: anche se mi manchi immensamente, proprio grazie a te non temo il futuro. Dato che sei riuscito a innamorarti di me, mi hai dato speranza. Mi hai insegnato che, per quanto sia grande il dolore, si può continuare a vivere. E, a modo tuo, mi hai indotto a credere che l'amore vero non può essere negato.

In questo momento non credo di essere ancora pronta, ma questa è la mia scelta. Non biasimare te stesso. Grazie a te, nutro la speranza che un giorno la mia tristezza sarà sostituita da qualcosa di bello. Grazie a te, ho la forza di andare avanti.

Non so se i morti possano tornare su questa terra e muoversi invisibili tra coloro che li hanno amati, ma, se fosse possibile, allora so che sarai sempre con me. Ascoltando l'oceano sentirò la tua voce; quando una brezza fresca mi accarezzerà la guancia, sarà il tuo spirito che mi passa accanto. Tu non te ne sei andato per sempre, a prescindere da chi entrerà nella mia vita. Tu sei con Dio, accanto alla mia anima, e mi guidi verso un futuro che non so prevedere.

Questo non è un addio, mio amato, ma un ringraziamento. Grazie di essere venuto nella mia vita e di avermi dato gioia, grazie di avermi amata e di avere accettato in cambio il mio amore. Grazie dei ricordi che custodirò per sempre nel mio cuore. Ma soprattutto grazie per avermi mostrato che verrà un tempo in cui sarò infine capace di lasciarti andare.

Ti amo, T

Dopo che ebbe letto per l'ultima volta la lettera, Theresa l'arrotolò e la sigillò nella bottiglia. La rigirò un paio di volte, sapendo che il cerchio si era chiuso. Quando infine comprese di non poter indugiare oltre, la lanciò più lontano che poté.

Fu allora che si alzò un forte vento e la nebbia incominciò a diradarsi. Theresa rimase in piedi in silenzio, a guardare la bottiglia che si dirigeva verso il mare aperto. E pur sapendo che era impossibile, immaginò che non sarebbe più tornata a riva. Avrebbe continuato a navigare per il mondo, spingendosi in luoghi lontani che lei non avrebbe mai visitato.

Qualche minuto più tardi, quando la bottiglia svanì dalla vista, Theresa si diresse verso la macchina. Camminando in silenzio sotto la pioggia, sorrise teneramente. Non sapeva se, o quando, o dove sarebbe ricomparsa la lettera, ma non aveva importanza. Era sicura che Garrett avrebbe comunque ricevuto il suo messaggio.

L'autore

Nicholas Charles Sparks nasce a Omaha, Nebraska, il 31 dicembre 1965, secondogenito di Patrick e Jill. Ha un fratello, Michael, detto Micah, e una sorella, Danielle, morta prematuramente nel 2000. Trascorre l'infanzia in Minnesota, a Los Angeles e a Grand Island, per poi stabilirsi definitivamente a Fair Oaks, in California, all'età di otto anni. Suo padre era professore, mentre sua madre – oltre a occuparsi della famiglia – era optometrista. Si diploma nel 1984 e vince una borsa di studio per l'università di Notre Dame.

Nel 1985, dopo aver conquistato il record nella staffetta 4x800 di atletica (record ancora imbattuto), ha un incidente dal quale si riprende solo dopo alcuni mesi. In quel periodo scrive il suo primo romanzo, che non è mai stato pubblicato. Nel 1988 si laurea in Economia con il massimo dei voti.

Nella primavera dello stesso anno conosce Catherine, che sposa nel luglio del 1989. Insieme si trasferiscono a Sacramento dove Nicholas scrive il secondo romanzo, anch'esso inedito. Nei successivi tre anni svolge diversi lavori, dall'agente immobiliare, al cameriere, fino al venditore di protesi dentarie e infine avvia, tra mille difficoltà, una impresa manifatturiera. Nel 1990 scrive un libro con il campione olimpionico Billy Mills, *Il bambino che imparò a colorare il buio*, prima pubblicato dalla piccola Feather Publishing, e poi rieditato da Random House. Nonostante la scarsa pubblicità, il libro vende 50.000 copie già nel primo anno.

Nel 1992 comincia a vendere prodotti farmaceutici e si trasferisce da Sacramento al North Carolina. Nel 1994, all'età di 28 anni, e in soli sei mesi, scrive *Le pagine della nostra vita*. Nell'ottobre del 1995 i diritti del romanzo sono venduti a Warner Books che lo pubblica esattamente un anno dopo. Al primo libro sono seguiti tantissimi altri successi internazionali, tradotti in più di trentacinque lingue. La versione cinematografica di *Le parole che non ti ho detto* è stata realizzata nel 1999, il film *I passi dell'amore* è uscito nel 2002, e *Le pagine della nostra vita* nel 2004. E nel 2008 è uscito il film tratto dal romanzo *Come un uragano*. Anche dal grande schermo, le storie di Nicholas conquistano il cuore del pubblico.

Nicholas Sparks attualmente ha cinque figli – Miles, Ryan, Landon, Lexie e Savannah – e abita ancora nella sua casa del North Carolina. È rimasto un atleta e corre ogni giorno, pratica il sollevamento pesi e il Tae Kwon Do. Frequenta regolarmente la chiesa e legge circa 125 libri all'anno. Sostiene diverse cause benefiche e contribuisce al corso di scrittura creativa dell'università di Notre Dame.

www.nicholassparks.com
eNewsletter: www.hachettebookgroupusa.com
Da quest'anno è attivo il nuovo sito creato da Sparks per i suoi fan italiani: www.nicholasparks.it

I libri di Nicholas Sparks

Le pagine della nostra vita
La vita di Noah potrebbe essere perfetta. Gli manca però Allie, una ragazza amata molti anni prima e mai dimenticata. Un giorno lei ricompare per vederlo l'ultima volta prima di sposarsi.

Il bambino che imparò a colorare il buio (con Billy Mills)
Dopo la morte della madre e della sorella, il piccolo David può contare solo sull'aiuto del padre per ritrovare un po' di pace. L'uomo gli farà un regalo che rivelerà al bambino la conoscenza.

I passi dell'amore
Quando Landon viene lasciato dalla fidanzata, ripiega su Jamie, riservata figlia del pastore. Non sono proprio la coppia dell'anno, eppure il tempo ha in serbo per loro una straordinaria sorpresa.

Un cuore in silenzio
Taylor, vigile del fuoco, affronta coraggiosamente il pericolo per salvare una vita. Ma quando incontra Denise deve vincere antiche paure che gli impediscono di lasciarsi andare al sentimento.

Un segreto nel cuore
Miles, che ha perduto l'amata moglie, ha un figlio con molti problemi. A riconoscerne il disagio è Sarah, la sua maestra. Tra i due nasce qualcosa che va oltre il comune affetto per il bambino.

Come un uragano
Adrienne è considerata una signora tranquilla e prevedibile. Ma quando la figlia Amanda, rimasta vedova, cade in una profonda depressione, lei decide di rivelarle un segreto a lungo taciuto.

Quando ho aperto gli occhi
Sono passati quattro anni da quando ha perso il marito, e il gelo nell'anima di Julie si sta sciogliendo. Adesso è pronta a credere possibile una nuova felicità, ma chi vorrà al suo fianco?

Come la prima volta
Quando Wilson scopre che sua moglie Jane è infelice, capisce che la colpa è tutta sua. La riconquisterà grazie alla saggezza del suocero, Noah, protagonista di Le pagine della nostra vita.

Il posto che cercavo
A Boone Creek vengono avvistate misteriose luci notturne. A indagare arriva in città lo scettico Jeremy Marsh. Sulle prime tra lui e Lexie, direttrice della biblioteca, sorgono degli attriti, ma poi...

Tre settimane, un mondo (con Micah Sparks)
In una giornata di normale frenesia Nicholas Sparks riceve un dépliant turistico. Suo fratello Micah lo convince a intraprendere un viaggio che si trasforma in un percorso nella loro infanzia.

Ogni giorno della mia vita
Jeremy era certo che non avrebbe mai lasciato New York, non si sarebbe risposato né avrebbe avuto figli. Invece sta cercando casa con Lexie, che aspetta una bimba. Ma lei gli nasconde qualcosa...

Ricordati di guardare la luna
Ovunque sarai e qualunque cosa stia accadendo nella tua vita, tutte le volte che ci sarà la luna piena tu cercala nel cielo... Così scriveva Savannah a John quando a dividerli era solo l'oceano.

La scelta
Travis è un giovane veterinario refrattario alle lunghe relazioni. Ma quando incontra Gabby, dopo un inizio burrascoso i due si innamorano perdutamente. Finché accade l'irreparabile...

Ho cercato il tuo nome
Logan Thibault ha trovato la fotografia di una giovane donna nella sabbia del deserto e decide di rintracciarla. Lui ed Elizabeth si trovano coinvolti in un'appassionante storia d'amore.

L'ultima canzone
Ronnie, adolescente newyorkese, si trova a passare le vacanze con il padre in North Carolina. È convinta che quella sarà la peggiore estate della sua vita, finché non conosce Will...

Superbestseller

S. Sheldon, *Padrona del gioco*
S. Casati Modignani, *Come stelle cadenti*
D. Steel, *Incontri*
S. King e P. Straub, *Il Talismano*
S. Sheldon, *Se domani verrà*
M. Higgins Clark, *La culla vuota*
D. Steel, *La tenuta*
S. Sheldon, *Linea di sangue*
D. Steel, *Ritratto di famiglia*
S. King, *Pet Sematary*
S. Sheldon, *La rabbia degli angeli*
D. Steel, *Svolte*
M. Higgins Clark, *Incubo*
S. King, *Stagioni diverse*
S. Casati Modignani, *Disperatamente Giulia*
D. Steel, *Menzogne*
S. Casati Modignani, *Donna d'onore*
S. King, *It*
S. Sheldon, *Uno straniero allo specchio*
D. Steel, *Palomino*
D. Steel, *Promessa d'amore*
S. King, *Misery*
D. Steel, *Giramondo*
S. Sheldon, *I mulini a vento degli dei*
S. Sheldon, *L'altra faccia di mezzanotte*
D. Steel, *Ora e per sempre*
D. Steel, *L'anello*
S. Casati Modignani, *Il Barone*
D. Steel, *Fine dell'estate*
S. King, *Gli occhi del drago*
S. Casati Modignani, *E infine una pioggia di diamanti*
S. King, *Cujo*
D. Steel, *Stagione di passione*
M. Higgins Clark, *Nella notte un grido*
S. Sheldon, *Le sabbie del tempo*
S. Sheldon, *Il volto nudo*
D. Steel, *Una volta nella vita*
S. King, *Tommyknocker - Le creature del buio*
D. Steel, *Un amore così raro*
M. Higgins Clark, *Non piangere più, signora*
D. Eddings, *I Guardiani della luce*
D. Steel, *Amarsi*
S. Sheldon, *Ricordi di mezzanotte*
D. Steel, *Amare ancora*
D. Eddings, *Il Re dei Murgos*
S. King, *La zona morta*
D. Steel, *Due mondi due amori*
M. Higgins Clark, *Mentre la mia piccola dorme*
D. Eddings, *Il Signore dei Demoni*
D. Eddings, *La maga di Darshiva*
D. Steel, *Una perfetta sconosciuta*
S. King, *L'incendiaria*
D. Eddings, *La profetessa di Kell*
S. Casati Modignani, *Saulina (Il vento del passato)*
D. Steel, *Cose belle*
S. Sheldon, *La congiura dell'Apocalisse*
S. King, *Christine - La macchina infernale*
D. Steel, *Il cerchio della vita*
S. Casati Modignani, *Lo splendore della vita*
M. Higgins Clark, *Le piace la musica, le piace ballare*
S. Sheldon, *E le stelle brillano ancora*
D. Steel, *Il caleidoscopio*
D. Steel, *Zoya*
S. King, *Scheletri*
S. King, *La metà oscura*
D. Steel, *Daddy - Babbo*
M. Higgins Clark, *La Sindrome di Anastasia*
S. Casati Modignani, *Il Cigno Nero*
D. Steel, *Messaggio dal Vietnam*
M. Higgins Clark, *In giro per la città*
S. Casati Modignani, *Come vento selvaggio*
S. King, *Quattro dopo mezzanotte* (Volume primo)
D. Steel, *Batte il cuore*
S. King, *Quattro dopo mezzanotte* (Volume secondo)
D. Steel, *Nessun amore più grande*
M. Higgins Clark, *Un giorno ti vedrò*
S. King, *Cose preziose*
D. Steel, *Gioielli*
G. Pansa, *Ma l'amore no*
S. Sheldon, *Nulla è per sempre*
S. King, *Il gioco di Gerald*
D. Steel, *Star*
M. Higgins Clark, *Ricordatevi di me*
S. King, *Il Miglio Verde*
D. Steel, *Le sorprese del destino*

M. Higgins Clark, *Domani vincerò*
S. King, *Dolores Claiborne*
S. Sheldon, *Giorno & notte*
D. Steel, *Scomparso*
G. Pansa, *Siamo stati così felici*
S. Casati Modignani, *Il Corsaro e la rosa*
M. Higgins Clark, *Un colpo al cuore*
D. Steel, *Il regalo*
N. Sparks, *Le pagine della nostra vita*
S. King, *Incubi & deliri*
D. Steel, *Scontro fatale*
M. Higgins Clark, *Bella al chiaro di luna*
S. Casati Modignani, *Caterina a modo suo*
D. Steel, *Cielo aperto*
G. Pansa, *I nostri giorni proibiti*
D. Steel, *Fulmini*
R. Bachman (S. King), *L'occhio del male*
M. Higgins Clark, *Una notte, all'improvviso*
M. Higgins Clark, *Testimone allo specchio*
D. Steel, *La promessa*
D. Steel, *Cinque giorni a Parigi*
G. Pansa, *La bambina dalle mani sporche*
S. Sheldon, *Una donna non dimentica*
S. Casati Modignani, *Lezione di tango*
S. King, *Desperation*
R. Bachman (S. King), *I vendicatori*
S. King, *Riding the bullet - Passaggio per il nulla* (Libro + CD)
D. Steel, *Perfidia*
S. King, *Mucchio d'ossa*
D. Steel, *Silenzio e onore*
M. Higgins Clark, *Sarai solo mia*
S. Sheldon, *Dietro lo specchio*
D. Steel, *Il ranch*
G. Pansa, *Ti condurrò fuori dalla notte*
D. Steel, *La lunga strada verso casa*
D. Steel, *Il fantasma*
M. Higgins Clark, *Ci incontreremo ancora*
S. King, *Insomnia*
N. Sparks, *Le parole che non ti ho detto*
G. Pansa, *Il bambino che guardava le donne*
S. Casati Modignani, *Vaniglia e cioccolato*
S. King, *Rose Madder*
D. Steel, *Un dono speciale*
R. Bachman (S. King), *L'uomo in fuga*
M. Higgins Clark, *Accadde tutto in una notte*
D. Steel, *Dolceamaro*
R. Bachman (S. King), *La lunga marcia*
S. King, *La bambina che amava Tom Gordon*
S. Sheldon, *L'amore non si arrende*
S. King, *Cuori in Atlantide*
N. Sparks, *Un cuore in silenzio*
M. Higgins Clark, *Prima di dirti addio*
D. Steel, *Immagine allo specchio*
M. Higgins Clark e C. Higgins Clark, *L'appuntamento mancato*
D. Steel, *Forze irresistibili*
S. King e P. Straub, *La casa del buio*
D. Steel, *Le nozze*
M. Higgins Clark, *Sapevo tutto di lei*
S. King, *L'acchiappasogni*
S. Casati Modignani, *Vicolo della Duchesca*
D. Steel, *Aquila solitaria*
M. Higgins Clark, *Dove sono i bambini?*
D. Steel, *Granny Dan - La ballerina dello zar*
S. Casati Modignani, *6 aprile '96*
N. Sparks, *I passi dell'amore*
D. Steel, *La casa di Hope Street*
D. Steel, *Un uomo quasi perfetto*
M. Higgins Clark e C. Higgins Clark, *Ti ho guardato dormire*
S. King, *Tutto è fatidico*
D. Steel, *Atto di fede*
M. Higgins Clark, *La seconda volta*
S. Sheldon, *Hai paura del buio?*
D. Steel, *Brilla una stella*
N. Sparks, *Come un uragano*
M. Higgins Clark, *Una luce nella notte*
S. King, *Buick 8*
D. Steel, *Il bacio*
N. Sparks, *Un segreto nel cuore*
D. Steel, *Il cottage*
S. Casati Modignani, *Qualcosa di buono*
M. Higgins Clark, *Quattro volte domenica*
D. Steel, *Una preghiera esaudita*
A. Grisendi, *Bellezze in bicicletta*
B. Mills, N. Sparks, *Il bambino che imparò a colorare il buio*
S. Sheldon, *Una stella continua a brillare*
N. Sparks, *Quando ho aperto gli occhi*
S. King, *Torno a prenderti*
D. Steel, *Tramonto a Saint-Tropez*
M. Higgins Clark, *La notte mi appartiene*
S. King, *La storia di Lisey*
M. Higgins Clark, *La figlia prediletta*
N. Gardner, *Un amico come Henry*
M. Higgins Clark, *Dimmi dove sei*

Finito di stampare nel gennaio 2010
presso la Mondadori Printing S.p.A.
Stabilimento N.S.M. di Cles (TN)
Printed in Italy